世纪中国论坛典藏文库

现代三大经济理论体系的比较与综合

樊纲 著

格致出版社 上海人民出版社

出版说明

出版作为人类思想和智慧的凝结，集聚了发明创造和社会实践的经验与成果，推动了人类文明进步。飞速发展的数字和互联网技术并未削弱出版业的这一功能，反而前所未有地促进了其创新发展。

长期以来，上海世纪出版集团始终以弘扬主旋律、引领学术思潮、关注时代命题为己任，并围绕中国发展的重大事件、重大战略决策和重大理论问题举办“世纪中国论坛”。结合 2016 年“世纪中国论坛”，上海世纪出版集团融合移动端、语音端等新技术，以纸电一体同步发布的方式隆重推出《世纪中国论坛典藏文库》，实现了出版方式与互联网、新技术、新模式的融合发展，表达了出版人在奉献好书的同时，努力践行社会责任、文化理想的使命追求。

《世纪中国论坛典藏文库》聚焦中国经济的长期增长主题，荟萃了诺贝尔经济学奖得主、熊彼特奖得主和中国经济学杰出贡献奖得主等中外著名经济学家的扛鼎之作，著译并重，经典闪耀。

著名经济史学家安格斯·麦迪森早在 1998 年出版的《中国经济的长期表现》英文版中就预言，中国可能在 2015 年成长为世界最大的经济体，从而恢复它在 1890 年之前所享有的世界经济地位。2014 年，在《中国的奇迹：发展战略与经济改革》出版 20 周年之际，经济学家林毅夫在为图书新版撰写的长篇序言中特别指出："出乎主流经济学界预料之外的是，中国经济在此书出版后 20 年却基本沿着我们在书中所预测的增长轨迹前进。"

然而，中国经济自 2012 年增速明显减慢，国内生产总值（GDP）增长率一直处于下行趋势。经济学家们所预言的奇迹或增长赖以产生的基础是否改变？对于未来，我们是否还有足够的信心？

首届中国经济学杰出贡献奖得主吴敬琏在专著《中国增长模式抉择》第一版（2005 年）中，就指出了转型、结构调整不能取得成效的很多具体原因，归结到一点，就是存在体制性障碍，核心内容就是政府仍然在资源配置中起决定性的作用，抑制或排除了市场的作用。他在第四版的序言中写道："中国在 21 世纪面对着两个必须解决的问题，一个是体制改革，一个是发展转型。"

无独有偶，中国经济改革研究的先驱巴里 · 诺顿在《中国经济：转型与增长》一书中，全面描述和评价了 1949 年以来的中国经济，并把中国的制度转型放在经济增长的大框架里论述，既突出了转型对中国经济增长的必要性，也突出了转型对中国经济增长的促进作用。

显然，制度转型不可能一蹴而就。诺奖得主道格拉斯 · 诺思和斯坦福大学教授青木昌彦在各自的经典作品《制度、制度变迁与经济绩效》与《比较制度分析》中，分别从东西方的不同视角阐释了制度的内涵，揭示了制度在经济发展和绩效中的作用。

公共选择理论的奠基者曼瑟·奥尔森的遗著《权力与繁荣》则提出了“强化市场型政府”这一分析经济增长的前沿性概念，为金融危机后的亚洲以及其他发展中国家的治理演变和经济政策提供了有用的分析框架。

对于那场起始于亚洲的金融危机，沈联涛用《十年轮回：从亚洲到全球的金融危机》一书进行了详细的解剖，并警示我们2017年可能发生的另一场全球金融危机。对于可能引发危机的高杠杆问题，瑞典的邓达德等在《新国富论：撬动隐秘的国家公共财富》一书中给出了全新的解决方案，并因此被《经济学人》和《金融时报》推荐为2015年度图书。

根据“十三五”规划的蓝图，中国经济将保持中高速增长，到2020年国内生产总值和城乡居民人均收入比2010年翻一番。2015年11月，习近平总书记提出要着力加强供给侧结构性改革，这是实现收入翻番的必由之路，其目标就是通过消除生产要素供给能力和配置效率以及全要素生产率提高的体制性障碍，消除经济运行中不平衡、不协调、不可持续的因素，一方面挖掘传统增长动能的潜力，另一方面开启新的可持续增长动能，最终实现经济增长方式的转变。正如习近平总书记指出的：“中国共产党人和中国人民完全有信心为人类对更好社会制度的探索提供中国方案。”我们将以出版更多的精品力作传播道路自信、理论自信、制度自信和文化自信，为实现中华民族伟大复兴的中国梦作出贡献。

《世纪中国论坛典藏文库》编委会

2016年7月

再版前言

1990年，我的两本专著由当时的上海三联出版社出版，25年的时间过去了。如今格致出版社计划再版，在此写一小序，也是表达对出版社的感谢之情！

25年后面对当时的文字，最自然的一个问题是：当时的理论观点还正确么，需要纠正什么错误么？25年来有什么发展与提高？我的回答如下：

第一，当时的基本观点和理论分析，现在看也还是正确的，并不过时。当时形成这些观点和理论分析，应该说是我十年研读经济学、思考经济问题的成果，已经形成了自己的一些主张，体现在这两部著作中，现在看来，还是经得住时间考验的。特别是《公有制宏观经济理论大纲》，现在看来除了数学表达上有所欠缺之外，分析都是正确的。25年前分析的那些事，现在在一部分经济当中还在反复地发生，只是规模与形式有所变化。一种制度在，一种行为逻辑就仍会在，不会有错，理论不过是揭示了这一逻辑。比较遗憾的是，当年《大纲》出版后有的国外机构想资助出英文版，都请人翻译了初稿，但一是由于时间紧，对翻译稿不满意又没有时间自己动手写，二是由于苏东剧变，想到此书的国际市场已大大缩小，就放弃了。当下，中国又在进行新一轮的体制改革，在努力解决25年来仍然没有完全解决或解决好的大大小小的一些问题。自己认为这本书的理论和分析方法，在今天仍然有其现实的意义。

第二，25年当然有发展，有提高。现在让我再写《三大经济理论体系的比较与综合》，就可以丰富得多了。最重要的进步是，经过25年亲历中国经济发展的过程，有了对工业化早期直至现在各种经济现象的直接体验，我觉得我已经能够体会到古典经济学家、新古典经济学家和凯恩斯学派的学者们在当初的欧洲为什么产生了那些理论思想，经济学理论是怎样在西方经济的漫长历史中，在经济增长和现代化的进程中，一步一步地发展到今天的。而如今的我们，正在重新经历着发达国家早期同样的历程，虽然有着落后的发展中国家所特有的"成长的烦恼"，却也有着"落后的优势"，可以从今天的角度，对前人的一切理论和思想，做更为生动的综合，也可由此对经济学的发展做出我们后人的一份贡献。不过这些完全可以是另一本书的内容了，今天也很难对25年前的著述做什么修补。

此外，可以多说一句的是，25年来，我不曾写过"应景的"文字，凡是写出来发表的，都是经过思考自己认为正确的，所以也没有那种根据今天的景色修正以前文字的尴尬。

最后，再次感谢格致出版社，感谢25年前亲自对我的两本书进行组织编辑工作的陈昕先生！

樊　纲

2015/1/4

序

从1902年严复将亚当·斯密的《国富论》翻译成中文算起，西方经济学被引进我国，已经将近一个世纪了。马克思主义经济学也来自西方，新中国成立之后，在经济学界占据了统治的地位。改革开放以来，更有大量的西方经济理论被介绍给国内理论界。引进了许多理论，如何消化、掌握、融会贯通，如何对各种理论本身，对不同的理论和方法的相互关系，比如西方主流经济学与马克思主义经济学之间的相互关系，作出科学的分析和评价，从而正确地加以利用，为我们自己的目的服务，却一直是摆在中国经济学家面前的一个重要课题(事实上也是摆在世界上所有经济学家面前的一个重要课题)。樊纲的新著《现代三大经济理论体系的比较与综合》，无疑是在这方面的一个大胆、可贵的新探索。

1

当代西方主流经济学(以新古典主义和凯恩斯主义主流为代表)与马克思主义经济学之间，就其实证内容而不是价值判断而言，究竟是一种怎样的关系?这是一个多年来不断被世界上经济学家们提出来讨论的问题，因而也出现了各式各样的回答。

一种过去颇为流行的观点是：马克思主义是科学真理，而其他各种经济理论都属于“庸俗经济学”，是“伪科学”，不值得我们研究和学习。仅就忽视对社会经济矛盾的研究，不去努力揭示物质生产和物质交换中所体现的社会关系，维护现存制度这一点而言，西方主流经济学的确符合马克思当年所说的“庸俗经济学”的特定含义。但是，正如《现代三大经济理论体系的比较与综合》一书中指出的，作为经济学研究对象的社会经济活动，是一个复杂的多面体，它不仅是人与人之间相互交往的社会关系，也是人们利用有限物质资源满足各种需要的物质生产活动。研究对象是多方面的，经济科学本身也就应该包括多方面的内容。一种经济理论，如果在一定的社会制度前提下对人与物的关系这一方面进行了深入的分析，提供了理解有关经济现象的理论和方法，把人类对这些问题的认识推向了前进，有利于解释和解决现实中的一些经济问题，它就具有一定的科学真理性，同样构成经济科学的一个组成部分。用“伪科学”之类的概念对其进行“定性”或区分，是不恰当的，也是不科学的。

另一种也曾颇为流行的观点是：马克思主义研究的是经济运动的实质（社会关系），而西方经济学研究的则是经济运动的形式（物质关系），因而前者揭示了经济现象的本质，而后者只能描述现象；西方经济学中起基本解释作用的效用偏好之类的概念，也都是一些“现象形态”。这种观点其实是似是而非的。这里首先要认清的一个关键问题是如何理解人与人的社会关系和人的物质需要与物质生产活动本身的相互关系。按照马克思主义历史唯物主义的论点，人的物质需要和物质生产活动，同样是经济活动的一个基本方面，甚至是人与人之间发生经济交往的动因和前提；社会经济关系，最终是由物质生产条件决定的。经济学不等同于历史哲学，但根据这种哲学观点，我们至少不能说物质关系或人与物的关系是一种“现象形态”。就经济学所要解释的经济现象而言，如价格、需求、供给、经济增长等等，都是由多种基本的、内在的经济因素决定的。社会经济制度、经济利益矛盾，自然是其中的重要因素，但人们对物品的效用偏好、投入产出的物质技术关系等等，同样是重要的、内在的、非“现象”的因素，也是决定经济变量和经济现象的一些深层的、“实质”性的基本因素；不对这些因素本身及其在经济运动、经济变量决定过程中所起的作用进行深入的、有时是抽象的分析，我们同样不能完整而科学地说明各种经济问题。马克思主义经济学着重分析了社会经济制度、经济利益矛盾在经济过程中的决定作用，对经济学作出了重大的贡献；而西方经济学中的一些理论则深入分析了人的物质需求偏好结构、现存生产技术对经济变量的决定作用，深化了人们在这方面的认识，这同样是必需的，是对经济学的贡献。并且，这种分析也属于对现象背后的一些内在因素的分析，并不仅仅是现象描述。因此，正如《现代三大经济理论体系的比较与综合》中所指出的，用“本质”和“现象”的关系来概括马克思主义经济学与西方经济学的关系，也是不恰当的。

还有一种观点，认为马克思主义研究的是社会经济关系，而西方主流经济学则主要研究了经济的运行机制和具体运行过程。这种观点失之偏颇的原因则在于没有注意到，对社会经济关系的说明离不开对经济运行机制的分析，因为人们之间的社会交往和利益矛盾，正是通过经济运行机制而进行和展开的。同时，经济学的最终目的，在于说明各种经济变量和经济现象，而在社会经济关系、经济制度与经济变量之间的一个不可或缺的中间环节，就是经济运行机制；脱离了对经济运行机制的分析，也就无法用经济关系来说明经济变量。马克思主义经济学在分析商品交换关系和资本主义生产关系的时候，都是先从经济运行机制入手，然后又在说明了基本关系之后进一步说明社会利益矛盾是如何在经济运行过程中决定各种经济变量、产生各种经济现象的。因此，说马克思没有分析经济运行机制，是不正确的。《现代三大经济理论体系的比较与综合》中指出，经济运行机制本身具有多重的功能规定，既是经济利益矛盾实现和发展的机制，也是资源配置的机制；不同经济理论的区别不在于是否分析了经济运行机制，而在于着重分析了它的某一种功能。马克思主义经济学着重将经济运行机制作为人与人的利益矛盾实现和发展的机制进行了考察，而新古典主义等理论则着重将其作为资源配置的机制进行了考察。这一论点显然更符合逻辑。

还有一种观点是说不同经济理论的区别在于它们分别属于不同的“范围”(ranges)：马克思主义理论考察的是社会经济制度基于内在矛盾而发

展演变的逻辑;而西方正统理论研究的则是现实“日常经济生活”的规律。这是最早由奥斯卡·兰格博士1935年在《经济研究评论》上的一篇论文中提出的观点,至今在西方熟悉马克思主义理论的一些经济学家中也颇为流行。这种观点并非全无道理,因为马克思当年研究经济学的目的就是要说明资本主义制度发生、发展和消亡的规律,而西方主流经济学家的目的主要在于解释资本主义经济本身的各种现象,为解决当时的经济问题、维持现存制度提出“对策”。但是,这不等于说,马克思主义经济学就与理解日常经济问题无关。事实上,近些年来一些新马克思主义的理论就表明了,马克思主义理论提供的关于社会经济利益矛盾的分析,对于理解资本主义经济的日常现象,如经济周期、失业、通货膨胀,甚至价格决定等,同样具有重要的理论意义和现实意义。同时,在另一方面,我们也很难说新古典主义、凯恩斯主义等关于生产函数、经济增长等理论的研究,对于认识社会经济的发展演变没有积极的意义。

现在,在《现代三大经济理论体系的比较与综合》中,樊纲又提出了一个颇为独到的观点:马克思主义经济学与西方主流经济学在理论内容上的基本区别与相互关系,在于它们对多侧面、具有多重规定性的社会经济活动进行研究时,研究“角度”或者所侧重的方面有所不同。马克思主义把人与物的关系(物质生产与物质消费)作为社会经济关系的“物质承担者”加以肯定,然后着重考察的是人与人的社会关系本身,以及这种社会关系在决定经济变量和经济发展中的内在作用;而西方主流经济学则在将社会经济制度当作背景条件的前提下,着重分析人们的物质需要、物质生产以及资源配置的过程,并主要用人与物的关系来说明经济变量和经济现象。正是因为不同经济理论的差别主要是研究角度和分析侧面的差别,它们也就具有一定的“互补性”,在正确认识它们的区别与联系的基础上,就可以运用正确的方法,将它们有机地综合起来(樊纲提出的方法是“马克思主义新综合”),利用已有的各方面的理论,形成统一而完整的理论体系,从而更加全面而科学地解释经济运动过程,把握经济变量,说明经济现象。

这一观点还刚刚提出,能否经得住理论家们的批评,能否经得住经济现实和经济理论史的进一步检验,自然还有待时日。但读者可以看到,书中对这一基本论点的论述是充分的、严谨的、能够自圆其说的,是建立在作者对各种经济理论的内容和方法的透彻理解，对经济思想史的深刻分析的基础之上的；在应用这一论点重新考察各种基本理论问题（如长期争论的“价值—价格理论”、“分配理论”、“增长理论”等）时，也是能够有所创新的，并因此而显示了这一论点的理论价值。

2

经济学研究的最终目的，是改造社会，增进全民的福利，昌盛民族的未来，与这一目的直接相关的，自然是经济政策。但是，怎样才能研究制定出科学的、有效的经济政策？除了需要对社会经济的历史和现状有深入的了解之外，特别需要的就是科学理论的指导。并且，不仅需要有与当前经济问题直接相关的具体理论，而且需要有对于经济学基本问题作出解释的基础理论。就像没有高能物理等基础理论为后盾，就不可能造出原子弹一样，没有对经济学基本理论的深入了解，就不能提出科学有效的经济政策。越是在现实经济问题紧迫的时候，就越是不能忽视对经济学基础理论的研究。

我们中国的经济建设，40年来取得了很大的成就，也犯了不少错误，以致远远地落在了世界先进国家的后面。实行改革开放以来，上上下下都有一种紧迫感，经济学家们也想尽快地找出改革和发展的“治世良方”，政策研究成为“热门”，各种对策争相问世，这无疑对前几年的改革开放和经济发展起到了重要的积极作用。但是，也正是在这种“对策热”中，出现了忽视甚至轻视、荒疏基础理论研究和急功近利的倾向。一方面，缺少对我国社会主义经济基本问题的理论研究；另一方面，对经济学基本理论的研究更是成了“冷门”。有些人对西方的各种经济理论，不愿去作深入细致的分析研究，读了一两本经济学著作（并且往往是一两本某一学派的著作），便以为掌握了全部经济学；尚未搞清楚一种经济理论产生的历史条件、社会背景和各种前提假设，就急于拿来应用于解决我国面临的特殊经济问题，结果是，在这种理论背景下产生的“政策结论”，往往很难避免“下错了药”。我想，我们应该从这些情况中及时吸取教训了。这不仅关系到我国经济学界能否真正在一两代人的时间内摆脱落后的面貌，利用现代经济学的一切科学成果，建立和发展起适合于说明我国经济问题的理论体系，从而为整个人类经济科学的发展作出我们自己的独到贡献；也关系到改革的成败，关系到能否沿着正确的道路尽快实现“四化”。一个国家、一个民族的兴盛，没有科学的发展、基础理论素质的提高，是不可能的。

樊纲的这本《现代三大经济理论体系的比较与综合》，其一大特色就在于基本上是属于基础理论研究的，涉及的都是一些经济学的基本理论问题。然而读者不难发现，这些基本问题又都是与我国当前的经济现实和当前的理论建设密切相关的；这些问题不搞清楚，许多具体的理论问题就不可能得到彻底的解决，我们的理论大厦就没有牢固的根基。作者这几年认真读书，苦心钻研，打下了较为扎实的理论基础。从全书的选题到内容看，都是经得起一番推敲的，也表现出作者追根究底的精神。此书应该说是我国经济学界经济理论比较研究的第一部专著。虽然还有许多问题需要我们作进一步的研究，但这毕竟是一个可喜的开端。作为作者的博士研究生导师，我为他所取得的成果感到欣慰；更希望他不懈努力，不负使命，争取更大的成就。

朱绍文

1988 年 9 月于北京

前　言

1

当代的经济学理论界，流派林立，错综复杂，但仔细分析起来，能够真正称为形成体系的只有三家：100多年前由卡尔·马克思创立的马克思主义经济学，由列昂·瓦尔拉斯开创的新古典主义经济学①和50多年前由约翰·梅纳德·凯恩斯创立的凯恩斯主义经济学。它们发展至今，仍作为三个重要的、相互对峙、相互竞争的理论体系，支撑着当代世界的经济学理论界。这三个体系的创始人当初提供的理论就很丰富，后来的经济学家们在他们开创的基础上更是建造起了宏大而复杂的理论大厦；许多年来，对这三种理论的各个方面的问题进行研究和扩充的论著浩如烟海。因此，对这三种经济学理论体系进行全面的分析、批评和比较，无异于将整个现代经济学的主要内容连同

① 相当长的时期内人们通常视马歇尔为新古典主义的创始人。原因之一是由于瓦尔拉斯的著作直到20世纪50年代才有英译本问世，因而他的全面的开创性贡献很晚才被英语世界的经济学家们普遍认识。关于这个问题，请参见本书第1章第1节。

其100多年的历史重新考察一遍。可想而知，当我写下本书书名的时候，手中的笔有多么的重！

2

尽管专门对三种经济理论体系进行系统比较研究的著作，迄今为止并不多见，但人们已经在许多具体理论问题上对这三种理论进行了大量的分析比较；各种理论之间的相互论战，事实上也可属于这种比较研究的范围。这些都构成本书重要的思想材料。

然而，至今人们对各种经济理论的比较研究，大多属于以下两种类型。一类可称为“立异”，即研究各种理论的特点和相互差别，以表明其相互间的对立；最终的目的是要揭示某些理论的错误与偏颇，而证明另一种理论或作者自己的理论之正确。在相互论战中的许多比较研究，都属这种类型。另一种可称为“求同”，即分析不同的理论如何存在着共同的东西，或者如何可以某种方式相互转化；最终目的是以某些理论的科学价值，来论证另一种理论的正确，或者证明某种理论观点的普遍真理性。比如，有的人论证马克思的再生产公式经适当重写便可转化为凯恩斯的宏观模型，便属于这种性质。所有这些研究，都具有重要的意义，不仅有利于搞清各种经济理论本身及其相互争论的内容，有利于经济思想的发展，而且也的确反映了各种经济理论之间的某些方面的相互关系。

本书要作的比较研究，则可算作另一类型。书中将突出地强调各种经济理论的特点和它们之间的差别；但这样做的目的，却不是要表明它们是如何的对立，也不是要证明某种理论如何绝对错误，另一些理论又如何绝对正确，而是想说明各种理论之间的另一层关系，即由于它们在整体上迄今都具有一定的片面性，但也都具有各自的科学的价值，从而如何可以以某种特定的方式相互联系，相互补充；我们如何可以在正确认识它们的基础上对它们加以综合的利用，通过各种科学因素的有机结合，使经济科学向更高的水平发展。这样的一种分析比较，或许可以称之为“标异而求补”。这种分析，也并不是没有先例的。O.兰格1935年发表的《马克思主义与现代经济学》，便可算是包含着这种分析的一部较著名的著作；J.罗宾逊的一些论著也具有这种性质。

论证各种经济理论的“互补性”，追求某种有机的综合，这一工作本身必将超出单纯比较研究的范围，因为所谓有机的综合，不是杂乱的拼凑。一方面，它要有明确的指导思想，并且必然要以某一种理论作为综合的基本框架；另一方面，这本身也必然包含着理论的创造和再创造过程，提供某些新的理论因素和新的理论结构。本书下篇的内容很大部分就属于这种性质。因此，本书的一部分篇幅（特别是下篇）将用于正面阐述笔者自己在各种问题上的理论观点。不过由于本书是一个初步的探索，在这方面将不求精细全面。在本书范围内，笔者将仅仅满足于提出“马克思主义新综合”的基本思想和在某些具体理论问题上的初步探讨。

中文里（不是在科学的意义上），“综合”一词的贬义翻版是“折中”；而缺乏科学的指导思想和内在逻辑的综合，也的确只能算作折中。因此，试图“综合”的工作便总会冒着被称为或本身滑向“折中主义”的风险。不过，我们只能冒些风险。重要的是认识到“综合”在思想发展中所起的重要作用，所占有的重要地位——在思想发展的一定阶段上，综合不仅构成必须有人来做的一项积极的工作，而且构成理论能否进一步发展的关键。在这方面所作的努力，可能失败，误入歧途，但作为一种探索，它至少能向人们表明哪些道路是走不通的。当然，这里指出存在风险的最重要的意义还是在于提醒自己下功夫去探求理论综合的正确道路，努力使自己的比较研究不失去主导思想，使“综合”不流于“拼凑”。

3

这样一个对各种经济理论体系进行比较和综合的任务，服从于一定的理论目的。

在中国经济学家面前，摆着两个相互关联的重大理论课题：(1)如何正确地认识和评价当今世界上的各种经济理论及其相互关系，如何搞清与说明理论史上和目前仍然存在的各种理论之间的分歧和争论，如何摆脱和克服在理论比较中非科学的、教条主义的狭隘偏见。(2)如何掌握和利用世界上经济学的一切理论遗产和研究成果，建立、丰富、改进和发展适合我国需要的、科学的、现代化的经济理论体系，从根本上改变中国经济理论的落后状况（不仅落后于别人，也落后于我们自己的实践），使中国的经济学不仅成为一门真正的科学，而且真正成为实践的指导。这两个方面的课题，第一方面应该说是手段或前提，第二方面则构成最终的目的。

这些课题在新的形势下的紧迫性是显而易见的。中国实行改革开放之后，各种经济学理论正在被引进；经济学家们正在开始将自己已经接触到的东西引入经济学论文；过去的“范式”①正在被打破，而新的“范式”还未建立起来；属于不同经济理论体系的概念、术语和方法，开始被放在一起使用，有时是不正确、不恰当的使用，并因此而造成相互冲突。长期封闭之后，在开放和探索的初始阶段上出现一些混乱是正常的；不仔细研究各种理论范畴之间的关系，可能也会产生新的理论、新的思想，这在历史上也不乏先例。但是，有些问题是需要、也是应该力求说清楚的；理论家不“较真儿”，就不是真正的理论家；“稀里糊涂”的科学不是真正的科学，至少不构成严谨的科学；不尊重前人的学者，自己也不会走出多远。确实，我们需要在前进的过程中，一方面不断地扩充我们的知识，另一方面也不断地理清这些知识的相互关系，逐步地从“自在”进化到“自觉”。一句话，我们需要为我们自己的目的服务的新的《导言》和新的《政治经济学批判》。

正是这种学习、研究一切经济学理论成果，建设和发展适合于我国需要的经济理论体系的目的，构成了笔者“斗胆”对各种经济理论体系进行一番较系统的比较研究的动因。

不过，尽管最终的目的是社会主义经济理论的建设，但由于本书所要研究的理论，迄今在内容上主要都是关于资本主义经济的，为了使分析保持连贯，也便于在同一问题上对各种理论进行比较，一般不涉及社会主义经济理论问题，最多在对一些与社会主义理论特别相关的地方，做些简要的提示（有些将放在脚注中），以期引起注意。

4

本书分析和比较的，主要是各种经济理论体系中实证分析的内容，而一般不涉及有关理论的“阶级性”或“党性”的问题；这就是说，将各种理论

---

① 英文 paradigm，指被一组或一个专业内全体专业理论家共同熟悉的，作为进一步研究的基础并在讨论中共同使用的概念体系（T.Kuhn, 1962）。

中包含的社会价值判断的内容置于本书的考察范围之外。

不涉及各种经济理论的"阶级性"问题，不等于它不存在，也不意味着它不重要。经济理论的阶级性是一个公认的事实，无论是"东方的"还是"西方的"理论家，大多数对此都不讳言。对社会科学各种理论学说的研究，脱离了价值判断和对理论的阶级性分析，严格说来是不能反映问题的全貌的。但本书这样做的原因，除了不想在有限的篇幅中面面俱到之外，更主要的在于：(1)关于这个问题，人们，特别是马克思主义理论家们已经说得够多、够详尽的了，笔者提不出更多的新见解；(2)我们现在面临的主要任务，不是搞阶级斗争，因此，把理论的阶级性问题抽象掉，不仅对我们暂时无损，也许反倒能更有利于集中于我们的主要目的，有利于纠正以往那种只注意某些理论的阶级偏见而完全否定其科学价值并加以一概排斥的非科学做法。

5

本书的另一个特点是仅侧重于基础理论(所谓"纯理论")的比较研究，而一般不讨论"政策主张"(请将这里的"政策主张"作广义的理解，即理解为关于"如何改造世界"的主张)。经济理论是为经济政策服务的，总是具有一定的"政策含义"，因此当论及某些理论时也会涉及政策主张的问题，但那不是本书的考察对象本身。本书主要关注的是各种理论"如何解释世界"的观点和方法。

6

本书上篇着重对三个主要经济理论体系各自的特征进行总体上的分析，就它们对经济活动进行研究的角度和理论整体结构上的特点作了比较，并提出全书的主导思想和立论方法。

下篇将分别在价值理论、分配理论、生产和社会生产理论、增长和循环理论等一些重要理论问题上对各个理论体系进行较为详尽的分析和比较，并通过这种分析和比较，表明自己的理论观点。

笔者将假定读者已对各种经济理论的具体内容有了相当的了解。这就是说，本书不是为经济学的初学者而作的，读者不要期望通过阅读此书而掌握各种理论的详细内容。不过,对于那些对马克思主义理论之外的其他理论还不大了解的读者,建议可以先从下篇读起,那里关于各种具体理论的分析,或许能起到帮助读者进一步掌握各种理论内容的作用。

由于三种主要理论体系本身具有丰富的内容,并已经经历了长期的发展,错综复杂,千头万绪,笔者在分析中不仅只能十分概括,尽量抓住要点而不多究细节,而且也不可能总是以某一个或几个作家的论述为依据——本书分析的对象是那些已被公认为各理论体系内的共同财富的内容;哪一个经济学家在哪一个问题上的"首创权"或独到贡献的问题在多数场合只能被省略了。同时,由于力求在有限的篇幅内一方面讨论各种宏大理论的特点,另一方面又要表达自己的看法,因此,考证式的论述也将尽量减少,引述也被压到最低限度——最重要的是是否正确地掌握了各种理论体系的实质,而不是引证人们表述这些理论的具体词句。

7

本书无疑只是一个初步的探索。面对这样一个研究题目,笔者深感才疏学浅:这也许是我20年后才能作的文章;那时可能将会有更多的其他同行的研究成果可供利用。但是,考虑到我们这一代经济学家的历史责任及其紧迫性,便只有以一种"不揣冒昧"的心情仓促上阵了。只要本书能为同行们提供一个批判的对象,能激发起一些新的研究,引起一些新的思想和新的思考问题的角度,笔者就已感到十分满足了。

不过,这里奉献给读者的,毕竟是我10年经济学学涯中心血的结晶,是我独立思考的成果。尽管最后落笔写作的时间不长,但它可以说从6年前开始攻读"西方经济学"专业硕士学位的时候,就已开始思考并着手准备了;以后读博士学位时是这样,赴美国哈佛大学进修时也是这样。任何严肃的科学探讨都没有捷径可走,面对本书这样一个艰巨的题目就更是这样。这并不是让读者因我付出了艰辛而原谅我的幼稚和可能存在的错误。我只想表明,我是力求老老实实地面对本书所涉及的各个伟大经济学家的遗产,老老实实地面对经济科学的。

在此,让我们牢记真理的精神——"尊重科学"和"怀疑一切"。它要求我们将各种已有的理论当作前人努力追求真理的结果来学习、把握和继承；同时又要敢于批判，敢于揭示谬误，敢于超越前人。这也是一种超越自我，超越我们自己的无知、偏见和迷信。我们也要以真理的精神对待自我。在追求真理的道路上，必须根绝一切怯懦，否则将一事无成；但同时也应认识到，我们谁也不能穷尽真理。为了科学的目的，我们必须努力奋斗，尽到我们的责任。但我们终究不过是真理长河中的水滴。为了真理的缘故，我真诚地欢迎经济学界同行和其他学者的批评、指正，并准备随时修正自己的错误。

8

最后，我要在此表达对我的导师朱绍文教授的感激之情。没有他这6年来的严格要求、精心指导，“逼着”我定下心来认真读书；没有他反复耐心地教导我做学问与做人之道，使我认识到我们这一代对于国家和民族、对于中国经济学理论的建设和发展所负的使命与所面临的任务，连本书的这些粗浅的文字也不会出现，甚至不会有这样一个选题。当然，书中一切可能存在的错误都将仅由笔者自己负责。

此外，笔者还要对柳红同志在本书打印稿的校对、整理过程中所给予的耐心、细致和热情的帮助，表示由衷的感谢。

樊　纲

1988年5月13日

ABSTRACT

This book is an attempt to provide a new understanding of the relations between the three major economic approaches: the neoclassical, the Keynesian and the Marxian.

1. Different angles of view on the economic activity

Based on a brief review of the theories and their originations respectively, the author starts his arguments from the analysis of the nature of economic activities which are the object of economics.

On the basic level, the economic activity can be viewed in two aspects: on the one hand, it is the activity by men to produce goods to meet their various needs, by properly using and allocating scarce resources; on the other hand, it is the activity by men to deal with each other in the unavoidable conflicts of economic interests when pursuing their own particular interests. From the viewpoint of the first aspect, the economic activity is a relation between man and nature—or the material world; while from the viewpoint of the second, it is a relation among people. By this logic, all economic phenomena and economic variables, which are the outcomes of economic activities, can and should be explained in the two aspects analyzed above.

Economic study should be a work of modelling the economic reality from all sides to give an overall understanding of the object. However, it is hardly avoidable, especially at the early stage of the development of the science, that people grasp only one of the aspects, or, although having noticed that economic activity is many-sided, believe that only one aspect is important. So the different approaches in economics appear. The theories of modern "mainstream" economics, including the neo-Classicalism and the mainstream Keynesianism, focus on the resource allocation problems and explain the economic phenomena and variables by the psychological preference and input-output relations, assuming the institutions are given and that there exist no conflicts other than those which take place in market exchanges and which are based on the different tastes and endowments, all of which are exogenously given; meanwhile, Marxism (and some post-Keynesian theories) generally takes the material relations between man and goods as given and therefore concentrates on the study of the effects of the conflicts of interests between different economic classes and the evolution of institutions based on economic contradictions.

From this point of view, it is argued that the fundamental difference between various approaches is the difference in the angles of view, not the "ranges" (as Oscar Lange claimed) or "strata" (as some Marxists argued).

2. A further explication

One missing point in the above analysis is the relations between the objective and information constraint (knowledge of current state of economy and various economic relationships, uncertainty of the future, etc.) in economic activities. This taken into account, the economic activity may be viewed in a more general way: it is the human activities involving relations between the economic objective and various constraints: the material endowments constraint, institutional or social constraint, and information constraint. When economists put their emphasis on one of these three aspects, people will see different approaches taking place: neo-classical theory emphasizes the relation between the utility objective and the endowments constraint; Marxism gives more attention to income objective and social constraints; and Keynesian theories put great weight on the role of the uncertainty or the incomplete information in the determination of economic variables.

3. The "one-sided truth"

It should be noted that, when it is said that each approach gives more attention to one aspect of the economic activity, it is not meant by that any of them would have totally ignored the other aspects. What it means is that each of them emphasizes and mainly explores one aspect while leaving others given, or believing them to be playing a less important role in the explanation of economic events.

However, we can still see that each approach has its own particular weakness which just results from its assumption of "others given" and somewhat neglecting other aspects. For example, the neo-classical theory declares that the price is only determined by the scarcity of resources and the factor prices are determined therefore only by the marginal returns, neglecting the role of the conflict of interests in the process of production. This one-sided view leads to its failure to explain the so-called "normal profit" (a suggested new solution to this problem is given in Ch.8 of this book). Meanwhile, as the result of one-sided emphasis on the conflicts of interests between "classes", Marxist labor theory of value provides only a "cost explanation" of the price determination (a new interpretation of the relation between the labor theory of value and the marginal utility theory of value is given in Ch.7 of this book). As far as Keynesian theory is concerned, its over-emphasis on the uncertainty of future return to investment results in a "animal spirit" theory of business cycle, which grants hardly a place for the fluctuations of technology development and the changes in economic institutions or the shifts of power structure in the conflict of interests.

Thus we have reasons to assert that each of these theories is some kind of "partial theory" of "one-sided theory" for its failure to provide an overall and accurate description of economic reality.

However, the one-sidedness is not totally incompatible with the truthfulness. As long as a theory provides us with a profound analysis of one aspect of the economic reality, it unquestionably provides the truth, though partial, and still makes contributions in its special way to the economic science. So we should take all of these three approaches as the truth, though each is only a "one-sided truth."

4. The relative advantages of different analytic frameworks and the organic synthesis

The above analysis apparently suggests that: (1) the different approaches are "mutually complementary"; (2) there exists the possibility of making, in a proper way, an organic and scientific synthesis of three approaches to capture all the merits and avoid all kinds of one-sidedness, and to construct a comprehensive system by which we can provide a more overall explanation of the economic activities and economic variables.

In seeking a synthesis of theories, the relative advantages of the analytic frameworks matter. So a comparison of frameworks and methodologies have to be made.

Both neo-classical and Keynesian theories are characterized by the "closeness" of theoretical system, as they set almost all fundamental economic factors as "data" or "exogenous variables", such as the institutional arrangements, technology preferences and endowments. This method has the advantage of being able to make more accurate analysis of the interdependence and interactions of economic variables (as chosen) under consideration in a static state, but it has also the disadvantage of being unable to capture the dynamic nature of the economic reality and to give the description of interactions between the "data". In contrast, Marxist economics is featured by its "openness", as all fundamental factors are, explicitly of implicitly, endogenous in its system. It is difficult (but not impossible) for this method to make accurate analysis, especially in the earlier stages of the development of theory. However, it provides us with a broader framework to analyze all economic relations in one comprehensive model.

Accordingly, the book suggests exploring a new synthesis in economics: the New Marxian Synthesis—using Marxist theory as the basic framework, incorporating all useful and scientific elements of other theories and joining them together, to build a more comprehensive theoretic system and develop more scientific and realistic explanations of economic phenomena. Undoubtedly, all theories will be subject to some kind of modification in this procedure and there must be some new theoretic elements emerging from this synthesis. And that just means a new development of economics.

目　录

上篇　总　　论

下篇　具体理论

CONTENTS

PART ONE

PART TWO

上 篇

总 论

1

近代经济学历史的简要回顾

1.1 各理论体系形成历史的简要回顾

马克思主义、新古典主义和凯恩斯主义的形成和发展，构成了100多年来经济理论发展史的主要内容。

1.1-1 1860—1870年的“双重革命”

19世纪初英国经济学家李嘉图与马尔萨斯的论战，以及法国经济学家西斯蒙第对李嘉图的批判，标志着从配第、魁奈等人开始，由亚当·斯密建立起来的古典政治经济学，作为一个发展的体系，走到了它自己的尽头。“如果说在李嘉图那里(古典——笔者注)，政治经济学无情地作出了自己的最后结论并以此结束，那么，西斯蒙第则表现了政治经济学对自身的怀疑，从而对这个结束作了补充。”(马克思，1959:51)从那时起到19世纪60年代末，经济学处于一个迷惘、徘徊的时期，“多数经济学家都更倾向于强调他们的差异，而不是表明统一”(Schumpeter, 1954:383)。这可以说是经济学的第一次“危机”，即古典理论的危机时期。人们在探索、争论，试图找到、建立起一些新的东西，一方面冲出古典理论体系的框框，解决它留给人们的矛盾和难题，另一方面解释产业革命以后和1825年经济大危机之后的新的经济现象。一些新的观点被提出了，但无例外地都是一些思想“萌芽”，而且都是在一些个别的理论问题上闪现出的“火花”，它们与新体系的建造的关系还不清楚，相互的关系也很模糊。

“李嘉图派”分解了。在一个极端，以J.麦克库洛克等人为代表的“庸俗派”，在“陈葡萄酒”之类的问题上作了许多文章，力图在李嘉图的体系内解决资本利润的合理性之类的问题；在另一极，霍吉斯金（1787—1869年）、格雷（1789—1850年）等人则构成“左派”，以劳动价值论为基础提出了剩余价值一般形态的一些初步分析。J.S.穆勒可称是在这一体系内的“中派”。他试图调和李嘉图体系内部的各种观点，写出了当时广为接受、长期被作为正统教科书的较成体系的《政治经济学原理及其在社会哲学上的应用》（1848年），并因此而在经济学发展史上占有一席重要的、不容忽视的地位；但这绝说不上是一个“新的体系”，而毋宁说是在旧体系中的挣扎，是旧体系的最后一个“回声”。①它的确试图建立一些新的东西，但结果仍不过是“毫无生气的折中主义”（马克思，1972：《剩余价值理论》，第1卷，第17页）。在这一“内部混战”之外，一些新的“异端邪说”也陆续出现。在德国，李斯特、罗雪尔等人打起了“历史学派”的旗号，他们的理论观点和方法，除了服务于德国资本主义发展这一特殊目的之外，从最积极的意义上说，则构成了用历史发展的观点和社会关系的差异来研究一种经济制度和各种经济现象，而不是把某种制度看成“永恒的自然”这样一种经济学思想的先导。而在另一方面，从人与物的一般关系角度上来考察经济关系和商品交换的理论观点，在这期间可以说是“层出不穷”；西尼尔（1836年）②、巴师夏（1850年）和戈森（1854年）是较著名的，不那么著名的还有劳埃德（1834年）、朗菲尔德（1834年）、

---

① 经济学说史的另一个分期方法，是从A.斯密始到J.S.穆勒终，为“古典时期”（Schumpeter，1954：754）。

② 括号中的年份，是指该经济学家代表作的出版年份。下同。

杜普伊(1844 年)、詹宁斯(1855 年)等等①。从分析技术的角度看,古诺(1838 年)、杜比(1844 年)、屠能(1850 年)等人已开始明确地把函数分析和微积分引入了经济学分析。

所有这些,都像是暴风雨到来之前大气中游动的一股股"潜流",它们孕育着"革命性"事件的发生,并且已经部分地展示了那即将发生的事件的性质。最基本的一点是,即将出现的,不会再像古典理论那样是某种统一的、被经济学家们共同接受的综合的体系了;经济学必然地从根本上分裂成至少是两大主要的相互独立的体系,它们将在一些根本问题上具有"对立的"性质。从当时的社会条件来看,这种"分裂"也是必然的。这是因为:(1)1848 年法国大革命之后的社会矛盾和阶级斗争状况,必然导致知识分子、经济学家们在社会价值判断观念上分裂为新的、对立的"党性"派别,新的统一的代表"第三等级"利益的理论已成为不可能,无产阶级与资产阶级的矛盾必然要在理论上鲜明地表现出来。(2)资本主义经济制度在欧洲大陆的确立和资本主义经济运行机制的更加成熟、更加复杂,导致了像古典经济学那样全面但却笼统的理论结构和分析方法已不再能提供足够的洞察力,既能深刻地反映资本主义经济关系的内在矛盾和运动过程的内在规律,又能为日常的"商业活动"提供详细的理论指导;但在当时的客观条件和人类的认识水平条件下,却还不可能出现能够同时处理各种经济学问题的、全面的理论体系。因此,在主客观条件的共同决定下,社会需要经济学家们在对经济现实进行分析的角度上"分道扬镳",使对于多方面的复杂的经济现象的分析,得以更加深化、更加精细。后面的分析将表明,这是符合人类认识和科学的发展规律的。

1867 年,马克思的《资本论》第 1 卷德文第 1 版问世,它的副标题是"政治经济学批判"。这标志着第一个从旧的体系中冲杀出来的新的理论体系,即马克思主义经济学的正式诞生。我们称此为"马克思主义革命"。由其理论的特点和鲜明的阶级性所决定,马克思的理论在"正统"的经济学术界遭

① 劳埃德、朗菲尔德、西尼尔和戈森、杜普伊、詹宁斯被后人称为在杰文斯、瓦尔拉斯和门格尔同时发现边际效用时的另外两个"经济学家三人小组"(Blaug,1985:7)。

到了相当长时期的“沉默的抵制”，却很自然地在无产阶级的斗争营垒中得到了迅速的传播，成为他们的思想理论武器。

时隔 4 年，从 1871 年开始，英国的杰文斯（1871 年）、奥地利的门格尔（1871 年）和法国的瓦尔拉斯（1874 年）先后陆续发表了他们的以边际效用价值论为基础的经济学著作①。这被后人称为理论史上的“边际革命”。这场“革命”的最初效果远不如“马克思主义革命”那样波澜壮阔②，这倒不是由于经济学家们的“沉默的抵制”，而是由于当时的经济学界对这样一套新的理论概念和数学方法还无法立刻适应和接受。尽管当时就整体来说，这一新生的理论还只能算是经济学中的“主观学派”，但从理论发展史的角度考察，它标志着新古典主义理论体系的诞生。特别是瓦尔拉斯的著作，已经较为完整地提出了新古典理论几乎全部的理论命题和基本分析方法，奠定了新古典主义的基本理论框架，因此现在被认为事实上是新古典主义理论体系的创始人。③出身于门格尔故乡奥地利的 J.熊彼特称瓦尔拉斯为近代经济学史上“最伟大的经济学家”，“当时和以后的大多数理论著作……看起来不过像是在航道之外的小船，像是一些力图抓住瓦尔拉斯科学理论的某一特殊方面不适当的努力”（Schumpeter, 1954：827）。从瓦尔拉斯在新古典理论创立中的作用来看，这种评价是有其道理的。此外，考虑到后来的新古典主义理论的发展，就更是这样。正如 J.罗宾逊等指出的：“20 世纪中叶正统派在新古典学派手中的复兴，大部分是以瓦尔拉斯提出的概念为依据的”（罗宾逊和伊特韦尔，1982：44）。

① 杰文斯在 1862 年，瓦尔拉斯在 1870 年，已经发表了他们的一些基本观点。

② 有人曾指出，在当时“马克思主义……比边际主义更容易输出”。

③ “新古典主义”这个词是很久以后才出现的。它最初指的是马歇尔将边际效用论与古典理论中用“生产成本”解释价格的理论综合在一起的做法，以及他对经济学发展连续性的强调。瓦尔拉斯在他的《理论经济学要义》中，是以古典经济学的批判者出现的，但他已经使用了“生产性服务”一类的概念并将其纳入一般“生产均衡”的体系，并且在他的对一般均衡体系的“理论解”（不是单纯的“数学解”）即“搜索过程”（tatonnement）的论证中，较为详细地考察了经济如何通过短期调整达到长期均衡的过程，虽然还不如后来马歇尔、希克斯的分析那样精细，但事实上已经提出了新古典理论的各种基本要素。不过，正如前面已经提到的那样，瓦尔拉斯的这种创始人的地位，是很久以后才被人们认识到的。

从 19 世纪 70 年代到 20 世纪 30 年代，以上两大理论体系都获得了进一步的发展，马克思主义经济理论在世界范围内获得了广泛的传播，其中包含的社会革命的思想被付诸实践。在 1917 年，俄国建立了人类历史上的第一个社会主义国家。马克思主义经济理论在社会主义阵营中被尊为“官方”经济学而得到了广泛的研究。马克思经济理论的某些部分，如社会再生产理论，在这种研究中获得了发展和细化。就有关资本主义理论而言，一些马克思主义理论家在某些方面发展和深化了马克思提出的命题，并用于说明资本主义经济的一些新现象。在这方面作出较重要贡献的有：弗·恩格斯的《反杜林论》(1878 年)（恩格斯还对《资本论》第 2、3 卷的编辑、出版作出了重要的贡献），R.希法亭的《庞巴维克对马克思的批评》(1904 年)和《金融资本论》(1910 年)，R.卢森堡的《资本积累论》(1912 年)，布哈林的《食利者的政治经济学》(1918 年)，列宁的《论所谓市场问题》和《帝国主义是资本主义的最高阶段》(1917 年)，M.道布的《政治经济学与资本主义》(1937 年)等。当时的一些论著就已将马克思主义理论与新古典主义理论进行了比较，指出了马克思主义在分析资本主义经济中的卓越的洞察力，最根本的就在于它们抓住了社会经济关系中的利益矛盾。这些分析为后来马克思主义理论的发展奠定了一定的基础。

新古典理论则在 19 世纪 90 年代以后开始了长足的发展。先是在奥地利，庞巴维克(《资本实证论》，1888 年)和维塞尔(《自然价值》，1889 年)，把边际效用论扩充应用于资本理论和分配理论。在洛桑，帕累托(《政治经济学教程》，1906 年)提出了序数效用理论，并用此论证了瓦尔拉斯的一般均衡。在美国，J.克拉克(《财富的分配》，1899 年)提出了较完整的边际生产力分配论。在英国，1890 年马歇尔出版了《经济学原理》一书。此书将新出现的各种经济理论熔为一炉，并用局部均衡分析的方法使各种理论命题具体化为“商人也能读懂”的理论，从而构成了以后 40 多年在西方一直处于支配地位的“经典著作”，标志着新古典主义理论体系的正式形成。①庞古的《福利经济学》(1920 年)则用边际效用理论最先较完整地构造了新古典主义的“福利经济学”。此外，美国的费舍尔(《货币的购买力》，1911 年)，瑞典的威克塞

① 以马歇尔、庇古等为代表的“剑桥学派”，也被称为“新古典学派”。

尔(《利息与价格》,1898年),奥地利的哈耶克(《物价与方法》,1931年)等人在货币理论、货币和利息率在宏观经济运动中的作用等理论方面,对新古典主义的货币理论和宏观经济学作出了各自的贡献。在20世纪30年代,英国的J.罗宾逊(《不完全竞争经济学》,1933年)和美国的E.张伯仑(《垄断竞争理论》,1933年)同时提出了垄断竞争市场的分析,使马歇尔以来的局部均衡理论得以完善。[①]1934年,希克斯和艾伦发表了《价值理论的重新考察》一文,用无差异曲线等分析方法,在更为具体的形式上"重新发掘"了瓦尔拉斯开创的一般均衡理论。[②]这篇文章加上希克斯的《价值与资本》(1939年)和萨缪尔森的《经济学基础》(1938年),实际上开创了20世纪30年代后新古典理论发展的新方向,也就是将新古典理论进一步置于瓦尔拉斯一般均衡的体系之上。

1.1-2 1930—1940年的"凯恩斯革命"

马克思在《资本论》中研究了资本主义周期性危机的问题。但是,马克思主义鲜明的反现存制度的特征,以及二三十年代在苏联,人们将马克思的经济危机理论发展成为"资本主义的总危机"的理论,是不可能被西方社会中那些既想维持现存制度,却又想克服经济危机缺陷的经济学家们所接受的。然而同时,新古典主义的理论在当时还只适用于对微观竞争机制的分析,甚至货币理论在当时总的说来还只是价格总水平理论,与实际宏观经济的运动基本上是相脱离的;特别是,本质上作为一种均衡理论,它能够被用于解释暂时的、失衡性的波动,却无法解释1929年开始的长期萧条现象。正因如此,尽管资本主义经济危机已是一个"古老的"、每隔十来年就发生一次的现象,但以往几十年新古典主义理论可以对它"熟视无睹",经济学家们可以照常对自己笔下的和谐均衡精雕细磨,而把"复苏"的任务交给那万能的"看不见的手"去自发地完成。但在20世纪30年代,经济学的"危机"终于暴露了出来:面对长期的萧条,面对近40%的社会生产力损失,新古典主义

① 有的人认为垄断竞争理论是反新古典主义的(米列伊科夫斯基等:《现代资产阶级政治经济学批判》,商务印书馆1985年版,第65页)。这是一种严重的误解。

② 当时瓦尔拉斯和帕累托的著作还没有英译本。

的理论家们束手无策！这可称为经济学的“第二次危机”，即“新古典理论的危机”。

这次实践和理论“同时危机”的结果，是产生了凯恩斯主义经济学。

1936年，英国经济学家、马歇尔的学生J.M.凯恩斯发表了《就业、利息与货币通论》(以下也简称《通论》)一书。他一反新古典理论竞争均衡和稳定、边际生产力论、货币中性论的传统，提出了总需求不足、非充分就业均衡、不确定性、灵活性偏好陷阱等新的理论概念，着重于对经济的总量分析，用以说明经济危机和长期萧条的现象；并且以此为理论基础，一反新古典主义理论的自由主义传统，提出了一套政府干预、医治危机、稳定经济的政策主张。这被视为对传统理论的“重大突破”，被后人称为“凯恩斯主义革命”。①

由于理论的危机和实践的迫切需要，凯恩斯的理论不久就得到了广泛的传播和强烈的反响，特别是在实用主义较强的美国，获得了最先的支持，并较早地成为政府决策的依据。以凯恩斯理论为基础的宏观经济学不久形成，新古典主义理论则只被“保留”在微观经济学当中，从此西方正统经济学由一门学科变成了相互独立的两门学科。第二次世界大战后直到20世纪70年代初的20多年间，由于各种客观条件的组合，凯恩斯主义的经济政策显得颇为奏效，凯恩斯主义(主要是指“主流派”的凯恩斯主义)也就长期在西方居于统治地位，并被称为经济学的“凯恩斯时代”。

就这样，在经济学历史上的两次“危机”当中②，产生了三个理论体系，即马克思主义、新古典主义和凯恩斯主义。在本书后面，当对各理论体系的内容进行了进一步的分析、比较之后，还要进一步论及它们产生、形成和发展的主客观条件等问题。

---

① 现在普遍接受的观点是，所谓“凯恩斯革命”，并不是仅仅由凯恩斯一个人的作为构成的，瑞典学派的米尔达尔和波兰的卡莱斯基，同样被认为是同时对这一“革命”作出贡献的经济学家，凯恩斯不过是“最雄辩和最著名”的代表(罗宾逊和伊特韦尔，1982:62—63)。

② 关于经济学“危机”的问题，20世纪30年代的理论“危机”是公认的，但是否将19世纪中叶的情况称作“危机”，并不一定所有经济学家都会同意。此外，在西方，有的人还认为目前经济学也处于危机之中(J.Robinson, 1972)。

1.2 三大理论体系在今天

马克思主义、新古典主义和凯恩斯主义，同时也代表着经济学的今天。

经济学总是不停地发展、演进的。一方面，各种理论体系和各种流派之间的相互批评、论战和相互渗透、融合，经济学本身的“专业化”、“教授化”(Schumpeter, 1954：754)，构成了理论本身不断演进的内部动因。另一方面，新的经济现象总是不断地向经济学家们提出新的挑战，逼着他们去寻找新的答案，改进原有的理论或创造出新的理论。从20世纪50年代后期就开始的英美“两个剑桥”关于生产函数理论、增长理论和分配理论的争论，关于“真假凯恩斯主义”的争论；货币主义对后凯恩斯主流派的批判，以及从未停止过的“马克思主义幽灵”在西方理论界上空的徘徊；特别是70年代初以来资本主义经济出现的长期“停滞膨胀”这种过去无论哪一家理论也没有遇到过的新经济现象和在此现象面前凯恩斯式的政府干预政策的两难处境，都推动着经济学不断地向前发展。

发展到今天的经济学，初看上去正呈现出一幅新的“诸子百家”、错综复杂的画面。仅就西方理论界而言(本书一般不涉及“东方”社会主义理论的状况①)，一方面是流派林立，众说纷纭；另一方面，一些原来鲜明可见的理论界限似乎正在消失，不同的理论流派在许多方面发生相互渗透，经济学家的“派别标志”有时也显得很不清楚。然而，在这一片混浊中，我们可以注意到以下三个基本的发展趋势。

1.2-1 “主流经济学”的“新古典化”

这里所说的“主流经济学”，指的是多数经济学家采取的理论和分析方法，并构成政府决策的依据；它可以并不仅由某一派的理论和政策主张构成，而是也可由几个派别共同构成(政策也会体现几派的观点)。正因如此，

① 不过，我们可以注意到，在近些年东欧国家出现的一些社会主义经济理论中，明显地吸取了新古典主义、凯恩斯主义和马克思主义各种体系的一些理论要素。

它不仅会因某一学派理论观点的演变而演变，也会因构成这主流的各"亚流"的相互关系和相对地位的变化而变化。在西方，在20世纪五六十年代的"凯恩斯时代"，其主流自然指的就是由托宾、萨缪尔森、莫迪利亚尼、索洛等为代表的"后凯恩斯主流经济学"（也称"新古典综合派"）。70年代中，以弗里德曼为代表的货币主义学派的影响迅速扩大，从而"主流"便由后凯恩斯主流派和货币主义共同构成；到了80年代，以卢卡斯、萨金特、巴罗等为代表的"理性预期学派"（亦称"新古典派"）所提出的各种理论命题和政策观点占据了理论界争论的重点和研究院的很大一部分讲坛，政策制定中也加进了他们的观点，因此这时，"主流经济学"便可以说是由后凯恩斯主流派、货币主义和理性预期学派三家共同构成。①

西方"主流经济学"的"新古典化"，主要是指在宏观理论和动态增长理论方面的新古典主义逐步抬头的趋势。就微观理论方面而言，"凯恩斯革命"并没有对新古典主义微观经济学有多大的触动；相反，凯恩斯理论的很多命题，都是以微观市场的自发运动为前提的，因此与新古典主义的微观理论没有多大的冲突。宏观、动态理论方面则不同，这是"凯恩斯革命"的主要领域。在这些领域中，新古典化的趋势主要表现在：首先，希克斯在20世纪30年代提出的*IS-LM*模型逐步成为主流经济学宏观分析的基础。在此模型中，凯恩斯理论并不是完全不存在，但由于投资仅表现为投资成本即利率的函数，与收入和消费、储蓄之间有着确定的函数关系，因此凯恩斯的由资本家不确定的"预期利润"，在投资决策中的作用不见了，投资再次变成了瓦尔拉斯一般均衡中的一个"内生变量"。其次，便是在50—60年代出现的所谓"新古典综合"。这一理论的倡导者认为，只要政府的干预政策能使社会总需求保持在不断增长的资本生产能力和人口增长所要求的潜在的就业水平，经济便仍可按照新古典主义的模式运行。"萨伊定律"自然不再存在了，但是代替它的是"假定精心制定的凯恩斯主义政策使投资保持在能吸收充分就业时所能产生的一切储蓄"（J.Robinson，1971：10），从而仍然是储蓄决定投资和消费偏好在经济增长中起决定性的作用。这样，宏观经济学要研

① 这样一种定义"主流经济学"的方法，并不一定被所有的经济学家所接受。例如在美国，有人仍认为只有"后凯恩斯主流派"或新古典综合派，才构成了经济学的主流派（Samuelson，1976）。

究的便仅仅是两个方面的问题：在短期内，如何制定凯恩斯主义政策使经济保持在充分就业水平；在长期内，经济如何按照新古典的模式增长。20 世纪五六十年代索洛、斯旺、萨缪尔森等人的一系列标准的新古典主义的增长理论模型，其基本特征就是消费—储蓄决策决定投资或资本积累，它们构成了新古典综合理论的重要组成部分。所有这些，当然不是“古典的”新古典主义理论，而是“新的”新古典主义了（neo-neoclassical），但萨缪尔森当初将其标榜为“新古典综合”，的确道出了其精神实质。

20 世纪 70 年代以后，随着一些凯恩斯主义政策逐渐失去功效，主流派经济学的新古典化倾向更加有了迅速的发展。这表现在三个方面：(1)货币主义理论日益为主流派经济学家们所接受，并成为政策制定的主要理论基础之一。现代货币主义学派的理论并非完全是新古典的。它的宏观分析理论结构与凯恩斯主义有着许多共同之处；弗里德曼还“借用了”凯恩斯关于货币的增加，能使原来得不到满足，不能借到贷款的投资者得以实现其投资计划的理论（Patinkin, 1969）；这个理论意味着货币量在经济中的作用是受资本家的预期利润率所制约和决定的，是“被动的”，而不完全在像新古典主义理论中那样是独立的决定因素。但是，作为货币数量论者，货币主义经济学家具有鲜明的新古典主义特征：在理论上，它们将数量方程 $MV=PY$ “从左往右读”，认为货币(M)是决定经济活动水平(Y)的最重要的决定因素；在政策主张上，他们反对政府干预，提倡自由放任。货币主义理论在主流经济理论中被广泛接受①，标志着传统的新古典主义宏观理论“卷土重来”的重要一步。②(2)“理性预期学派”或“新古典学派”（new-classical）的兴起。如果说“新古典综合派”和“货币主义”还包含着一些非新古典因素，那么理性预期

① 在目前流行的西方宏观经济理论中，经济总量模型的第一个方程，一般都使用 $y=m+p+v$（对数形式，表示增长率之间的关系），连 IS-LM 模型中的 $y=c(y)+i(r)$ 都很少使用了。这表明了货币主义被广泛接受的程度。

② 货币量与实物经济的水平和价格总水平关系，事实上构成了凯恩斯以前新古典主义宏观经济理论的基本内容（马歇尔、费舍尔和维克赛尔的理论是其主要代表），而其特点就是强调货币量变动对实际经济活动的决定性作用。例如，在凯恩斯的《通论》问世之前，芝加哥大学的 H.C.西蒙斯依据新古典主义提出了用货币量变动和工会作用解释经济循环的理论（Simons, 1934）。

学派则是彻头彻尾的新古典主义。他们的理论有两个特殊内容：一是用个人根据效用最大化原则决定的“劳动供给量”的变化，来说明就业水平的变动，从而将一切失业都归结为“自愿失业”或“摩擦性失业”(Barro，1984；Barro & King，1984)。二是用“理性预期”概念，一方面否定政府政策(如货币政策、税收政策等)的一般有效性(因为人们现在已经能预期到政府政策的效应并采取相应的抵消措施)；另一方面把一切“不确定”的宏观波动，通过“概率”、“随机误差”等概念，都归结为个人或个别企业的合乎理性的确定的行为。根据这种理论，他们否定政府干预的必要性，主张自由主义的市场经济。20 世纪 70 年代末以来，他们的理论产生了很大的影响，成为主流经济学的一个重要组成部分；他们提出的一些理论命题和分析方法，构成了当今西方经济学界热门的研究课题。(3)近 20 年来，新古典主义的理论和方法，正逐步向各个学派的宏观分析中渗透；所谓宏观理论的微观化趋势，在许多问题上实际就是宏观理论的“新古典化”趋势，其特点就是把宏观的波动归结为在某些“外部震动”发生时个人所采取的确定的合理行为，把宏观的非均衡归结为微观的均衡。例如对于凯恩斯主义的一个重要命题“工资拒下刚性”，现在有人依据新古典理论的原则和方法，提出了“有效率工资”(efficiency wage)模型来加以论证，其内容主要是企业主为了雇到质量高的劳动力，减少技术培训成本，为了刺激工人的积极性和对企业的忠诚，减少管理成本，实现利润最大化，有意识地把工资提高到充分就业水平之上，或者在出现失业可以降低工资时也尽量维持现状。对于“价格拒下刚性”，有人则提出了“调价成本”模型加以论证，指出有时尽管降低价格可以因增加销售而提高利润，但若企业调价的费用，如重印价目表和广告的费用，大于调价的收益，价格就会仍保持其刚性。这种理论其实就是把宏观的非均衡归结为新古典的垄断均衡。对于消费—储蓄行为的分析，自从弗里德曼、莫迪利亚尼等提出永久性收入或生命周期收入模型以来，就是相当“新古典”的；现在类似的基于个人效用最大化的分析进一步扩大到了投资和资本市场理论中，较典型的如“消费—资本价格模型”，就是将股票利率和资本价格归结为人们在追求一生效用最大化时对当前消费和预期未来消费的效用进行比较的结果。

这里还有必要提及的，是近年来发展起来的一套“非均衡理论”。这一理论，将新古典的瓦尔拉斯均衡视为一个特例，而将其他种种现实情况都视为非均衡。单就这点看，这一理论似乎是“反新古典主义”的。但仔细、深入地分析一下，它对各种非均衡的解释，说到底不过都只是对某些市场加进了价格限制（价格或是不能升或是不能降）以及相应的“数量限额”（如果有的话）；其性质，实际相当于在原新古典主义一般均衡体系中加进了一个新的“背景条件”；而在确定了这一点之后，经济运动的最终结果，都仍然取决于个人的确定的合理行为和体系内各方面因素的相互作用，也就是说，新古典理论的一切原则和方法都仍旧适用。由此可见，非均衡理论实际是新古典理论的一个扩充，本质上是将新古典主义的均衡理论伸展开去，用以概括各种非均衡的现实情况。

鉴于主流宏观理论和增长理论的新古典化，再加上微观经济学近几十年在一般均衡理论等方面的发展，我们可以说，新古典主义理论正在西方逐步地全面恢复其“正统的地位”。

1.2-2 凯恩斯主义在后凯恩斯主义的理论中获得进一步的发展

从20世纪50年代开始，同样自称为凯恩斯主义者的经济学家们就逐渐分成了两大派，一派是美国的新古典综合派，另一派是以J.罗宾逊、卡尔多、帕西奈蒂、斯拉法等人为代表的英国新剑桥学派。

新剑桥学派在许多问题上站在新古典主义对立面上，严厉地批判了新古典主义边际生产力分配论和价格理论，并在生产函数理论、增长理论等问题上与新古典综合派经济学家进行了长期的论战（“两个剑桥之争”），他们特别指出了号称“后凯恩斯主流派”的那些人违背、抛弃了凯恩斯主义的一些最本质、最主要的因素。例如，他们认为凯恩斯主义的实质是强调时间的历史一维性和经济的“不确定性”；认为在总需求决定中，投资主要地不像新古典综合派认为的那样取决于作为“投资成本”的利息率，而是取决于投资者对利润率的预期（凯恩斯的“资本边际生产率”），而这种预期则很大程度上取决于投资者不确定的“动物精神”；总需求和整个经济的不确定性，正是根源于投资者预期的不确定性。又如，他们指出新古典综合派在短期理论中承认投资决定储蓄，而在增长理论中又回到新古典主义的储蓄决定投资的轨道，也是违背凯恩斯主义的。他们指出，不仅在短期中，而且在长期的增长过程中，同样也是投资决定储蓄；资本家的预期利润决定着投资，而由于资本家掌握着定价权或信贷优先权，便可以通过利润加价或信贷膨胀提高物价水平从而降低实际工资的途径，使利润收入提高，并使利润中的储蓄部分与投资相等以满足投资的需要（请注意，在增长理论中投资与储蓄的这种关系，与凯恩斯本人的理论中投资增加通过乘数作用提高收入，最终使储蓄的增量等于投资的增量的关系是有所不同的）。他们特别强调了积累和增长在收入分配方面的意义，指出不是利润率决定积累率或投资率；相反，是投资率决定利润率，投资率和增长率越高，收入中利润的比重越大，就越导致收入的不平等。他们通过这一论证，强调了凯恩斯《就业、利息与货币通论》第 24 章关于资本主义社会收入不均等的"社会哲学"。他们称"新古典综合派"理论家为"冒牌的"凯恩斯主义者，只有他们自己才是"真正的"凯恩斯主义者。

严格地说，新剑桥派的理论，不仅来自于凯恩斯主义。比如，他们所强调的工资与利润的分配比例在价格中的作用，利益矛盾主要发生在分配关系中等观点，是由李嘉图的某些理论中发展而来的（因此他们有时也被称为"新李嘉图主义者"）；他们对社会扩大再生产的分析和关于资本主义经济制度内在利益矛盾的分析，在一定程度上吸取了某些马克思主义的理论和方法（部分地由于这一点，他们也被称为"凯恩斯主义左派"），但这并不能否定他们理论的凯恩斯主义的基本特征。他们是利用了其他理论体系中的一些观点和方法来发展凯恩斯主义，正因如此，新剑桥学派的理论，也的确在许多方面并不等于凯恩斯本人的理论。例如，凯恩斯本人主要局限于短期均衡分析并研究如何在短期内调节总需求以克服危机，而新剑桥学派的理论则更注重长期的增长过程，并强调了资本主义长期的内在的不稳定性和危机的不可克服性（如果不改变分配制度从而使经济较少地依赖于资本家的投资活动的话）；又如分配比例的变动在投资决定储蓄过程中的作用，凯恩斯仅仅提到过价格变动会导致实际工资下降（Keynes，1936：第 2 章，第 2 节），但他由于只注重短期分析，并且只注意到信贷—利率变化对投资成本的影响，而没有注意到在长期动态过程中投资计划对信贷、货币量的影响以及由此对分配比例和储蓄率的决定作用；等等。因此，就像现代新古典主义不再是 20 世纪 30 年代的新古典主义一样，新剑桥的凯恩斯主义也不再是

30年代的经典凯恩斯主义，而是后凯恩斯主义(也称作新凯恩斯主义，New-Keynesian)了，它将凯恩斯主义的一些独具特色的思想、观点作了进一步的扩充和发展。

这样，一方面是前面所分析的美国后凯恩斯主流派(新古典综合派)的凯恩斯主义色彩日益淡化，新古典主义化倾向日趋明显，另一方面是新剑桥学派继续强调和发展了凯恩斯主义的某些特有的理论和方法，因此，不论当初谁是"真正的"凯恩斯主义者，但时至今日，我们的确可以认为，凯恩斯主义主要是由作为"非主流"的后凯恩斯主义者代表、继承和发扬着的。这同时表明，在"主流派"经济学家日趋放弃凯恩斯主义、重操新古典主义旧业的今天，凯恩斯主义还"没有死"，它还在后凯恩斯主义者的论著中，继续作为与新古典主义分庭抗礼的一种理论体系存在和发展着。

1.2-3 西方新马克思主义者正在力图发扬马克思主义的精神实质，以说明新的经济现象

20世纪30年代以来，西方经济学家对马克思主义的研究从未停止，浪潮叠起，他们对待马克思主义理论的态度，也在不断变化。例如在50年代初和70年代初期，在西方就曾掀起过两次研究马克思主义经济学的高潮；马克思作为一个经济学家的贡献，不仅被非主流派经济学家所重视，也受到了那些最反马克思主义的正统派经济学家的承认。比如在60年代初曾把马克思称作"一个不重要的后李嘉图主义者"的萨缪尔森(Samuelson, 1962)，1974年则说，人们仅凭马克思的再生产图式，"就可赋予马克思以不朽的声名"(Samuelson, 1974:270)。

但是，正统派理论家研究马克思主义，不是为了对它进行批判(比如对价值理论或"转型问题"的研究)，就是为了利用马克思提出的一些理论，来为他们自己的理论作证，以证明他们的这些理论的普遍适用性(比如利用再生产公式来证明宏观经济学中的某些命题)，而不是为了发展马克思主义。马克思主义理论在西方近几十年中的发展，主要表现在新马克思主义者的一些理论成果上。

在西方理论界，历来存在着这样一些经济学家，他们力求不是仅仅"满足于重复前人的熟知的表述"(Baran & Sweezy, 1966:3)，而是进一步沿着

马克思主义的分析路线，研究当代资本主义的各种新现象、新矛盾，并对现存制度和主流经济学进行科学的批判。在这方面，美国的P.巴兰和P.斯威齐对现代垄断资本主义经济的分析和英国的M.道布等人对新古典主义经济学的批判就颇具有代表性。

但是，在另一方面，新马克思主义经济学家仍在很长时期内更多地处于"守势"。在理论领域内，他们陷在由新古典主义者如庞巴维克等挑起的一些争论中，如需求在价格决定中的作用，"转型问题"的规范解答，平均利润率在何种情况下等于剩余价值率，价值、价格变化过程中的技术选择问题等等，力求对这些问题给出符合马克思主义的回答，"捍卫"马克思主义经济学。在这些方面，他们不是没有成果。但是，后来一些经济学家逐步发现，"尽管这些问题并非不重要，但是，作为一个思想体系的马克思主义政治经济学，是不能通过对这些问题的解答来理解的。只要马克思主义者的理论著作仍局限于这些问题，马克思主义就很可能只显得不过是新李嘉图主义当中的一个古怪派别"(Rowthorn, 1974)。正是这种认识，导致了经济学家们近年来力求进一步去发掘马克思主义的精神实质，在理论上进一步同新古典主义和凯恩斯主义(包括后凯恩斯主义)划清界限，并对新的经济问题作出新的理论说明。也正是这种认识和这种努力，导致了在近10年左右的时期内，掀起了一个新马克思主义发展的高潮。

当代新马克思主义者们认识到，马克思主义经济学的最本质的东西，是从资本主义作为一种特殊的、历史的生产方式的内在矛盾，特别是从生产过程和再生产过程当中的利益矛盾出发来考察资本主义经济。他们既不像新古典理论那样，认为资本主义经济中万事和谐，也不像鲍特凯维奇等新李嘉图主义者以及后凯恩斯主义者那样，认为资本主义经济的利益矛盾仅存在于分配过程中(Marglin, 1974; Rowthorn, 1974)。根据生产过程中的阶级利益矛盾，他们提出了新马克思主义的"工资决定模型"(Bowles, 1985)，论证了资本主义生产方式的选择，服从于资本家与工人的利益冲突，资本主义生产与充分就业不相容①，以及工资偏离劳动市场均衡价格的必然性；根据

① 一般认为这是继马克思之后由卡莱斯基进一步所阐发的一个命题(Kalecki, 1943:232—330)。

社会阶级矛盾决定资本主义经济运动过程的原理，他们提出了一些对资本主义周期性危机的新的分析，如R.古德温的"工资—就业反向周期运动模型"，强调了在剩余价值率决定上的利益冲突与经济周期的直接关系（R. Goodwin，1983）。S.鲍勒斯等人提出的资本主义"长波危机"模型，把历史上的经济周期分成"再生产性周期"和"非再生产性周期"，前者是"资本积累的社会制度"处于稳定状态、社会利益矛盾较为缓和的时期，这时萧条能够自动导致复苏；而后者则是由于社会矛盾激化，不对某些社会制度进行调整和改造，便不能提供资本积累的正常条件，从而危机不能自动复苏的那种周期。在这种周期中，工资变动和劳动生产率变动的特点与前者大不相同，并会持续较长时间。正是这两种周期的交替出现，构成了资本主义经济的"长波"（Gordon et al.，1983①）。这些理论提出了新的观点，解释了其他经济理论不能解释的一些经济现象，论证也较为严谨、规范，因而受到了广泛的重视。

当代西方新马克思主义者的经济理论，自然不等同于经典马克思主义的理论，甚至被有些人认为并不符合马克思主义（比如我们"东方"的马克思主义者们长期不承认西方的新马克思主义者是马克思主义者）；即使目前一些较为注意研究马克思主义精神实质的经济学家们，在他们的理论中，也往往吸收了其他理论体系、其他学派的一些观点和分析方法，或者是在提出自己的理论时，并不完全否定其他一些理论也包含着正确的因素或正确地从其他方面说明了一些问题；有的人甚至"脚踩两只船"，在这个问题上是新马克思主义者，在另一个问题上又是后凯恩斯主义者（或新古典主义者）。但是，值得特别指出的是，我们似乎不能因为他们吸收了一些其他学说的观点或方法，或者放弃、修正了马克思本人的一些具体命题或结论，就否定他们对马克思主义经济理论的发展所作出的贡献。他们的一些理论，最终可能被科学的分析证明并不是马克思主义的，或者只是"表面上"是马克思主义的，但是即使这样，我们也要将"故意歪曲"与"误解"区别开来，正如我们自己虽

① 需要注意的是，这里提到的某些作家，本身并不一定是新马克思主义者（如此处的D.高登），但他们（与马克思主义者合作）的一些论文却可能成为马克思主义经济学家经常引用的文献，来论证马克思主义的命题。

然自称马克思主义者，但制定的理论到头来往往也被证明是非马克思主义的甚至是反马克思主义的一样。马克思主义在当代要发展，就必然要吸收、利用其他理论体系中一些科学的观点和方法，就必然要经历探索、创新的过程，这也是马克思主义本身的要求；任何用教条主义的态度来看待这些努力，都是不可取的，也是反马克思主义的。西方的许多新马克思主义者，长期处在"非主流"的地位上，甚至冒着"丢饭碗"的危险，在那里坚持探讨马克思主义，力求用马克思主义的理论对资本主义经济进行分析，对主流经济学也就是"官方经济学"进行严肃认真的批判，这种精神值得我们尊敬和赞赏；而且，当代的新马克思主义经济学家，对新古典主义理论和凯恩斯主义理论，一般都有较深的认识，因此无论是批判起来还是利用起来，都能较为客观准确、言之有物，这也是值得"东方"马克思主义者们学习的。

1.3 历史与现状的总结

以上的分析，使我们到达了一个历史的"横断面"——经济学的现实状态；一切历史的发展都已包含在今天的经济理论的现实状态之中了，在后面的分析中，将主要地以这个现实横断面为分析对象，发展过程将成为次要的因素，在许多地方将完全省略。

从以上对经济理论史的简单回顾和对当前西方经济学界的简单分析中，我们可以得出以下两点结论：

1. 由马克思、瓦尔拉斯和凯恩斯所创立的理论，至今仍是经济学中的三大主要理论体系；现存的各种流派，往往并不严格地存在于某一学说体系的界限之内，各种学说之间存在着某种交叉和融合（就个别经济学家来说就更是这样）；但是，当今存在的各种理论观点，大多都根源于这三大理论体系的基本内容，新古典主义的主流经济学、后凯恩斯主义和新马克思主义，则作为三大理论体系的当今代表而存在。人们经常指出的一点是，在当代，新古典主义的主流经济学，是较"成体系"的，而后凯恩斯主义和新马克思主义者的理论，往往较为"零散"。但是，如果把新剑桥学派的一些理论，看成为是加到凯恩斯理论体系上的一些"新的发展"，把新马克思主义的理论，看成为是对马克思主义体系的一些新的扩充，我们不仅仍可以看到三个理论体系的存在，而且这三种理论在基本体系和“新添内容”的关系方面，并没有本质的差别。事实上，马克思主义、新古典主义和凯恩斯主义，一方面可以视为各种流派背后的三大基本理论体系，另一方面也可视为是“凌驾于”各种“亚流”之上的三大“种属”。因此，要真正理解和掌握当代的经济学，就必须从根本上理解和掌握三大理论体系本身；把握了这三大理论体系，也就从根本上把握住了当代的经济学。

2. 在今天研究三大理论体系，已不能仅仅研究马克思、瓦尔拉斯和凯恩斯等经济理论创始人在他们当时的条件和知识下所提出的理论本身，而是也要把后人的发展加进来一起进行分析；并充分利用当代人的研究成果，从当代理论和实践的角度反过来进一步认识各个经济理论创始人的思想和方法。总之，我们研究的应该是“发展到今天”的理论整体，而不仅是创始人的经典论述。

本书对当代经济学状况的分析和对理论体系、流派的划分，与西方经济学界主流派的看法是不尽相同的。西方经济学界目前对体系、流派的划分方式大致如下：主流经济学，即新古典主义(包括“理性预期学派”)，加上我们认为的“新古典化”的凯恩斯主义，以及基本观点与新古典主义相同而又与凯恩斯主义使用大致相同的理论分析结构的货币主义学派；非主流经济学，即后凯恩斯主义学派、新马克思主义、新左派经济学、制度学派、现代奥国学派(新自由主义)等等。而本书的划分方法是三个主要理论体系：(1)新古典主义——西方经济学家所称的“主流经济学”全部；(2)凯恩斯主义——凯恩斯本人的基本理论观点和后凯恩斯主义学派；(3)马克思主义——经典马克思主义和新马克思主义。其他不构成理论体系的流派是制度学派、新左派经济学、奥国新自由主义学派等等。

这里所使用的“体系”这一概念，与托马斯·库恩的“范式”(paradigm)有相似之处。库恩对“范式”的定义是：“它是建立在一种或若干前人科学成就基础上的理论体系；这些科学成就是一定时期内作为某一特殊的科学团体所共有的知识，它提供着进一步研究的知识基础”(Kuhn, 1962：10)。这种范式有两个基本特点：第一，它是一整套独特的基本前提假设、概念体系和理论方法，具有足够的容量，被信奉它的理论家们“用来解释各种理论问题”

(Backhouse, 1985:3),不同的范式意味着不同的前提假设、概念体系和理论方法;第二,它能持久地吸引着相当一批理论家在它的基础上进行研究。

不过,库恩的“范式”概念在一定程度上容易造成模糊不清的认识,最主要的是“容量问题”;在一定时期内,可能不存在任何一套理论,可以被用来说明当时人们遇到的学科中的“各种”问题;但也可能同时存在着若干理论,都可被用来以不同的方式解释学科中的“各种”问题。

本书采用理论“体系”及“流派”的概念,也可以说是对“范式”概念作进一步的限定:一种理论体系,是一套独特的基本假设、概念和方法,它能对一定时期内学科中各种主要的、基本的理论问题,作出自己独特的解释,并能解释一些其他体系(如果存在的话)所不能解释的问题。“流派”与“体系”的差别不在于信奉者多少,而在于其理论容量的大小;一个流派的理论,往往只能对一部分主要理论问题作出独特的解释,某一流派可以根据其主要特征从属于某一体系,也可以不同程度地相对独立于任何体系。

本书将仅限于对上述三种不同的理论体系进行比较研究,对其他一些独立于各体系的流派则一般不予涉及。

以下3章,将分别对马克思主义、新古典主义和凯恩斯主义的理论体系的基本内容和基本特征作简要的分析。考虑到本书将首先面对的是马克思主义理论较为熟悉的读者,因此,将先分析新古典主义和凯恩斯主义,而将对马克思主义的分析放在最后,这也许能便于我们对马克思主义理论获得更进一步的认识。

2

新古典主义

2.1　基本理论结构

新古典主义理论的一切基本命题和基本分析方法，都包括在最初由瓦尔拉斯提出的、至今发展为“阿罗-德布鲁（Arrow-Debreu）模型”的市场一般均衡体系当中（在后面适当的一些地方将指出阿罗-德布鲁模型与瓦尔拉斯模型内容上的区别）。

在这个体系中，经济行为的主体最基本地分为两大类：个人和企业（厂商，firm）。个人一方面是消费者，一方面是生产要素（劳动、资本、土地）的所有者；企业即生产单位。这些行为主体，在一系列既定的“背景条件”下，最大化各自的特殊利益目标。所谓“背景条件”[即瓦尔拉斯所说的 datum（单数）或 data（复数）]①，这里指的是：(1)个人消费偏好，即个人的消费趣味

① data 一词在此处的特定含义是“给定的、作为论证前提条件的事实”。过去通常翻译为“资料”。笔者认为这不能确切地表达其特殊理论含义，故重译为“背景条件”。

(taste)等;(2)资源总量,包括可以直接消费的资源和各种生产要素;(3)社会制度,即私有制的市场经济和资源的占有及分配结构;在这里,经济的资源总量是整个经济的“禀赋”,而个人的“禀赋”(endowments),则体现着一定的财产分配关系;(4)生产技术,它不是一种,而是一系列可替代的供选择的现存技术;(5)知识信息(information),包括每个行为主体对各种机会和现存条件的了解,对他人行为方式和经济运行规律的了解,以及对未来的预期(expectations)。在这些背景条件下,个人最大化其作为要素所有者的经济收入,并在此基础上进行消费选择,最大化其消费效用;企业则选择生产技术,最大化利润。所有的个人和企业在市场机制中碰面,相互作用并相互依存;每个人的选择和行为的结果,都或多或少地体现在市场相对价格中,通过价格机制对其他人发生影响,并在各种限制条件下,最终实现自己的利益最大化和资源的“最佳配置”。所有个别当事人在一定条件制约下的普遍的利益最大化①和相应的资源的最佳配置,便构成了经济的一般均衡。

在一定简化条件下,我们可通过以下的公式和图 2.1,来示意这一体系。

假定在一个经济中,(1)只存在一个个人和一个企业;(2)只有一种生产要素,生产一种与生产要素不同的产品(不过在这里,我们可以直接利用向量的概念,把“一个”理解为一个多元的向量,从而可以很容易地将这个简化的模型一般化)。

关于图 2.1,要特别加以说明的在于 z,即利润索取权(profit claim)。这是现代阿罗-德布鲁模型对瓦尔拉斯一般均衡体系的一个扩充。传统理论由于假定完全竞争均衡条件下企业利润为零,资本收入为利息,因此不存在利润分配问题。而阿罗-德布鲁的方法,使得一般均衡理论得以“容纳”利润的存在,即使是平均“正常利润”(normal profit),也可以与资本边际生产力决定的资本收入区分开来,并可通过“利润索取权”将其分配为消费者收入,进入效率计算过程,因此使理论具有更大的一般性(但他们将这种利润归结为生

① 这里所谓的普遍的最大化(maximization or optimization)的含义是:“最大限度”或“不可能再大”,是在给定的社会关系和物质条件下所能达到的“条件极值”,并不包含任何“福利判断”或“总效用”最大与否的判断。

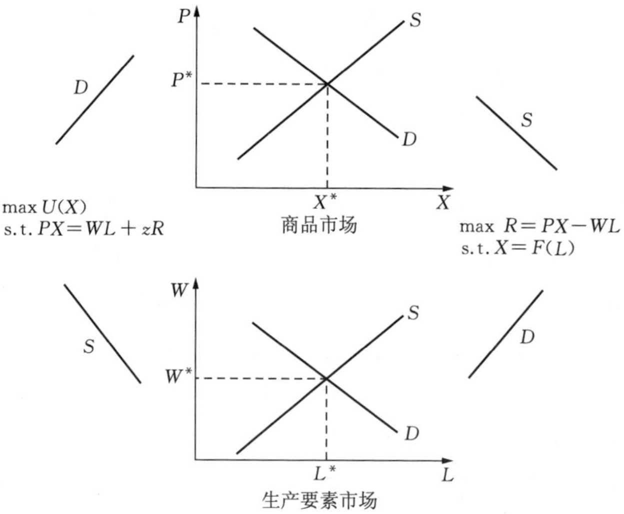

注：图 2.1 中：X 为消费品数量；L 为生产要素数量；P 为消费品价格；W 为生产要素价格；R 为利润；z 为利润分配比例（利润索取权）；$U(X)$ 为效用函数（偏好），假定满足 $U'(X)>0$，$U''(X)<0$；$F(L)$ 为生产函数（技术），假定满足 $F'(L)>0$，$F''(L)<0$；max 为"最大化"；s.t. 为"满足于条件"；* 为"均衡"；D 为需求曲线；S 为供给曲线。

图 2.1

产函数的特殊性质）。在存在多个所有者的情况下，$\sum z_i=1$，$i=1, 2, 3, \cdots, n$，代表对企业利润的 n 个索取权，在简化的模型中，由于只有一个所有者，自然 $z=1$（Debreu，1959：78—79）。

图 2.1 只是一个简要的示意图，它只想表明个人行为与市场的关系，作为以下分析的一个参照；而在以下的讨论中，事实上都将把公式中的变量视为"向量"，也就是讨论存在多个个人、多种商品和多种要素的情况。

2.2 个别行为主体理论

2.2-1 理性行为公理性假设

新古典主义的一切理论都是建立在个人主义的个别行为主体的行为分析基础上的。而这种分析，又由一组关于"理性经济行为"（rationality）的公理性假设为前提。这组假设就是：

1. 最大化行为假设，即在一组可供选择的方案中，人们选取能给他带来最大好处的那一个。

2. 在最大化选择过程中，包含着人们对各种方案的比较；而要使这种比较产生最大化选择的结果，人们的行为又必须至少满足以下三个假定：(1)完全性(completeness)。对于所有可供选择的方案，比如A和B，要么A好于B，要么B好于A，要么二者无差异——人们必须作出确定的判断。(2)反身性(reflexivity)。对于可供选择的A，不存在A坏于A。(3)传递性(transitivity)。若有三种选择，A、B、C，若A好于B，B好于C，则A好于C。

这些理性假设说到底就是人们总是选择最能为其带来最大利益的可行方案；在对各种选择进行比较时不发生自相矛盾。

2.2-2 个人行为理论

个人行为的最大化目的，是消费满足，也就是所谓效用(utility)，这体现在其目标函数 $\max U(X)$ 上。给定他的消费偏好，即 $U(X)$，这种最大化的一切约束条件，直接体现为“收入预算约束”(budget constraint)。在这一约束条件下，个人对一切他支付得起的，也就是可以进入他的消费领域的各种消费组合进行比较和选择，以获得最大消费满足。

这种消费满足最大化的过程，首先是指对当前各种消费物品(产品)的消费选择。要实现最大化，各种消费之间必须满足“单位支出所能带来的边际效用均等”的原则。将 $U(X)$ 中的 X 看成一个向量，$X=(X_1, X_2)$；把价格 P 也看成一个向量，$P=(P_1, P_2)$，则效用最大化的(边际)条件是：

$$\frac{U_1'(X_1, X_2)}{P_1}=\frac{U_2'(X_1, X_2)}{P_2}$$

其中 $U_1'(X_1, X_2)$，$U_2'(X_1, X_2)$ 表示 X_1 和 X_2 分别提供的边际效用。

新古典理论还通过适当地定义进入效用函数的“消费集”，来处理不同的问题。首先，不同地点的同样物品，算作两种物品，具有不同的价格，这样，效用最大化就包含了对不同地点消费的选择。

其次，效用最大化还包含着个人作为要素所有者，对生产要素供给量的选择。一个人最初占有的资源或财富,有些可以用作直接消费,比如时间资源可以用作劳动,也可以作为闲暇(leisure)来直接享受;土地可以作耕地,也可以作花园;一条船可以用来运输,也可以用作私人游艇等等。这样,这些资源可以出现在预算约束方程的右边,也可以出现在它的左边,并进入它的效用函数。以时间为例,一个人的总时间资源 T(一天少于 24 小时,比如只有 16 小时),可有一部分提供到劳动市场,作为生产要素出售,用 L 表示;余下的部分 $T-L$,用作"闲暇"来消费。将上面的 $X=(X_1, X_2)$ 中的 X_2 定义为"闲暇", $X_2=T-L$,其中 L 是变量,则效用满足最大化的条件为:

$$\frac{U_1'(X_1, T-L)}{P}=\frac{U_2'(X_1, T-L)}{W}$$

这里 $U_2'(X_1, T-L)$ 为闲暇所能提供的边际效用;W 是劳动工资,又是闲暇的价格——由于时间是同质的,闲暇的机会成本(opportunity cost)即工资便是其价格。因此,要素的供给取决于劳动工资水平和一个人"不劳动"的边际效用与其他消费边际效用的比较。

效用最大化还决定着储蓄行为。假定人们不是"挣一天,吃一天",他必须为明天(比如退休后)的消费考虑,因此他要在一生的收入预算约束下最大化一生的总效用。为简单起见,假定一个人明天退休,不再有收入,又假定 $X=(X_1, X_2)$ 中的 X_1, X_2 构成一个"消费流",分别等于今天的消费 C_1 和 C_2,而 P_2 为明天消费的价格(由预期价格和储蓄利率两个因素决定),则他的"生命周期"效用最大化条件为:

$$\frac{U_1'(C_1, C_2)}{P_1}=\frac{U_2'(C_1, C_2)}{P_2}$$

其中 U_2' 包含了"时间偏好"(time preference)的因素,即包含着一个人今天对明天消费的评价;储蓄作为一种支出,加到今天的其他支出上,也要满足预算约束。在新古典理论中,储蓄就构成投资;因此,投资或积累,是由个人作为消费者对其今天的消费和明天的消费进行效用比较,追求效用最大化的过程所决定的,投资表现为将被消费的"期货",其价格由"期货"市场决定。人们根据消费流的效用比较所确定的积累率,与人口增长、技术进步等所要求的积累率之间的关系,则构成新古典增长理论所研究的基本问题。

引入了明天的消费和明天的收入，也就是引入了“时间”或未来的因素。在以上的一切分析中，一概假定人们对各种有关情况的信息是充分的、完全的，因而收入和消费都是可被确定地预见到的。比如，关于消费偏好，他知道今天是晴天，因此他要吃冰棍，知道明天下雨，因此要用雨伞，等等。又如，明天自己家里是否会起火、被偷，自己是否会生病或丧失劳动能力等等，也是已知的。但是事实上并非如此，人们对未来的信息是不完备的，未来的特征是“不确定的”(uncertainty)。新古典理论处理这个问题的方式是假定人们能够对任何不确定的未来事件，给出一个风险概率，比如明天收入为100元的概率为70%，后天下雨的概率为50%，等等，从而把不确定的随机事件，在理论上变成依风险概率而确定的，使“不确定”变成“风险”——也就是“可测量的不确定性”(Knight, 1921)，同时对人们对待风险的态度作出适当的假定。风险回避(risk aversion)，喜爱风险(risk loving)，或无所谓(risk neutral)，使效用函数变成“预期效用函数”(expectation utility function)。人们就是根据自己对未来事件的风险的判断来最大化自己的预期效用。用这种办法，新古典理论事实上也就把动态问题转化为确定的静态一般均衡问题加以处理。

货币作为流通手段被个人持有，也提供效用，即“灵活性服务”(availability service)。这是瓦尔拉斯最早使用的概念(Walras, 1874:325。现在一般称为liquidity)。储蓄的利率作为货币持有的机会成本，构成货币的“价格”；而货币持有量同样取决于边际效用均等的条件。此外，货币作为价格尺度或“计价物”(瓦尔拉斯称其为numéraire)①，其数量增多，必然导致其他物品的价

① 法文numéraire的原意是可兑现货币，瓦尔拉斯赋予它的特殊理论含义是“商品体系中作为其他商品价格的度量标准的那一特定商品”，其自身价格等于1(即相当于马克思所说的“一般等价物”)。英文中有人(如希克斯)曾译为“标准商品”(standard commodity)，但一般的做法是“不译”，直接将原文用斜体写出，事实是作为一个特定的外来术语使用。中文“标准商品”一词较达意，但目前似易与斯拉法的具有特定含义的“标准商品”相混淆。中文中还曾被译为“计价尺度”、“计价标准”等，不能算错，但原词所指的是被用来作为价格尺度的物品本身，而并不是一种量的尺度或标准。因此，笔者构造了“计价物”一词，作为numéraire一词的特定的中文译名。

格提高。这构成货币数量论的基础。

国民经济中存在无数的个人，每个人有各自特殊的偏好和财富，他们构成"微观的行为主体"；而他们需求量、供给量的总和，构成"宏观变量"。在这当中，存在一个相当复杂的"加总"(aggregation)问题。但在理论上，一个简单的处理办法是让一个人代表大家，成为"宏观个人"。在本章开头给出的基本模型中，假定只有一个人，他便是"宏观个人"(macroindividual)。现代新古典宏观理论中，一般都是采用这种简化的办法来研究问题的；而这也是所谓"宏观理论"微观化所采用的基本方法之一。

2.2-3　企业(厂商)行为

在新古典理论中，厂商只是一个生产者；生产中使用的劳动力是雇来的，所用的资本归资本家所有，企业主(经理)只履行经营的职能；而厂商经营的目的则仅在于追求最大利润，其约束条件即表现要素投入与产出之间技术关系的生产函数和市场价格(产品价格和要素价格)。

利润最大化的一般条件是边际收益(MR)等于边际成本(MC)，满足这一条件的产量，即厂商的均衡产量；在任何不满足这一条件的情况下，企业都具有改变产量的内在动机和趋势，亦即打破均衡的趋势。在垄断条件下，企业的平均收益(AR)一般不等于平均成本，最大利润不为零；在垄断竞争条件下，长期中企业的均衡条件满足 $AR=AC$ ("切点条件")；在完全竞争条件下，长期中利润为零，并满足 $AC=MC=P$。尽管现代理论中包含大量的对非完全竞争的研究，但完全竞争均衡仍一直作为新古典理论的基本研究对象和与其他市场条件相比较的基本参照系。正如后面还要提到的，完全竞争的一个重要特征是保证了生产中所使用的各种资源的"最佳配置"。

作为产品生产者的厂商，在另一方面构成生产要素的需求者；而利润最大化同时也就意味着厂商支付的生产要素价格成本必须等于该要素所能给他带来的边际收益，后者等于要素的边际生产力与产品价格的乘积。因此，在产品价格为一定条件下，要素价格由边际生产力决定。又由于要素价格构成要素所有者的收入，因此，收入分配最终便是由边际生产力决定的。这就是新古典主义的边际生产力分配论。

以上所有个别行为都以各自的利益最大化为目标，都可以用"条件极值"的方法加以分析；而对这些最大化行为的分析，又构成其他经济分析的基础。因此，萨缪尔森在《经济分析的基础》中，将最大化行为分析视为经济学各种问题内在的"核心特征"和"基本原则"(Samuelson, 1947:3)。

2.3 市场经济机制的运行与结果

国民经济中的个别行为主体追求自己的利益最大化，要受到国民经济中其他一切行为主体同样追求他们的利益最大化的行为的制约，这构成人们之间的相互关系。但新古典主义理论认为人们的相互关系，只发生在交换过程中，在其他任何过程中他们只与物发生关系(消费)，或者只作为不同的物发生关系(生产)。在交换过程中实现个人的利益并使个人的利益相互协调，便构成了市场机制的一个基本功能。

2.3-1 市场均衡

在新古典理论中，市场经济的概念事实上是直接与所有制关系相联系、满足于特殊的所有制假定的，其根本特征就在于资源或财富的所有者可以自由地将自己的所有物与他人交换，企业可以自由地决定自己的生产计划。而由于每个人和企业都以利益最大化为自己行为的目的，因此，市场机制就是人们在其他人的行为和各种主客观条件制约下，自由地追求各自最大利益的机制。

所谓"市场均衡"的概念由以下两层基本含义构成：(1)在市场均衡状态下，给定其他所有经济当事人的行为，每个人或企业都实现了各自的利益最大化。在均衡点，人们不再有改变自己行为的趋势。这是市场均衡的最基本的含义(optimum)。(2)市场均衡意味着所有经济当事人的行为都是相互协调、相互兼容的；作为他们共同行为结果的交换比率即市场价格，使供给和需求达到相等。供求相等，在与价格的关系上，意味着价格不再有变动的趋势。对个人来说，这实际意味着其他人的行为是给定的。

值得再次强调的是，利益最大化是市场均衡的最基本含义，供求相等只是所有的人追求最大化基础上相互作用的结果。任何将均衡仅理解为供求均等的观点都是不正确的。

所谓“一般均衡”(general equilibrium),便是指在整个市场体系中所有行为主体的利益最大化和供求相等。一般均衡概念中的“一般”所强调的是市场体系作为一个整体,各个市场、各种经济行为、各种经济变量的普遍的相互依存和相互协调,不仅是“一切决定于其他一切”(罗宾逊和伊特韦尔,1982:49),而且是任何一个角落的某种变动,一般都会波及最遥远的另一角落,产生某种影响。

一般均衡在理论上表现为包括各种行为方程和供求方程在内的联立方程组的解。瓦尔拉斯还构想了一种称为“搜索过程”的均衡实现过程,在理论上对市场经济趋向均衡的动态过程进行模拟。在这方面,一般均衡理论要研究均衡的“存在”问题、“唯一性”问题、“稳定性”问题等等。近几十年在这些问题上所取得的研究成果,被视为“纯理论”研究方面的重大进展。阿罗-德布鲁模型的主要贡献,也在这方面。

2.3-2　竞争均衡、资源最佳配置与帕累托最优

从瓦尔拉斯到帕累托、马歇尔、阿罗-德布鲁及一切现代新古典主义经济学家,都对一种特殊的市场均衡即“竞争均衡”(competitive equilibrium)给予了特殊的注意。

竞争均衡的基本条件是:任何个人或厂商在市场中都占有微小的地位,其个人行为不能单独对价格发生影响,从而价格对任何个体来说都是固定的,只具有参数的性质。从其结果来看,其特征是均衡时在整个经济中不存在任何垄断利润,换言之,一切企业的超额利润等于零(但获得正常利润),一切厂商的产量都处在最低平均成本的水平上。

如果竞争均衡是在以下条件下实现的:(1)完整的市场体系(不仅包括资本市场、信贷市场,也包括期货市场、保险市场、公共商品市场、外部效应市场〈后面将涉及这两种市场〉等);(2)不存在交易成本(transaction cost);(3)完全的信息;那么,竞争均衡意味着帕累托最优(Pareto optimum)或帕累托资源配置效率最大化(这称为福利经济学第一基本定理)。

帕累托最优的基本含义是:在这种最优状态下,如果不使其他(至少一

个)人受损失的话,就不可能使某人获得更大一点的满足。

资源配置的效率,是由资源使用所能产生的效用满足的程度(不是获得利润的角度)来考察的。因此,资源配置的帕累托效率最优,指的就是在这种配置下,任何重新配置,可能使某人获得的满足提高,但必然使另外至少一个人所获得的满足减少;或者,可能使某种资源产生的效用提高,但必然同时发生另一种资源所产生的效用减少。换言之,这时无法进行任何"帕累托改进"(Pareto improvement),使一些人受益而不使别人受损。

具有帕累托最优性质的竞争均衡,满足一系列边际条件。它们是:(1)对于任何两个人来说,任何两种物品(包括未来物品)的边际替代率相等(配置效率);(2)生产同种物品的任何两种生产要素的边际替代率相等(要素投入效率);(3)同种要素在生产同种物品的不同方法中的边际产出相等(部门内部技术效率);等等。

在一系列完全性假定条件下的竞争均衡(可称此为完全的一般均衡)等同于帕累托最优这个定理,在一定意义上是一种同义反复:既然一方面是竞争均衡(个人最大化和平均成本最低),另一方面又把一切可能产生无效率的因素(交易成本、信息不完全、市场体系不完整等)都假定没了,自然也就不可能再进行效率改进了。

2.3-3 社会计划者的任务

尽管从瓦尔拉斯起,新古典理论家都把导致效用最大化和资源有效配置作为市场竞争机制优越性的理论证明,但是,产生帕累托资源最优配置的"完全的一般竞争均衡",在新古典理论体系内,就存在两方面的固有缺陷。

1. 就实证理论来说,它是建立在一系列十分理想的假定基础上的。这些理想的假定所产生的完美的境况,固然是提供了一个理想的、最优的参照系,因此有其重要的理论意义(这正是人们给予它很大注意的原因),但现实总是与这理想的假定不相符合的:市场并非总是完全竞争的,存在许多垄断和垄断竞争的情况;信息并非是完全的;在存在"外部效应"(externality)①的

① 所谓"外部效应",指的是那些不是通过在市场上影响价格,而是通过其他方式对他人的利益直接造成好的或坏的影响的情况。

场合，个人的较大利益可能是建立在其他人或整个社会的损失的基础上的（如环境污染）；对于某些“公共商品”（public goods）（如路灯），人们的“搭便车动机”（free riding）会使成本和收益的比较无法进行；——这些都是所谓“缺少市场”（missing market or absence of market）或“市场失效”（market failure）的不理想的但却是现实的情况。①

2. 在价值判断意义上，完全竞争均衡的帕累托最优，仅仅与某一特定的也是任意的财富收入分配相联系；对应着任何一种财富分配，都有一个市场竞争产生的帕累托最优。因此，这种最优或效用最大化，无论对任何人来说都是一种不可逾越的最大，而且不包含任何平等判断；从社会总福利（social welfare）（总效用）的角度看（假定可以计算社会总福利的话），在财富及收入分配不平等的条件下，市场均衡或每个人效用最大化所产生的社会总效用就会是很低水平的。

于是，基于以上两个方面的原因，新古典主义理论在许多方面走向了“社会计划者”（social planner）理论。问题是：“社会”（假定由“社会计划者”代表）如何能在存在无效率的地方进行改进，以提高效率；是否可能、怎样才能根据某种或某些价值判断标准提高社会的福利水平。

在改进效率的问题上，社会计划者所能做的主要是：用限价的办法扩大垄断企业的产量，降低平均成本；在市场预期不正确的情况下，政府出面用税收、债券、社会保险、政府购买等方法加以补救，以维持稳定和有效率的增长率；在那些“市场失效”的地方，用某种方法“创造市场”，或者用某种非市场手段如税收、补贴之类的方法对无效率进行改进，比如在存在外部效应的情况下，用税收或补贴的办法限制不利的外部效应或鼓励有利的外部效应，使资源的配置能产生出更多的消费效用；等等。

在有关平等或社会总福利最大化的问题上，阿罗的“不可能性定理”（impossibility theorem）论证了社会福利函数不仅不能不包含一定的价值判断，

① 市场一般均衡的不现实性，是新古典主义者自己承认的，著名的一般均衡理论家F.哈恩指出：“阿罗-德布鲁均衡必定是他们对于经济所作出的一种假设，然后再说明为什么经济不能够达到这种假定的状态，批驳的论据将进一步转向缺乏未来的市场和缺乏偶然事故的未来市场，以及这一理论不能充分有效地处理时间因素和不确定因素。”（Hahn，1973：14—15）。

而且在社会普遍接受的各种价值判断标准之间，不可能完全相互兼容。但是，一方面，若假定个人之间的效用是可以比较的，那么社会计划者便可以通过给予“穷人”以更大的“重视程度”，直接使资源的配置产生更大的福利；另一方面，即使不假定个人效用的可比性，但若承认社会计划者“独裁”的一定合理性，那么他仍可以根据福利经济学第二基本定理，用改变财产或收入分配的办法，通过市场竞争本身，获得他所认为的任何一种更合理的帕累托最优。

（以上分析的是新古典主义理论的基本内容。它们事实上构成当代微观经济学的内容。此外，在相同的假设、原理和分析方法的基础上，新古典主义者还提出了相应的宏观理论和动态理论。在一定的意义上可以说，它们不过是上述基本理论的“宏观翻版”。为了节省篇幅，本书将其放到后面有关的地方再作论述——见第 3 章第 2 节“被新古典主义‘接纳’的凯恩斯主义”和第 10 章第 2 节“均衡增长模型和新古典宏观经济学”。）

2.4 背景条件、市场变量与理论分析结构的基本特征

以上分析了新古典理论的基本内容和基本结构。这一理论体系，构成了现代许多经济学家所使用的范式，但同时对这个理论体系内的许多东西也都存在着“内部争议”和“外部批判”。在笔者看来，这一体系的基本特征有二：一是着重于从物质关系方面考察经济活动；二是其理论分析结构上的封闭性质。后面第 5 章将在与其他理论的比较中着重分析它的第一方面的特征。而在这里，在以上几节的分析基础上，首先集中考察一下第二方面的问题，即这一理论体系的分析结构中各种经济因素所起的作用和相互关系。

我们看到，在这一理论体系中，所有的经济因素被分成两大类。一类是“市场变量”，包括各种相对价格（产品价格、工资率、资本利率、地租率等要素价格等），总价格水平，利润率以及各种产品、要素和货币的供给和需求的数量。另一类即所谓“市场背景条件”，主要指本章最初提到的个别行为主体追求各自最大利益时所面对的各种条件，瓦尔拉斯将它们称为“data”，即给定的作为论据的事实或推论的前提。可将这些背景条件总括地列出如下：

（1）个人的效用偏好结构；（2）现有资源财富总量（劳动、资本、土地）；

(3)(私有制的)财富分配关系,包括“利润索取权”;现有财富总量与分配关系相结合,决定个人所拥有的“禀赋”;(4)技术,表现为生产函数或“投入—产出集”;在动态分析中,加上技术进步速率;(5)经济信息,包括对经济现状的认识和对未来的预期;(6)在宏观分析中,加上货币存量;(7)在动态分析中,加上人口增长率;(8)最后,是有关经济机制假定:在新古典的均衡分析中,都假定在私有制条件下的自由交换的资本主义市场机制;在非均衡分析中,往往假定存在“价格刚性”或“配额”等限制条件。

在这些给定背景条件下,个人尽可能地最大化消费总效用,从而第一个背景即效用偏好构成整个体系的目标函数集,其他各项则构成求此目标函数的约束条件(就某一个人来说,其他人的效用偏好,也构成他的约束条件),整个问题便归结为求此“条件极值”问题,并由此决定出各种均衡;而由于在各种市场变量中,供求量是价格的函数,因此归根到底就是求出一组均衡价格,均衡状态便由这组价格表现;人们在各种给定的条件下采取行动(交换、生产、分配等),决定出一系列变量的均衡值,便构成了经济的运行过程;在此过程中人们所采用的相互联系的方式、方法,便构成了市场经济的运行机制。

在这样一种理论结构的基础上,新古典主义表现出下述基本特征:它在各种背景条件下研究了各种经济变量的决定和它们之间的相互关系,但不研究各种背景条件本身形成、变化和发展的原因及过程,也不研究各背景条件之间的相互关系。

在新古典主义理论的静态分析(static analysis)中,各种背景条件自然必须是给定不变的,否则就无法求最大值,当前的市场变量(如上所述,这主要就是均衡价格)就无法确定。在比较静态分析(comparative statics)中,人们研究了一种或几种背景条件的变动(如偏好变化或技术条件变化)如何通过市场中的替代效应或收入效应等引起市场价格和供求的变化,但是各种背景条件的变化本身却都是外生的,而不是由理论体系内的任何变量引起或决定的,也不是由另一种或几种背景条件的变化所引起或决定的。在动态分析(dynamic analysis)中,各种经济变量有了不同的“时间下标”,但它们事实上仍被以某种方式处理为静态变量,经济的增长也总是被处理为“稳恒态”(steady state)增长。这是因为有关未来的各种背景条件,在进行交易的这一时点上,同样也是被给定的,比如未来时期内的消费偏好是被假定为已知的,技术变化速度和人口增长率是被外在地给定的,对未来的"自然状态"的预期也是以一定的主观概率分布确定了的,而至于这些变化为什么发生,预期是如何形成的,各种背景条件在动态变动过程中具有怎样的相互关系,也是完全外在于理论分析的,所要研究的只是在一切背景条件的变动情况给定的条件下,各种市场变量(包括期货市场上的变量)如何确定。

总之,新古典主义理论只研究市场变量的决定,而不承担研究各背景条件本身变化的原因、过程及其相互间关系的任务。

有人曾用"静态的"一词来概括上述理论的这种特征。①但是为了避免与通常所用的"静态分析"一类的概念相混淆,不使人得出这一理论中不包含一般意义上的"动态分析"的印象,笔者更倾向于用"封闭的"一词加以概括:这一理论所研究的对象,是由它视为背景条件的那些经济因素所限定、封闭起来的,而那些处于限界上的背景条件本身的发展、变化及其相互之间的关系,对于理论本身来说是外在的,不在理论的研究范围之内。②

这里"封闭"一词本身并不带有特殊的贬义,因为新古典主义的理论和分析方法的这种性质,首先具有科学的价值。具体来说,作为一个封闭的体系,新古典主义在理论分析中具有以下几个方面的优越性:

1. 便于精确地分析、把握各种市场经济变量之间的相互关系和市场机

① 兰格指出:"由奥国学派、马歇尔学派和洛桑学派发展起来的经济理论,本质上是一种经济均衡的静态理论,它是在不变的背景条件体系和价格与生产量根据背景条件的变化进行调整的机制下面分析经济过程的……马克思主义的特点,就在于将特殊的制度背景条件作为其理论的基石……马克思主义的另一个特点是它不仅提供了均衡理论,而且也提供了经济演化的理论。"(Lange, 1935)J.罗宾逊则指出:"新古典学派主要关心的是静止状态的均衡。"(Robinson, 1974:48)

② I.格伦伯格在《经济分析中的"复杂性"与"开放系统"》(1978年)一文中,克里斯托尔在《经济学中的理性主义》(1981年)一文中,都使用了"封闭的系统"(closed system)一词来形容正统新古典主义经济学,他们使用这个词所指的东西,在下面的意义上与我们所指的相同,即新古典主义假定对经济体系来说存在着"固定不变的常数"和"不变的关系",从而理论结构和所使用的分析方法,是与"处理封闭系统的物理学"相似的。但他们还从凯恩斯主义的观点出发,强调了现实经济作为一个"开放的系统"的"不确定性",指出了新古典主义理论仅在确定的意义上对经济体系进行分析的特征。

制的运行规律。

市场经济是一个复杂的研究对象。它的现实状况和运动结果最终由各种基本经济因素即技术条件、社会经济关系、经济决策中人们所掌握的信息知识水平等等决定，但都是通过各种经济变量之间错综复杂的相互作用、相互依存关系而实现的；而要精确地说明各种经济变量之间的相互关系本身，掌握其变化、运动的规律，就需要将那些更为基本的经济因素作为前提确定下来，进行抽象的分析，这样才能得出确定的结论。新古典主义理论之所以在许多方面（不是一切方面）将关于市场变量本身的相互关系和运动规律的理论分析，发展到了十分精确、严密的程度，是与它的理论结构的封闭性分不开的。

2. 便于研究某种背景条件的（外生）变化在市场体系内发生的对各个方面的影响和市场行为主体对它所作出的反应。

这一点是直接建立在对市场变量相互关系本身的分析基础上的。尽管新古典理论并不研究各种背景条件本身发展变化的原因，但是由于它能够在一个封闭的体系中较为精确地说明这一体系内部的运行规律，它便能够较容易地说明某一个背景条件的外生变动对体系内各种因素的影响，所能产生的各方面的结果。用系统论的语言说，往往被其他理论当作“黑箱”的市场运行体系，在新古典主义理论中正是研究对象本身；而当它把握了这个“黑箱”的内部结构，便能够较容易地在理论上推断出一个外部输入的信息，能够在内部引起怎样的变动，以及输出些什么东西。

正是与上述两个方面的原因相关，新古典主义理论在回答市场经济运行的一些日常问题上，明显地具有相当大的优势。事实上，我们应该同意哈恩的如下说法：尽管新古典主义理论因为不能处理利益斗争（“权力”问题）、时间和预期因素等方面的问题而显得缺乏能力，显得“过于狭隘、过于经院式了”，但它在分析如生产的结构、相对价格、石油输出国组织对于生产技术的冲击、当前收入分配趋势等“一般均衡理论分析所提出的特殊问题方面，还没有任何能与之匹敌的对手”（Hahn，1981：172—178）。

3. 便于在明确地假定的背景条件下提供与现实相对照的理论模型，以便发现现实问题的原因所在。

由于新古典主义理论的一切分析，都是建立在一定的关于背景条件的特殊前提假定基础上的，而一切结论便都严格地依赖于这些假定。这就告诉人们，当理论上得出的结论与现实不符的时候，就必须到那些关于背景条件的前提假定中去寻找原因。新古典主义一般均衡理论在完全竞争（自由交换、价格可自由迅速调整、产业自由进出）、信息完全性、给定的生产函数等前提假定下得出的资源最优配置、经济完全均衡的结论，显然是与存在失业、资源浪费等现象的经济现实不相符合的，因此它是不现实的。但正是这种不现实的理论，可以作为一个明确的参照系，来与现实情况相对照，看看问题究竟发生在何处，是由于哪个或哪些假定与现实条件不相符合。这正是不现实的理论实际具有的现实意义。一个封闭的理论结构，显然不适合于研究发展变化的问题，但却恰恰能够给出某一特定时点、特定条件下的经济的横断面，使人们能仔细地对其进行观察，发现里面起作用的各种因素，并拿其与现实相对照，发现现实中存在的问题。

不过，值得注意的是，并不是所有的新古典主义理论家（以及别的学派的理论家）都能够明确地认识到这一层意义。因此，我们便经常会看到一些人把这一理论在某些特殊背景条件假定下得出的特殊结论推而广之，变成一般适用的理论，应用到那些前提假定不存在的场合中去，导致了错误的结论。①这也提醒我们，在利用某种理论时，必须明确它的关于背景条件的一切假设的适用范围，盲目地、不恰当地应用一种理论的结论，必然要犯错误。

以上这些，说的都是新古典主义理论作为一个封闭的体系所特有的长处。然而，它的封闭性，也同时意味着它的局限性。这主要表现在以下两个方面：

1. 背景条件，即那些决定整个经济的运动和现实状态的基本经济因素，本身不能在体系内部得到说明，其变化是外生的，不是经济体系本身运动的结果。

新古典主义理论，可以从关于背景条件的任何一种假定出发来研究经济的运行情况，但关于这些背景条件本身是怎么来的、为什么会出现，却几乎说不出任何东西。比如关于市场的分析，新古典主义理论既分析了完全竞

① 真正优秀的、头脑清醒的新古典主义者，对于“那些务实的人们和缺乏素养的理论家”的这种做法，也是持批评态度的（Hahn，1973）。

争，也分析了垄断、垄断竞争、寡头垄断、双头垄断；在寡头垄断中，还区分了不同的情况，如勾结（collusion）、价格大战（price battle）、领导与跟随等等。这些都可视为关于制度这一背景条件的不同假定。但是，这些制度是怎么产生的，为什么会出现，各种制度之间存在着怎样的内在联系，却从来没有给予过理论的说明，就好像经济中从来就存在着这些东西，并且可以一成不变。

最重要的问题还不在于不能说明各种背景条件本身的背景或原因，而是在于这一理论不能从经济体系本身的运动当中，从它的内部运行的必然规律中，找出背景条件产生和发展的原因。换言之，在这一理论中，只有市场变量或市场运行机制对各种背景条件的外生变化作出的反应，而不存在市场机制的反馈，市场变量的变化对背景条件本身的反作用。“马路是单行的，而不是双向的”。例如在新古典主义的宏观理论和动态理论中，包含着对技术进步这一背景条件的作用的分析，给定一个技术进步速率，研究经济变量如何决定，经济机制如何运行，但是，技术进步本身却从来不是经济运行本身的结果。亚当·斯密关于资本主义经济的发展促进劳动分工、技术进步的分析，在新古典主义中无处安身；熊彼特早就提出的关于对（超额）利润的追求导致创新和模仿的理论，也总不能结合到新古典主义的理论体系当中去。如果说技术的进步在很大程度上取决于自然科学的发展从而外在于经济过程的话，那么经济的社会关系及其发展变化却显然是经济过程中的行为主体活动的直接结果，但这却不能在新古典主义理论中得到体现。经济关系总是被当作社会学的研究对象而存在于经济理论体系之外，而经济体系的运行结果，总也不会对经济制度和社会经济关系产生实质的影响——在这一体系中，人们从来不会去通过调整经济关系来实现经济利益，调节利益矛盾。

不过这里要指出，在一个问题上，新古典主义近些年来有了进步，这就是预期的形成问题。“理性预期”学派为了说明政府政策的无效，着力研究了原来作为外生变量的预期——主要是对政府行为、政策影响的预期——是如何依经济的内部运动而发生变化的。他们指出人们在预见未来时，能够依据过去的经验，提前估计到政府在何种情况下会采取何种政策，从而自己应采取怎样的对策。不过，这一理论还尚未纳入一般均衡的体系。

2. 各背景条件之间的相互作用、相互联系，也不能在理论体系内得到说明。新古典主义理论的另一个重要特点就是假定各种背景条件都只面对市场，其影响体现在市场变量当中，而它们之间不存在直接的作用和反作用关系，只是通过市场机制间接地发生联系。这种观点反映了部分的现实，却显然不能正确地体现各种背景条件之间的全部联系。例如在市场之外的生产过程中，技术和制度是直接地相互作用、相互制约的，但新古典主义理论却甚至从来没有注意到这方面的问题。又如，技术进步的规模和前景，显然首先直接影响人们的预期，然后才会对经济变量发生作用，但在新古典主义理论中，这两个因素之间事实上也是相互隔绝的。

正是由于以上的原因，新古典主义理论事实上局限在相当狭隘的领域内。它可以对今天现实中的一些现象和某种事变的影响作出很好的说明，但经济活动在这一体系中永远都是没头没尾的，没有发展，没有变化，没有历史的演变——它在本质上不适合于关于社会经济活动发展、演变的说明。兰格在50年前就指出的问题，至今仍没有发生实质性的改变：新古典主义对于社会经济的演进和发展趋势，“不能用一套系统的经济演进理论对它们作出成功的说明，而事实上最多只能对它们进行一些历史的描述”(Lange，1935)。

以上分析的新古典主义理论分析结构方面的特点，在我们进行理论选择时，将是需要考虑到的一个重要的因素。

3

凯恩斯主义和后凯恩斯主义

对于凯恩斯主义的研究，面临以下两个困难：

第一个困难是它与新古典主义的理论界限，在许多方面并不清晰。它的许多理论命题和政策主张，如市场经济的不稳定性、对萨伊定律的否定（总需求决定）、强调政府干预的必要性等等，自然与新古典主义大相径庭；它所创立的现代宏观经济分析方法，在当初也颇为新鲜。但是，在一些基本理论问题上，它与新古典主义都有着共同之处。比如它们同样都着重从物质生产和需要的角度考察社会经济活动，侧重于在给定的技术、资源和制度条件下，研究经济机制的运行规律；凯恩斯主义宏观理论事实上也是以新古典主义的许多关于微观经济的分析为前提的（比如相对价格的决定和资源配置等）；当初凯恩斯革命的主要内容之一，是提出了新的宏观分析的结构和方法，而现代宏观经济学的发展，已显示出凯恩斯当年提出的一些概念，是完全能与新古典主义兼容的。因此，当我们试图揭示凯恩斯主义的理论特点时，就会发现它相对于新古典主义的差别，远比相对于马克思主义的差别要小，在许多问题上，属于同一个“营垒”；也正因如此，在一定的意义上，它们可以同时构成西方的主流派正统经济学的内容。

这个困难决定了当我们将凯恩斯主义与新古典主义和马克思主义并列

作为当代经济学的三个主要理论体系进行比较时所出现的“不对称性”；它们自然各有特点，但最鲜明的、最根本的差别，只存在于以马克思主义为一方，以新古典主义和凯恩斯主义为另一方的两类经济学理论之间；而后两者往往只表现为同类经济学中的两个大的派别，只不过它们各自强调了一些不同的东西（凯恩斯主义和货币主义之间的差别，在这个问题上具有一定的代表性）。

不过，凯恩斯主义毕竟从一开始就在理论争论中站在新古典主义的对立面上，现代后凯恩斯主义者则更对新古典主义进行了多方面的批判。只要我们明确这二者之间差别与对立的性质，在强调指出它们各自特点的同时，不忘记它们的共同之处，这种比较就仍然对我们全面理解当代经济理论具有一定的意义。

第二个困难是长期以来就存在的“凯恩斯究竟意指什么”的问题。所谓凯恩斯主义，主要起源于 J.M.凯恩斯 1936 年出版的《就业、利息与货币通论》（以下简称《通论》）。此外，还可以加上他稍后的两篇论文：1937 年的《就业通论》和 1940 年的《如何支付战争》；前者进一步阐述投资决定与总需求决定理论，强调了经济的不确定性；后者奠定了凯恩斯主义通货膨胀理论的基础。然而，用萨缪尔森的话说，《通论》这部书，是“一本天才的著作”，但却是“写得很坏、组织得很糟的书”（Backhouse, 1985：655）。而且凯恩斯主义不仅在不少问题上存在自相矛盾，在一些关键之处自己也并不十分清楚自己到底意味着什么。这造成了几乎从《通论》发表之日起，经济学家就开始的关于“凯恩斯的意思到底是什么”、“什么是真正的凯恩斯主义”的无休止的争论。经济学家因此分成了不同的派别，已经至少被分成了三种凯恩斯主义：“右派”——新古典综合派；“中派”——凯恩斯本人；“左派”——后凯恩斯主义（Davidson, 1981）。这里不想为这个争论再添些什么，但我们却不可能回避这个问题；我们必须充分考虑到在此争论中的各种观点，同时表明笔者自己的倾向性。为此，本书将先在目前流行的、教科书中的凯恩斯主义理论结构中，分析一下凯恩斯所提出的主要理论命题，然后通过与其他一些理论观点的比较，对凯恩斯主义的理论特征作出分析和判断。

3.1 凯恩斯主义的基本内容

对凯恩斯主义理论，目前“主流派”教科书中的解释，仍是希克斯和汉森提出的“收入—支出模型”，通称“*IS-LM*”模型。无论如何，这个模型对于说明某些凯恩斯主义的概念和方法还是有用的；就本书目的而言，它也可以提供一个阐明讨论对象的基本框架，便于展开关于凯恩斯主义特征的分析研究。

IS-LM 模型由以下五个方程组成：

（1）总收入函数：

$$Y=C(Y,\ i,\ M/P)+I(Y,\ i,\ M/P)+G$$

（2）真实货币需求方程（此式也可看成供求均衡方程）：

$$M/P=L(Y,\ i,\ M/P)$$

（3）总生产函数：

$$Y=f(N),\ f'(N)>0,\ f''(N)<0$$

（4）劳动总需求函数：

$$f'(N)=F(W/P)$$

（5）劳动总供给函数：

$$N=N(W/P),\ W>W_0$$

其中：

Y——国民总收入（按不变价格计算）；

C——总消费；它是 $Y,\ i,\ M/P$ 的函数；

I——总投资；它是 $Y,\ i,\ M/P$ 的函数；

G——政府支出；

i——利息率（债券利息率）；

M——货币供给量；

P——总价格水平；

M/P——真实货币额；

N——就业水平；

W——货币工资；

W/P——实际工资；

W_0——工人接受的最低工资。

模型中假定：(1)总产出只是就业水平 N 的函数，资本存量被视为固定不变，因此这实际是一个短期生产函数；(2)劳动需求 $F(W/P)$ 取决于劳动的边际生产力，$f'(N)$ 等于实际工资 W/P，从 $f'(N)$ 与 W/P 的关系中便可求出劳动需求量；(3)劳动供给取决于实际工资 W/P，不过前提条件是 $W \geqslant W_0$，即货币工资水平不得低于某一下限值。

这个模型可由图 3.1 表示：

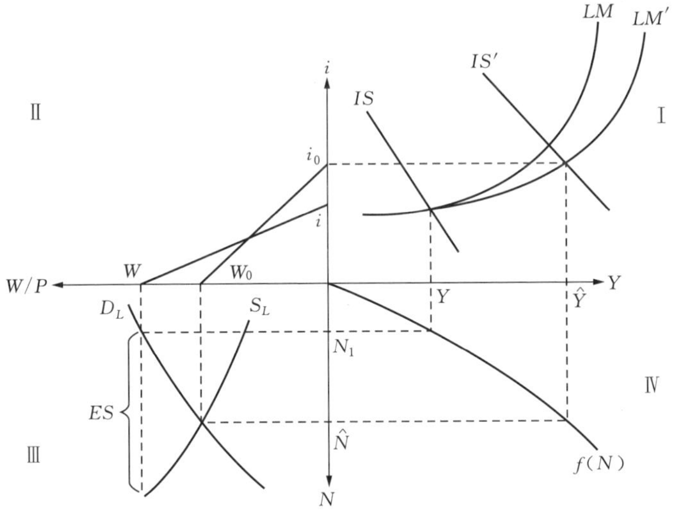

图 3.1

模型中的五个方程由图中的五条曲线表示：总收入函数表现为 IS 曲线；货币均衡方程由 LM 线表示①；劳动供给与需求函数分别由第三象限的两条曲

① 若要详细表明 LM 曲线的内容，还需画出另一个描述货币供求与总产出关系的四象限图示，但这里省略。

线表示;生产函数在第四象限。

这里不打算向熟悉 *IS-LM* 模型的读者详细介绍此模型的结构①,而是借助这一模型及图示,分析凯恩斯主义的几个理论命题。

1. 总需求决定理论。凯恩斯理论被认为打破了新古典宏观理论注重价格分析的传统,而把重点放在总产出或总收入的“真实变量”上,并且认为总产出水平不是由供求双方相互决定的,而是由总需求水平决定的;在不变的价格水平上,可以存在不同的总产值。在图 3.1 中,这表现为:(1)给定 *LM* 线,总产出水平及相应的就业水平,由 *IS* 线的位置决定,当 *IS* 线为 IS' 时,国民经济处于充分就业水平(Y, N);若 *IS* 线不能实现充分就业,便要由扩大政府的补偿性支出 G 来使总需求扩大。这是凯恩斯主义财政政策的理论依据。(2)给定 *IS* 线,总产出水平由 *LM* 线的位置决定,即由有货币支付能力的总需求水平决定。

2. 消费函数理论。凯恩斯最初仅用边际消费倾向来说明消费需求,用“边际消费小于新增收入”这样一个简单的命题来解释消费不足的现象,因此消费函数的形式仅是 $C(Y)$, $C'(Y)>0$, $C''(Y)<0$。20 世纪 50 年代后莫迪利亚尼和弗里德曼分别提出了“生命周期”理论和“永久性收入”理论(二者本质上相同),来解释宏观消费行为,使之建立在个人一生效用最大化的基础上。这样,消费就不仅是 Y 的函数,也成为作为储蓄收入(计算未来消费价格的折现率)的利率 i 的函数(关于消费函数中的另一自变量 M/P 将在后面统一说明)。

3. 投资决定理论。这是在总需求决定中最重要的部分。投资(包括折旧、净投资和存货增量)被认为是总需求函数中变动最大的部分。《通论》中指出,投资变动主要取决于资本边际效率(预期投资收益)和利息率(借贷成本)。但由于凯恩斯同时认为投资量将确定在资本边际效率与利息率相等的一点上,因此后人将投资直接表现为利率的函数:$I(i)$。20 世纪 50 年代后汉森等人提出引致投资和加速原理,因此投资一般地也表现为总收入的函数:$I(Y, i)$。总需求决定的最根本含义在于投资决定储蓄,而不是相反。投资需求决定后,通过乘数效应,使总收入(产出)扩大(或缩小),最终使储蓄

① 请参见中等程度的西方宏观经济学教科书的有关章节。

事后调整到投资所需要的水平;投资与储蓄的(事后)相等,决定着总供求的相等。

4. 货币的投机需求。在货币需求理论也就是所谓"灵活性偏好"理论中,持有货币的交易动机和谨慎动机并非凯恩斯首先提出和特别强调的。他特别强调的是投机动机,其主要含义是信贷利率与货币持有成反向运动,中心环节是预期利率变动的弹性小于1:当利率较高,一方面持有货币的机会成本较高,另一方面未来利率进一步上升的预期幅度较小,所持债券的价格不大可能下降,这都会增强放弃货币、购买债券的动机;反之则反是。因此,这种投机动机一方面将本身没有利息收入的货币与债券利息联系起来(投机动机是这二者间的唯一联系),从而可以将一部分货币需求表示为 i 的函数,即 $L_2(i)$;另一方面,由于货币需求的交易动机是收入的函数,即 $L_1(Y)$,这样,通过货币需求函数,就在 Y 与 i 之间建立了某种特定的关系,即 LM 曲线:

$$M/P = L_1(Y) + L_2(i)$$

5. 真实货币效应(real blance effect)①。所谓"真实货币",即指 M/P,因此真实货币效应可包括 M 和 P 两方面变动的影响。但由于 M 是外生的政策变量,因此所谓真实货币效应主要指价格水平所引起的收入或支出的变化。

真实货币效应又可由两部分构成:(1)"庇古效应",也称"财富—收入效应"。它指的是当价格下降时,人们手头作为一种财富的货币的真实价值提高②,引起消费增长,从而使总支出—收入增长。这种效应仅仅表现在 IS 曲线中,也就是仅仅表现在总收入函数中的消费函数 $C(Y, r, M/P)$ 当中:价格下降导致 IS 曲线右移。这种效应是新古典主义理论宏观均衡分析的基

① "真实货币效应"概念是由帕廷金最先提出的(1965年),但它包含的内容却早已提出。

② 这里"作为一种财富的货币"指黄金、纸币现金、政府债券等,称为"外部货币"(outside money);与此相对应的是"内部货币"(inside money),即银行的"可提取存款"(checking deposit),后者由于是一种私人债务关系,借方所得是贷方所失,因此从宏观角度考察不产生"财富效应"。

础之一。(2)“凯恩斯效应”。这是凯恩斯最先提出来的，主要是指当价格变动，比如下降时，由于货币的真实价格上升，会减少人们的名义货币需求。因此，这个效应只表现在 LM 曲线 $L(Y, r, M/P)$ 中：价格的下降导致 LM 曲线右移。

6. 失业与通货膨胀的替代关系(trade-off)。凯恩斯在《就业、利息和货币通论》中指出了价格水平变动与实际工资从而劳动就业水平变动的反向关系；1940 年的文章中又提出了总需求大于充分就业总供给水平，就将发生通货膨胀，即需求拉上型通货膨胀的理论；同时还指出了这种通货膨胀不久将引起工资上涨，并发生成本推动型通货膨胀(Keynes, 1940)。价格上涨对实际工资的影响以及需求推动型通货膨胀的理论，包含着失业与通货膨胀反向运动的基本关系；而成本推动型通货膨胀理论则意味着在存在失业的情况下，由于“工资争议”机制的作用，仍会存在通货膨胀。所有这些，后来统一表现在菲利浦斯曲线所描述的失业与通货膨胀“反向替代”的关系当中，并构成了凯恩斯主义总供给理论的基础之一。

以上的各种理论命题，形成了一个基本分析结构。然而，仅有这些理论命题，却并不能产生或必然产生凯恩斯所说的“失业均衡”。相反，上述各种因素相互作用的结果，往往能够使国民经济自动地产生趋向充分就业均衡的力量。帕廷金提出的宏观均衡模型就是一例。它既包含了上述种种理论要素，又产生了市场自发形成的充分就业均衡趋势(Patinkin, 1965)。失业均衡的发生，在这一理论结构内，必然是由于某种或某些市场因素的作用受到阻碍、受到限制的结果。因此，它被认为是在上述结构内引入以下四个重要假定的结果。

1. “名义工资拒下刚性”(downward rigidity)。当工人拒绝货币工资降低，使其维持在较高水平，而价格又不能迅速调整使实际工资下降时，由边际生产力与实际工资相等所决定的劳动需求，便会小于由名义工资决定的劳动供给，劳动市场无法“清了”(clearing)，便出现了失业。在图式中，这表现为与一条水平的“工资地板”相适应的供求差额。这时，图 3.1 中第三象限劳动市场中的劳动供给曲线的形状便改成下图的形状。图 3.2 中 W 为货币工资下限，或所谓的“工资地板”(wage floor)。

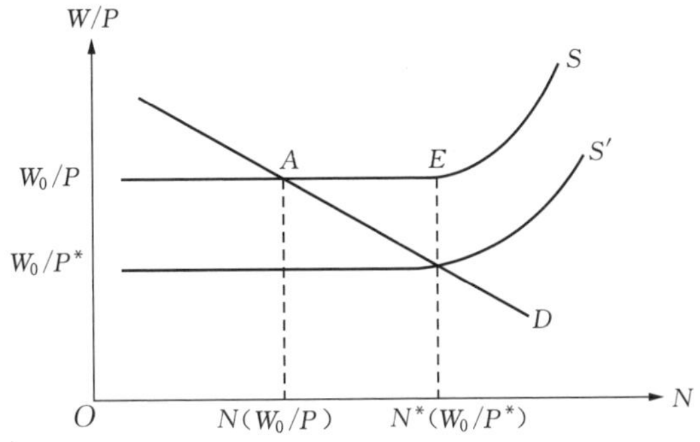

图 3.2

当货币工资较高、价格为一定时，就会出现失业（ES）（只有通过价格上升，使实际工资下降，才会有充分就业）。当存在失业时，仍有均衡，即所谓“失业均衡”，因为这时仍满足劳动边际产出等于实际工资，就业者的劳动边际负效用等于实际工资的边际效用这两个均衡条件。

2. “灵活偏好陷阱”（liquidit tyrap）。这指的是利率已经很低，没有人再期望它进一步下降，用凯恩斯自己的话说是利率这时已经“事实上成为绝对的”，从而投机动机决定的货币需求已变为无限大，这时无论再增加多少货币存量，都不会使利率进一步下降，起到刺激投资的作用。这种情况否定了新古典传统宏观理论的基本结论，即可以通过利率调整就业水平的理论，因此被称为“凯恩斯特例”。这就是图 3.1 中 LM 曲线水平部分所表示的情况。相对应的是 LM 曲线垂直部分所代表的“古典特例”，即不改变货币供求关系就不能改变就业水平的情况。

3. 投资需求的利率弹性低。这指的是利率变化对投资的影响不大，比如利率下降并不能引起投资的扩大。在图 3.1 中，这将表现为 IS 曲线的斜率较小，近乎于一条垂直线。在这种情况下，甚至还可能发生利率为零，仍不能达到充分就业均衡；而由于利率不可能为负（当然，除非通货膨胀率高于预期的通货膨胀率），因此便永远不会有市场机制自动形成的充分就业。

4. “价格粘性”（stickiness）和缺乏真实货币效应。前面分析的货币效应，特别是“庇古效应”，历来被新古典主义理论视为市场机制通过价格变动实现充分就业均衡的一个重要因素；种种充分就业宏观均衡模型，很大程度都是建立在这种效应的基础之上的。只要价格能及时变动，扩大需求，或使实际工资及时调整到充分就业所需求的较低水平，失业便不会发生。但在凯恩斯看来，由于(1)价格调整很慢，在短期内是固定的；(2)即使价格变动，真实货币效应也很微弱(这一点被现代一些计量分析所证实)，在理论分析中可以忽略，由此便产生失业均衡的可能。

所有这些情况，说明了市场机制本身往往不能使国民经济保持充分就业的均衡。由此，便产生了政府通过各种政策，特别是财政政策对市场进行干预，以实现充分就业的必要性。因此，正是这些构成了凯恩斯主义政策分析的理论基础。

3.2 被新古典主义“接纳”的凯恩斯主义

以上粗略地勾画了现代正统经济学教科书中所阐述的凯恩斯主义理论的基本内容。我们不能说这些理论内容与凯恩斯主义无关；无论是一些基本理论命题还是某些特殊假定，都或者是凯恩斯最先提出的，或者是他所强调了的——它们的确构成了凯恩斯主义理论的基本内容。

但是，仔细研究一下这一理论结构，我们马上可以发现，首先，这些内容本身在被赋予某种特定含义的情况下，是完全可以被新古典主义所接受、所容纳的，不仅其基本理论结构本身可以成为一般均衡理论体系的宏观翻版，而且某些特殊假定也是可以被新古典理论家所接受的。庇古在1933年发表的《失业理论》，就认为失业的原因在于不能削减工资(“工资刚性”)，并指出了政府可以用提高税收、扩大公共建设的办法来扩大投资需求，减少失业。“灵活偏好陷阱”和“价格粘性”，实际也可被视为另外两个市场上的价格的灵活变动受到某种限制的情况。莱琼霍夫德1968年在其著名的《凯恩斯主义经济学与凯恩斯的经济学》中，指出凯恩斯的特殊假定的根本意义在于指出了所有市场上的价格调整缓慢，从而导致在此过程中出现“相对价格不正确”和由此造成的失业。他据此开创了现代非均衡分析。但严格地说，这其实是在新古典主义的一般均衡理论体系中引入了价格体系刚性这一新的确定的限制条件。这当然可以视为新的理论要素，但它却是新古典主义理论所可以容纳的要素。以前它不过是仅建立在其他种种假定的限制条件下的理论;现在新加进一个限制条件,当然能产生出新的理论结论,但并不改变其理论体系的基本原理和分析方法。莱琼霍夫德把“失业均衡”归结为“相对价格不正确”的非均衡,这个命题本身就是典型的新古典主义结论。

其次,我们可以看到,在上述 *IS-LM* 结构中,凯恩斯的理论不再是一般理论,而仅仅成为一般均衡体系的一个特例——失业均衡是由于加进了某些特殊假定而产生的特殊情况,比如灵活偏好陷阱不过是 *LM* 曲线上具有特殊性质的某一阶段上发生的情况,投资对利率反应迟钝,也只表现为 *IS* 曲线上一段弹性较小的部分。或者用帕廷金的话来说,凯恩斯的失业不过是“在某些社会地感受到的时期内”,市场均衡力量太弱而导致的特殊情况(Patinkin, 1965:343),在这里真正一般的是均衡体系本身,而不是“凯恩斯特例”或“古典特例”等等。

正因如此,凯恩斯的理论贡献,便往往不是被看成提出了在根本上新颖的理论命题和理论体系,而只是被认为由于他使用了新的宏观分析方法,引入了一些新的前提假定,从而得出了新的理论结论。当代最著名的经济理论史学家、英国的 M.布劳格曾经指出:凯恩斯主义理论的“新颖之处不一定就是那些表面的东西,如消费函数、乘数和货币的投机需求等概念。凯恩斯主义经济学的令人震动的新鲜特征在于:首先,一贯地保持对总量的分析和把经济划分为四个相互联系的市场,即产品、劳动、货币和债券四个市场(请注意,后来出现的任何新古典宏观均衡模型都是如此——引者注);第二,集中于短期分析,而把前人主要集中分析的长期问题,仅仅限于长期停滞可能性的范围;第三,将经济条件变化引起的调整的重心,从价格转向总产出水平”(Backhouse, 1985:677)。尽管这些特点也能导致整个经济的均衡包含着“失业均衡”,并打破了传统经济学理论认为“竞争的力量能使经济趋向稳恒的充分就业”,但这些特点和失业均衡特例的出现对于新古典主义的一般均衡理论体系来说只是有益而无害的,从它们当中也看不到凯恩斯自己声称的与新古典主义理论体系的对立。

对于上述理论结构的新古典主义色彩,后凯恩斯主义者(新剑桥学派)进行了尖锐的批判。这种批判中包含着许多正确的因素和深刻的分析(本书后面的分析有些就将利用这些正确的因素)。但是,在这种批判中,他们似乎又走向了另一极端:当他们强调某些凯恩斯主义特殊命题的时候,上述的一切又似乎与凯恩斯主义完全不相干，就连扩大政府支出以减少失业也似乎不是凯恩斯的主张(Robinson, 1972)。

看来，真正的问题不在于凯恩斯说了些什么，或者他的真正意思是什么，而在于由他说过的东西所构成的理论体系中，是贯穿着还是被抽走了凯恩斯主义的“灵魂”，也就是是否体现着凯恩斯和凯恩斯主义者们提出的真正有别于新古典主义的独特理论和思想；或者说，这个理论体系究竟是被赋予了凯恩斯主义的“灵魂”，还是被赋予了新古典主义的“灵魂”。这倒有些像萨缪尔森在他的大众经济学教科书所举的那个例子：一幅图画，内容就是那些，但看你怎么读它，从一个角度看去，图中是许多鸟，从另一个角度看去，又全是羚羊(Samuelson, 1976:17)。因此，需要研究的是，凯恩斯主义的真正独特的东西究竟是什么。

3.3 与新古典主义对立的凯恩斯主义

凯恩斯主义的“灵魂”就在于，它认为投资者的不确定预期是决定资本主义市场经济波动的最根本原因。这是被后凯恩斯主义者竭力强调的一个基本命题。

这个根本性命题包含以下几层含义：

1. 所谓“未来的不确定性”(uncertainty)，用罗宾逊等人的话来说，就是“时间是不可逆的，未来是不可未卜先知的”(罗宾逊和伊特韦尔，1982)。有关未来的信息不完全这个事实，是人所公认的。但有别于新古典主义，凯恩斯主义中的“不确定性”概念的特征在于：一方面，对于未来事件，人们不可能像新古典理论假定的那样计算出一个确定的风险概率；另一方面，人们对未来的预期也不与现在的任何事件之间存在任何确定的相互联系。任何预期都包含着人的任意猜测、一时冲动、投机心理和其他种种心理因素——预期本身是不确定的、不稳定的。新古典主义“假定事实和预期是在确定、可靠的形式下给定的”，“概率计算法被认为能使不确定性像确定性本身一样成为可计算状态”(Keynes, 1937)，然后用这样构造的理论所推导出的结论来描述市场经济的现实。这种理论和方法，在凯恩斯看来是错误的。

2. 在凯恩斯主义理论中具有特别重要意义的不在于一般的未来不确定性，而是在于投资者预期的不确定性。因为正是这个因素，从根本上决定着总需求水平的不确定性。在构成总需求的两个部分中，消费需求主要取决于当前的收入水平和人们的消费倾向，因而是较为稳定的。①而投资需求，在凯恩斯理论中最根本地取决于投资者对投资未来收益即资本边际效率的预期；由于经济本身的不确定性，这种预期总是不正确、不确定的。同时按照凯恩斯自己的说法，投资者的预期行为本身，也不是取决于"历史结果"，或某种确定的规则，而是取决于投资者的投机、冒险动机、心理不稳定因素等等，也就是所谓的"动物精神"(animal spirit, Keynes, 1936:第 11、12 章)。②这样，经济本身的不确定性都会体现在投资活动当中，投资行为的不确定性又加剧了整个经济的不确定性。而正是这种投资的不确定性，决定了总需求的不确定性，决定了商业循环的周期性波动(Keynes, 1936: Chapter 22)。此外，由于每个投资者的预期都是不确定的，当人们"认识到我们自己的个人判断没有什么价值以后，我们就会转而依靠世界上可能了解情况的其他人的判断。也就是说，我们会努力顺从多数人或一般人的行为"(Keynes, 1936:第 11 章)，于是便会发生由突然的普遍心理崩溃导致的经济崩溃，普遍繁荣之后会紧跟着突发的危机。

凯恩斯也提到了投资需求的大小，还取决于利率的高低，但这与 *IS-LM* 模型中所说的投资取决于由经济体系所决定的当前利率[$I(i)$]，而利率取决于可以以确定的函数形式来决定的货币供给 [$M/P=L_1(Y)+L_2(i)$]，并不是一回事。凯恩斯的货币投机需求概念，最本质的因素也同样是不确定预期，即关于利率未来变化从而债券价格的未来变化的预期的不确定性。投资的利率弹性低，根本不是什么特例，而是凯恩斯主义所认为的一般情

① 西方的统计资料甚至没有证明凯恩斯提出的"边际消费倾向递减规律"，而是表明消费倾向实际是相当稳定的(Samuelson, 1976:325、976)。

② Animal spirit，过去一般译作"血气冲动"，但凯恩斯此词所指，不仅是投资者往往会心血来潮，过高估计未来利润，盲目扩大投资，也指他们往往会突然情绪低落，对未来悲观失望，导致投资缩减，经济衰落；而中文"血气冲动"似乎只能表达前一个方面的意思，不如直译为"动物精神"，较为"中性"，也能更全面地表达原文"非理性"的含义。

况。从投资的净收益角度考察，它取决于同样由投资者的“动物精神”所决定的资本边际效率与预期利率变化两者之间的关系。另一方面，凯恩斯主义对货币和信贷市场运动的理解，也与新古典主义的理解不同。他主要强调了货币作为信用手段的性质，指出“货币的重要性本质上导源于它使现在和未来发生联系”。因此，不同于新古典主义者认为利率是仅由货币持有与购买债券的替代关系决定的，凯恩斯认为信贷利率本身取决于投资预期收益的高低：当预期收益高时，人们就会争相借债投资，支付利率高些也不在乎；反之，当人们信心不足时，信贷需求减少，利率就会下降。所谓“灵活偏好陷阱”或“绝对利率”，实际上根本不是一种特例，而是萧条时期（不是危机暴发时期）必然情况：那时由于资本家对未来信心不足，因此无人借贷投资，从而必然使利率降到最低点，无论怎样增发货币，也无法刺激投资。按照*IS-LM*模型，应该出现的情况是繁荣期利率低，萧条期利率高，但经验事实并不能证明这一点；相反，人们常看到的恰恰是繁荣期利率高，萧条期利率低，这正说明了凯恩斯主义对经济循环和货币信贷关系的理解的确比新古典主义要正确一些，而*IS-LM*模型并不能正确地描述资本主义信贷市场的一般运行规律。①这里值得注意的是凯恩斯特别强调了“内部货币”的作用，强调了私人之间的借贷关系本身能够创造或减少货币（私人信贷关系的膨胀或收缩），使国民经济中的货币量发生变化。正是基于这一点，才会出现政府货币发行增加，利率却会因私人信贷（内部货币）收缩而并不降低的情况。

3. 投资者的预期之所以能够引起经济的波动，是因为他们掌握着收入分配权。投资者预期的变化，在现代资本主义条件下，可以通过两种渠道影响分配。一个是所谓“利润加价”。后凯恩斯主义者指出，在现代资本主义条件下，价格实际上是由企业主按照利润加价的原则决定的，而作为企业主的投资者也掌握着定价权。当投资者预期未来经济的赢利前景为好时，定价时加到成本上去的利润率就高，价格也就高；普遍的价格提高使工人的实

① 这里似乎应该提到马克思主义关于利润率与利息率关系的简单明了的分析。马克思指出，信贷利息总是利润率的一部分；它的变动也由利润率的变动决定和调节（见马克思，1975：《资本论》，第3卷，第22章）。

际工资 W/P 降低，同时使资本家的利润收入事实上提高，投资的源泉也就扩大。反之则反是。

另一个渠道是信贷膨胀。投资者预期投资的未来收益率较高，便导致投资活跃，投资需求扩大。这一方面引起信贷膨胀，货币即支付手段（私人支付手段）增加，另一方面导致需求膨胀。这两方面的作用使得价格水平上涨即通货膨胀；在一定的货币工资水平上，价格的提高，导致实际工资的下降，会使雇佣工人人数增加，生产扩大（Marglin，1984：94—95；他把这种机制称为"资本家的信贷垄断权"）。由于在资本主义经济中，资本家拥有获得信贷的优先权，只有他们能够通过这种办法提高利润收入，工人不能以同样的办法行事，因此，作为资本家的投资者便总能实现根据自己的预期所决定的投资计划。

这就说明：(1)利润加价权和信贷优先权事实上构成了资本家手中的国民收入的分配权；(2)较高的实际利润率和较高的投资率实际是资本家较高的预期利润率的结果。资本家投资越多，利润就越多。这就是凯恩斯在1930年的《货币理论》中提出，后来在1940年的《如何支付战争》中再次使用的"寡妇的魔坛"①（widow's cruse，Keynes，1930：139）和卡莱斯基的名言"资本家得到他花费的，工人花费他得到的"（Kalecki，1933：13）的根本含义。后凯恩斯主义者强调分配关系在经济波动中的决定性意义，正是基于这一理论。

同时，在这里我们还可以看到，"货币工资刚性"根本不是实现充分就业的障碍或失业的原因，而不过是在需求不足时产生失业的一个一般条件，仅能被用来说明为什么当总需求不足时会发生失业，当实际工资因价格上涨而下降时工人们仍愿工作，从而能够在货币工资不变的条件下，随着总需求的扩大而扩大就业。新古典理论认为医治低的就业率必须削减工资，而凯恩斯主义则认为失业的根本原因在于需求不足，其原因正在于此。

投资的多少决定利润率的高低，同时也就表明了凯恩斯主义理论中投资决定储蓄这一命题中有别于新古典主义的内容。我们知道，在新古典主义

① 这是一个《圣经》上的典故，指一个取之不竭的坛子；现比喻貌似有限但实为不尽的财源。

看来，国民经济中的一切收入，都表现为一般的就业者或消费者的收入；而储蓄的大小，只取决于总收入的高低和消费偏好或消费倾向的大小，并不取决于国民收入分配比例。因此，凯恩斯在短期分析中提出的投资通过乘数效应决定储蓄量大小的理论，是较容易为新古典主义理论家所接受的，并且事实上也可以被新古典主义的理论所兼容。但是，凯恩斯主义者提出的将收入区分为资本家的利润收入和劳动者的工资收入，利润中的储蓄比例与工资收入的储蓄率不同(甚至假定储蓄全部来自利润，工人消费全部工资)，从而投资者可以通过改变分配比例而改变储蓄的理论，都是与新古典主义理论无法相容的。因此，在新古典主义理论中，一是分配取决于要素的边际生产率，投资越多，资本的利润收入应该越低，而不是像在凯恩斯主义理论中那样越高；二是储蓄的决定与分配比例的变化根本无关，而不像在凯恩斯主义中那样，总储蓄倾向的高低也取决于分配比例的变化。

总之，与新古典主义相对立的凯恩斯主义表现在：(1)国民经济的运动过程，不能由一般均衡体系进行描述，而必须由处于一维的历史时间中的不确定过程加以描述。(2)决定投资的不是作为成本的现行利率，而是预期收益，即取决于投资者的“动物精神”；投资的利率弹性低，不是一种特例，而是一般情况。(3)不是利率决定投资，相反，是投资需求的大小，决定借贷利率的高低；“灵活偏好陷阱”，是萧条时期的一般情况，而不是引起萧条的偶然特例。(4)不是工资刚性引起就业水平低，相反，工资刚性只是由总需求不足引起的非自愿失业的一个一般条件，也是说明为什么总需求扩大可以降低失业率的原因。(5)投资决定储蓄，不仅是乘数效应的结果，也是由于投资的变动能引起收入分配比例变化的结果；不是利润率高、储蓄率高，导致投资增加，相反是投资越多，利润率越高。

由上可见，笔者并不一概地否定本章第1节中所阐述的各种理论内容属于凯恩斯主义的体系，而是认为问题的关键是如何对这些理论及其相互关系作出解释，揭示凯恩斯提出的理论中，究竟有哪些是真正独具特色的，又有哪些是可以被新古典主义接受的；或者，在被后人所认为的凯恩斯主义理论中，有哪些是已经被人按照新古典主义的精神加以改造过的，从而搞清楚凯恩斯主义作为一个真正有别于新古典主义的理论体系的本质特征。

3.4 结论:凯恩斯主义的几个基本特征

根据以上分析,我们可以进一步对凯恩斯主义在一些基本理论问题上的特征作出如下概括:

1. 凯恩斯主义突出地强调了新古典主义理论作为背景条件之一的预期在经济运动中的作用;不是在假定预期为一定的条件下研究资源的配置效率,而是在预期变动的背景下,研究资源利用的动态效率问题,即为什么在经济运动过程中存在着资源闲置或失业等问题。在对预期本身的分析中,凯恩斯主义主要强调了预期变化取决于资本家的心理状态等一些外生的因素。但是,在一些地方,它也分析了那些取决于体系本身内在变化的预期变化,例如对利率变动的预期,是与现行利率存在一定函数关系的(现行利率越高,预期利率越低,反之亦然)。

预期与经济运动之间存在一定的联系,这是一个经济事实,因为多数经济过程都有一个事前决策和事后效果的问题。而经济行为直接取决于事前人们对效果的预期。因此,预期便对经济运动有着直接的影响。凯恩斯主义对这种关系进行了分析并强调了这种关系的重要性,这是对经济学的一个重要贡献。几十年来信息的完全性问题和预期的作用,在经济学中所受的重视和有关预期的各种理论的发展,事实上也都是由凯恩斯主义者最先激发起来的。①

2. 与新古典主义强调资本主义市场的内在稳定性不同,凯恩斯主义通过强调预期的不确定性和主观概率的不可知性,着重论述了资本主义市场经济内在的不稳定性。在这里,两种理论实际也是分别强调了问题的不同方面。人们在对待未来事件的时候,的确是会作出某种以概率形式出现的主观判断,并依据这种判断作出确定的行为抉择;但这种判断由于是主观

① 瑞典学派的米尔达尔等人对经济行为事前预期效果和事后实际效果(或者事前决策值与事后实现值)的划分和分析,被认为最早揭示了这方面的关系,因此被同样视为凯恩斯主义的创始人(米尔达尔,1982)。

的，不可避免地具有很大的随意性，并会经常处于变动之中，距离实际情况也会相差很远。这就是所谓“不确定性”，由此便会导致经济运动的不稳定。凯恩斯主义强调了这种不确定性，为这方面的分析作出了贡献，但它与新古典主义理论一样也只是突出了问题的某一个侧面。还应该指出的一点是，在如何说明预期不确定性本身的问题上，凯恩斯主义仅仅把它简单归结为资本家的特殊心理状态——“动物精神”，而没有看到这种信息不完全和预期不确定在资本主义市场经济中的特殊社会原因，即私有制社会生产的无政府状态。这也是它的一大局限性。①

3. 与瓦尔拉斯均衡体系中的各种变量相互依存、同时决定不同，凯恩斯主义理论有着明确的因果关系。J.罗宾逊曾指出：“在一个导致均衡结果的模型中，不存在因果关系。它由一个封闭的、循环论证的联立方程组构成；每个因素的取值取决于其他所有因素的取值。相反，在一个历史的模型中（即凯恩斯主义的强调时间因素的理论——引者注），都必须给定因果关系”（Robinson，1962:26）。这种因果关系简单地说便是：投资者预期决定投资需求水平⟶决定总需求水平⟶信贷膨胀或收缩⟶价格水平变化⟶实际工资和分配比例变化⟶社会生产水平和就业水平的波动。（关于凯恩斯主义理论中的因果关系，可参阅 S.Marglin(1984)。不过马格林的书中由于侧重于增长和分配问题，因果关系与这里的不完全相同。）就某些特殊问题而论，凯恩斯主义和新古典主义的区别表现在：供求通过价格相互决定，还是需求决定；投资与储蓄通过利率相互决定，还是投资决定储蓄；工资与利润通过生产函数相互决定，还是利润份额决定工资份额；等等。

4. 从社会关系的角度看，凯恩斯主义强调了投资者即资本家在经济活

① 有关预期的理论分析，对社会主义计划经济理论同样有重要的理论意义。在社会主义条件下，同样存在信息不完全性和预期错误的问题；而计划当局的预期错误，往往会造成很大的效率损失，因此值得特别的重视。同时，在社会主义条件下，信息和预期不正确，同样有一个物质原因和特殊社会原因的问题，比如在高度集中的计划经济体制下，由这种体制的特殊社会性质所决定，计划者的轻微预期错误，也会导致经济运动的很大偏差，因此并不是消除了无政府的私有制经济和实行了计划生产，就能解决预期不正确的问题和错误预期导致经济波动的问题。这些都值得经济学家们认真研究。

动中的主导地位。在新古典主义理论体系中，各经济行为主体不仅是抽象的，而且在经济运动中的地位和作用、对经济运动过程的影响，都是平等的。一般来说，每个人受其他人的制约，但同时每个人都对经济运动的过程起到自己的决定作用。而在凯恩斯主义体系中，权力是不对称的，只有资本家是真正的起主导作用的因素，工人则完全是被动的，他们能否就业、收入水平的高低，原则上都受资本家的支配。这并不否定工人在工资合同争议过程中的作用，但资本家自有办法，可通过利润加价、信贷膨胀、价格上涨的办法压低实际工资，改变收入分配比例；而在资本家不想多投资时，就业水平下降，利润收入减少，工资在总收入中的份额可能上升（就业工人的收入和工人阶级平均收入并不一定提高），但这也不是工人决定的结果，而仍是资本家对未来信心的变化的结果。凯恩斯在《通论》第 24 章中将资本主义市场经济的不稳定性，部分地归结为这样一种不对称的社会经济关系，归结为资本不是来自节约这种现象，正表现出这一理论的社会哲学方面的特征。

4

马克思主义

马克思主义经济学问世100多年来，获得了广泛的研究，其中包括将其当作“圣经”的研究和为了否定它的研究。在东方，20世纪初以来对马克思主义的教条主义的研究，一段时期内达到了登峰造极的地步。马克思主义经济学的各种命题被视为绝对真理，马克思的《资本论》事实上被视为一个“终结了的体系”；而一个绝对真理或一个终结了的体系是无法与其他体系进行科学比较的，也必然排斥其他理论，不可能获得进一步的发展。在西方，100多年来对马克思主义的研究也从未停止，人们对它从各个角度进行了分析。但是一方面，马克思主义经济学作为一个革命者、一个制度的批判者的学说必然地受到维护资本主义经济制度的正统理论家的抵制；另一方面，马克思主义经济学作为一个辩证哲学家的学说，又往往难以被只精通形式逻辑的经济学家们所理解。因此，尽管在西方正统经济理论家对马克思主义理论的研究中不乏精辟的观点和中肯的分析，但总的说来，它不是被斥为脱离正统的异端邪说或不适合现代经济分析的过时的理论，便是仍旧笼罩着某种神秘的色彩。

本章不打算对马克思主义经济理论作系统的阐述，也不打算对一些个别理论问题上马克思主义的特点进行分析，而是集中于从几个不同的角度来分析一下作为一个体系的马克思主义经济理论，究竟有哪些显著的独特之处，并针对某些有关马克思主义的争论中的观点作一些分析。

4.1 经济范畴的物质内涵和社会内涵

物质范畴在唯物主义和历史唯物主义哲学中具有双层内容，一是客观实体，二是客观的社会经济关系。作为一个以唯物主义为其哲学基础的经济学理论体系，马克思主义理论认为一切经济范畴，作为一种观念形态，尽管可以是某种心理或观念的直接表现，但无不都是某种客观实体和客观社会经济关系的理论反映。马克思正是从这种世界观出发来考察经济现象，对政治经济学的各种范畴进行分析和批判的。或者说，论证各种经济现象的最终的物质原因和社会原因，揭示经济范畴的物质实体和社会内涵，构成了马克思主义经济理论的一个重要内容。

具体范畴的内涵，取决于抽象范畴的内涵。因此，马克思为各种经济范畴确定物质内涵和社会内涵的分析，首先是针对一些抽象范畴进行的。比如，价值范畴在马克思主义理论中的双重内涵是：一方面，价值的物质实体是人类抽象劳动——"人的脑、肌肉、神经、手等等的生产耗费"（马克思，1975：《资本论》，第1卷，第57页）；另一方面，价值的社会性质是一种以物的关系形式出现的特定的客观社会关系，即私人①商品生产者之间相互交换其活动的经济关系；正因如此，价值量包含着社会的规定，是平均的社会必要劳动。根据这种分析，商品范畴本身也就具有了二重性：一方面，它是某种特殊形态的物品，具有使用价值；另一方面，它是价值，是人的社会劳动的凝结，体现着特殊的社会经济关系。马克思特别强调了商品的特殊社会属性：一个物品成为商品，不是因为它是物，是使用价值，而是因为它是在一种特殊经济关系中生产出来的物，商品是物品的特殊社会规定性。

与价值和商品范畴相适应，资本范畴同样具有其物质内涵和社会内涵。

① 对"私人"这个概念，应作广义的理解；它指的是相对于公有而言的所有权的排他性；两个集体之间的交换也是一种"私人"交换。

一方面，资本体现着生产资料和劳动力等生产要素为物质生产目的而结合的特定物质、技术关系；另一方面，它是作为不变资本的生产资料和作为可变资本的劳动力相结合的特殊社会方式，是资本主义雇佣劳动关系的观念形态。资本主义生产过程，一方面是物质生产过程，另一方面是剩余价值的生产过程，即资本所有者剥削一无所有的雇佣工人的劳动的社会过程；资本主义的物质生产和扩大再生产，也是资本主义生产关系的生产和再生产过程。在这个过程中，技术的进步，劳动生产率的提高，表现为资本的生产能力的提高、相对剩余价值的增长、资本权力的加强，表现为利润率下降的趋势和资本家为了阻止这种趋势而进一步剥削剩余劳动的动机的加强。资本主义的积累过程，之所以会表现为一极是财富的积累，一极是贫困的积累（至少在资本主义发展的初期阶段是这样），表现为危机式的商业循环，表现为失业和生产能力的闲置以至破坏，就是因为资本主义经济关系的特殊的对抗性质，使得物质的社会生产和社会需要之间的矛盾也具有了对抗性质；固定资产的更新周期，之所以构成商业周期的物质基础，是由于资本主义的再生产过程，由其特殊社会性质所规定，不是为了获得物质本身，而是为了利润，并仅由资本家谋求利润的动机所支配。

至此我们至少已经可以看到，在马克思主义的理论体系中，不存在不具有物质实体的经济范畴，任何范畴都最终具有客观物质规定性。这是一个重要特征。边际效用学派将价值定义为心理满足即效用，对马克思来说，至少是还没有找到事物的物质规定性。经济范畴的物质实体或物质内涵是什么这样一个问题，对于其他人来说可能根本不必提出，但对于唯物主义者来说，却是不可避免的。人们往往仅仅注意到了马克思的劳动价值论与他的剩余价值理论或分配理论的内在关系，并断言他坚持劳动价值论是为了建立资本主义剥削理论的实际目的，而没有注意到劳动价值论与他的唯物主义哲学的联系：只有将价值范畴归结为劳动，才得以使其整个经济理论获得严谨的物质统一性。不从唯物主义特点出发进行考虑，就无法真正理解马克思的价值论和其他各种理论。

马克思还突出强调了各种经济范畴的社会内涵，从而表明了他的独特理论注意力或独特的研究角度：他是要在物的关系的背后，揭示资本主义经济中特殊的人与人之间的相互关系。为了研究人与人的关系，他必须涉及物的关系——物的生产和物的交换。因为在资本主义商品经济中，物构成了人与人之间关系的中介并掩盖着人与人的关系；但他的研究的最后落脚点，却在于人的关系本身。正统的经济学家们将对人与人的经济关系的研究称为“社会学”(Roll, 1973)，而不属于经济学的范围，这正从一个侧面表明了不同经济理论体系在研究角度上的差异，表明了马克思主义的特征(在下一章要详细讨论这个问题)。

4.2　经济现象与社会本质

为各种经济范畴确定其物质内涵和社会内涵，首先是通过将一些具体的形态归结为抽象的范畴实现的。例如将市场价格归结为生产价格进而归结为价值，将利润归结为剩余价值等等，这是一个从具体到抽象的过程；而理论分析则从抽象的“底层”开始，逐步上升到具体(加进更具体的规定)，这构成了马克思主义理论体系的逻辑秩序。但这决不仅是理论方法的问题，更重要的是，它表现了马克思主义对经济理论任务的一个基本看法：经济理论的任务不仅在于说明各种现象形态之间表面的数量关系，而且还要深究现象后面隐藏着的、有时是被歪曲了的本质关系。正是这种探求事物本质的努力，构成了马克思主义理论体系的一个重要特征。这一点已有不少人作了分析，这里不多作论述。

值得一提的倒是由于现象与本质的差异，所造成的某些经济学家对马克思主义理论分析体系的“无法理解”。从庞巴维克、帕累托等“揭示”的《资本论》第3卷与第1卷的矛盾(即价格分析与价值分析差异)，到J.罗宾逊所认为的价值转化为价格问题的“虚构性”——因为“要‘转化为价格’的价值，最初是由价格转化为价值求得的”(Robinson, 1947：362)；以及M.布劳格在1985年出版的《经济理论回顾》中所说的“两层地板”：第一层是“价格、工资率和利润率等看得见的世界”，另一层是“劳动价值和剩余价值等看不见的世界”，第二层地板，如劳动日的分割等，是“根本观察不到的”，“处在第一层的经济行为主体根本不理会地下室的那个深层世界”，从而这一理论“愚弄了几代读者”(Blaug, 1985：287)，所有这些，显然都包含着对马克思主义经济学中现象与本质相互关系的误解(关于对这些误解的一些“反批评”,参见Meek, 1956)。

在这种“不理解”基础上形成的一个相当流行的看法,是认为马克思关于一些本质范畴的分析,特别是劳动价值论,是这个体系的“无用的痈赘”。因为据认为资本主义剥削、积累规律和资本主义经济发展理论,再生产公式,价格理论,利润理论等一系列马克思主义的结论,没有劳动价值论等也可以得出。例如甚至兰格也曾说:“剥削的事实不借助劳动价值学说也可以推论出来”,只要确认存在一个“不占有任何生产资料的阶级的存在”这个制度上的事实(Lange, 1935)。又如 J.罗宾逊则认为,可以把劳动当作客观总量分析中代替物品间相对价格的“价值单位”(实际上是瓦尔拉斯的计价物),但并不需要劳动价值论,同样可以解决一切理论问题:当把劳动时间当计价物时,“你并不需要证明什么,你去做就是了”(Robinson, 1962: 22—23)。

这里,问题的关键在于看你要解决什么问题。如果一种理论的目的仅在于分析物质生产与物质需要的关系,分析各种具体市场变量之间的关系,而根本不提出这些现象后面的社会关系是什么的问题,那么马克思主义的本质分析自然是“无用的”。马克思的抽象分析的意义不是一般地分析具体现象中包含的抽象因素(其他理论也进行这样的分析),而是要分析市场现象、物量关系背后的社会关系(如上节所表明的)。如果不提出这样的理论任务,而是只分析物量关系中的其他问题(如生产与需要的关系等),这种分析自然是无用的。但是马克思主义恰恰提出了这样一个基本理论任务,而要完成这一任务,又不把价格这个最基本、最常见的现象形态最终归结为社会劳动这样一个本身包含着社会关系的范畴,不将利润归结为剩余价值这样一个包含资本主义的特殊经济利益矛盾的价值范畴,便只能充其量把利润等范畴归因于商业欺骗、超经济强权或分配权力等因素,整个经济学便不能在商品等价交换原则等“正常”的基本经济规律基础上获得理论的统一。正统的学院派经济学家们最讲究理论的抽象的统一性;他们在论述效用价值论时,也正是将抽象的统一性作为它的一种“理论美”来看待的;但在对待马克思主义学说时,却非要它放弃服从于它的特殊理论目的的抽象统一性,这至少说明他们对马克思主义理论的目的和分析角度不够理解。

请注意上面分析所使用的是一种“相当弱的相对判断”，也就是说，没有评判哪种理论的对错或优劣，而只是指出只有根据理论自身的特殊目的来理解理论的特殊结构和特殊范畴，才能判断一种理论究竟是有“有用”还是“无用”。这应是正确评价一种理论的基本前提。

4.3 经济利益矛盾的决定作用

任何经济理论都不可能避免对经济利益矛盾进行分析。比如，尽管有的新古典主义经济学家认为“经济利益是一种‘似是而非的说法’”(Roll，1973：283)，并认为新古典主义理论显示了私人市场经济的普遍的和谐，表明了市场机制协调所有个人的利益，导致普遍的最大满足的有效功能，但是，即使新古典主义理论也不能回避诸如一个人追求自身利益的行为受到其他所有同样追求自身利益的个人行为的限制这样的事实，不能回避买者多得为卖者所失的利益关系，以及在垄断竞争或寡头竞争中，在公共商品、经济外部效应等问题中表现出的利益矛盾。

然而，马克思主义理论在对于经济利益矛盾的分析上有其鲜明的特色，经济利益矛盾在其整个理论体系中有其特殊的重要的地位和决定性的作用。这表现在以下几个方面：

1. 最基本的利益矛盾是以生产资料所有制关系为基础的利益矛盾。在新古典主义理论中，人们被根据其职能划分为消费者、生产者和生产要素所有者；一个人可以不是生产者(劳动者或企业家)，但必然是消费者和要素所有者。作为消费者，他们只在消费偏好上有所不同；作为要素所有者，虽然要素被分为劳动、资本和土地，有的人可能只有劳动，没有资本和土地，但由于三种要素同样作为收入的源泉，没有本质的差别，个人也就没有本质的差别，对要素的供求和自我消费也都同样地由效用最大化原则决定，因此人们之间的差异，便仅仅表现为所拥有的收入源泉多少的量的差别。这样，在这种理论中，尽管人们之间存在着不同的利益，在量上的差别也是普遍的，但人与人之间没有本质的差别，社会也不划分为某些基本的利益集团，不同的利益之间普遍地相互依存、相互对立，不存在什么基本的、决定经济的基本运行方式和发展方向的利益矛盾。而马克思主义理论则根据对生产资料，主要是资本的所有制关系，将资本主义经济中的行为主体，划分为两个基本的利益集团，即资本家阶级和工人阶级，并认为这两个阶级的利益矛盾，构成了资本主义经济的基本利益矛盾。这一矛盾的状态和发展变化，决定着整个经济的运行状态和发展趋势；其他各种利益矛盾，如资本家之间的矛盾、就业工人与失业工人的矛盾、买卖双方的矛盾、生产者与消费者之间的矛盾等，都是从属于这一矛盾的。

2. 利益矛盾最主要地发生在生产过程和再生产过程中。新古典主义事实上承认利益矛盾，但他们从市场经济的现象出发，认为人们之间的利益矛盾只发生在交换过程中，只通过物的交换而间接地发生，分配上的利益矛盾也是发生在生产要素的交换过程中。凯恩斯主义理论承认资本主义经济中的主要利益矛盾，是投资者和工资收入者之间的矛盾，并且矛盾双方并非仅仅在市场上碰面，通过物的交换作为供求双方对价格的影响而发生作用，但它认为这一矛盾主要发生在工资争议、垄断利润率的决定等分配环节上，并通过收入分配比率的决定对整个经济发生影响。它与新古典主义的共同特点都是将生产看成为单纯的物质变换过程，在生产过程中不存在利益冲突。而马克思主义的突出特点是认为最基本的经济利益矛盾，是生产过程本身当中的矛盾，把生产场所本身也视为利益矛盾发生的重要领域，并且在这里决定了资本主义经济的最重要的经济变量，即剩余价值率。马克思主义并不否认在劳动力的买卖和工资决定问题上存在着利益冲突，但是它着重强调的是，利益矛盾并非在工人离开劳动市场走进“门上挂着‘非公莫入’牌子的隐蔽的生产场所”之后就结束了，相反，更本质的利益矛盾正有待发生。在生产技术水平为一定，从而为生产必要生活资料的等价物的必要劳动时间为一常数时，资本的收入即剩余价值率便取决于工作日的长度和劳动的强度；资本家总要力求通过各种合法或非法的手段延长劳动时间，或通过采用新技术和新的机器体系使工人隶属于资本，通过更加严密的管理手段，以追求自己的利益最大化，即榨取最大可能的剩余价值。而他们的这种做法必然遭到工人的抵抗和反对，由此便展开了一系列关于劳动时间、劳动强度和劳动条件的直接的阶级斗争；而剩余价值的大小，最终便取决于两种相对的利益或权利之间的力量对比和斗争结果(见马克思，1975:《资本论》，第1

卷,第11章,特别是第262页)。总之,马克思主义经济学不仅分析了在商品经济中人与人之间如何通过商品的交换、通过物的中介而发生的各种利益矛盾,同时特别强调了利益矛盾如何直接地在生产当事人之间发生,并直接地决定着经济变量。这些直接的利益冲突也包括在法律、政治等领域的斗争。它们是为经济利益服务的,并直接决定着经济变量和经济运行的结果。①

3. 在一种经济关系中形成的利益矛盾是不断获得解决又不断发展的,而利益矛盾的发展、演变,构成经济关系发展趋势的直接原因。新古典理论不否认利益矛盾的存在,但由其静态的分析方法所决定,它一方面将这些利益矛盾也视为固定不变的,另一方面则认为在市场经济的运行机制下,这些矛盾是一成不变地不断发生又不断得到协调、解决的,如此而已。凯恩斯主义理论并不认为市场机制能够自动地解决资本主义经济的利益矛盾,需要政府出面干预,甚至主张进行分配关系的调整、改革,但它本质上同样认为利益矛盾本身并不是发展的。而马克思主义,则以其辩证法的独特洞察力,揭示了经济利益矛盾会在一种社会关系和经济机制下不断发展、激化的必然性;经济运行机制使矛盾获得暂时解决的过程,也就是矛盾进一步获得发展的过程。就资本家之间的利益矛盾而论,个别资本家为了利润最大化,不断地革新生产技术,以追求超额利润,并尽可能地扩大积累,扩大各自的生产规模以及在市场上的销售份额;这导致了不同个别资本之间的"两极分化",最终导致资本的集中和垄断程度的提高,这是矛盾在市场机制下的暂时解决,但却不仅没有消灭矛盾,相反,它导致竞争更加尖锐激烈,形成不同垄断者或垄断集团之间的竞争。就工人与资本家的利益矛盾而论,追求超额剩余价值和相对剩余价值的利益动机,导致生产技术的不断提高和必要劳动时间的减少,可以在不改变劳动时间和劳动强度的条件下提高剩余价值率,这是经济机制本身对矛盾的暂时解决;但是由于技术的提高,资本的有机构成提高,一方面导致利润率的下降,从而促使资本家进一步用各种办

① 值得注意的是,有些社会主义经济理论,至今最缺乏的正是关于经济利益的矛盾冲突如何直接或间接地决定着社会主义经济运行的分析。这至少是违背马克思主义经济学的基本精神和方法论的。

法加强剥削以阻止利润率的下降；另一方面使资本对劳动的需要减少，产业后备军扩大，工人阶级状况恶化。在这整个过程中，两个阶级的利益矛盾不是消失，而是发展、激化，进入新的阶段。

利益矛盾的发展和激化，决定着整个经济的发展趋势，构成这种发展趋势的内在原因。马克思提出的资本主义积累一般规律，资本集中的趋势，利润率下降的趋势等等，在理论上都是以各种利益矛盾的发展为立论基础的。

利益矛盾的发展和激化，在马克思看来，最终要导致资本主义制度的灭亡；但同时，马克思主义也指出了这种利益矛盾的发展也会导致社会关系和社会制度的部分或局部的调整和改革。这是矛盾的发展以及与之相适应的经济运行机制演变的阶段性结果，它不再是在原有的经济制度下矛盾的解决，而是产生新的社会关系和新的经济机制，尽管并不改变这种社会经济关系的基本性质。由于这种改变，经济利益矛盾也会具有新的特征，其发展趋势也会有所改变。把握这一点，对于理解和正确对待马克思主义的某些早期理论结论目前"失效"与这一理论体系本身的科学性之间的关系，具有十分重要的意义。为了说明这一点，下面引录马克思在《资本论》第1卷第1版序言中的一段不大引人注意的论述：

"在政治经济学领域，自由的科学研究遇到的敌人，不只是它在一切其他领域内遇到的敌人……在今天，同批评传统的财产关系相比，无神论本身是一种很轻的罪。但在这方面，进步仍然是无可怀疑的。以最近几星期内发表的蓝皮书《关于工业和工联问题同女王陛下驻外公使馆的通讯》为例，英国女王驻外使节在那里坦率地说，在德国，在法国，一句话，在欧洲大陆的一切文明国家，现有的劳资关系的变革同英国一样明显，一样不可避免。同时，大西洋彼岸的美国副总统威德先生也在公众集会上说：在奴隶制废除后，资本关系和土地所有权关系的变革会提到日程上来！这是时代的标志，不是用紫衣黑袍遮掩得了的。这并不是说明天就会出现奇迹。但这表明，甚至在统治阶级中间也已经透露出一种模糊的感觉：现在的社会不是坚实的结晶体，而是一个能够变化并且经常处于变化过程中的机体。"（马克思，1975：《资本论》，第1卷，第12页）

在这段文字中，马克思不仅指出了利益矛盾必然导致经济关系在资本主义范围内的局部或阶段性变革，而且将此称为一种进步和时代的标志。从那时至今天，资本主义经济关系或经济制度，已经发生了重大变化，而根据马克思主义的基本原理，经济利益矛盾的性质和矛盾运动的结果，是由经济关系本身决定的，经济关系变化了，矛盾的性质和运动结果也会发生变化。人们通常用来反对甚至"嘲笑"马克思主义理论的一个问题是所谓"工人阶级不断贫困化"问题。而某些马克思主义者在这个问题上对马克思主义的教条主义式的捍卫，有时也的确到了"强词夺理"的程度。这正是由于争论双方都没有能正确理解在马克思主义理论中经济关系的变化与利益矛盾发展变化之间的关系。马克思的资本主义积累导致"不断贫困化"，是建立在早期资本主义的经济关系、社会制度和阶级关系的特殊状况基础上的，这丝毫不排除当经济关系、社会制度发生变化，当工人阶级的力量变得较为强大，能够有效地通过各种方式捍卫和争取自己的利益，资本家阶级也为了自身的利益而对经济关系进行某些调整、改革，以及资本主义世界的国际关系新因素产生等等新的情况下，技术的进步和资本主义的积累便会同样导致工人阶级必要生活水平的提高。在这个问题上，马克思主义的精神实质不在于根据利益关系的分析而得出的某些理论结论，而在于对利益矛盾分析的本身，在于根据特定的经济关系，实证性地确认这种关系下特殊的经济利益矛盾和矛盾运动的特殊趋势和发展结果。新的情况不仅需要新的理论，而且需要新的理论分析和论证方法；仍旧沿用马克思对当时利益矛盾进行分析所得出的结论，是不可能说明新的现实的。①（比如我们可以用分析比较工会罢工给资本家所造成的损失和资本家主动地将生产率提高带来的高额收入的一部分用于提高工资或提高失业救济金所付出的代价之间的差额，来说明现代工会斗争条件下资本积累的结果。当然，这只是一个简单的举例说明，但它表明，仍仅像马克思当初那样用资本有机构成提高和资本积累动机的关系分析资本积累给工人带来的后果，是不能说明新的社会条件下新的利益矛盾及其发展趋势，也并不是正确运用了马克思主义的理论和方

① 必须指出，后人对马克思主义某些结论的教条主义的理解，与马克思个别观点的不完善是有关系的。例如，马克思把资本的积累和绝对贫困的积累称为"资本主义积累的绝对的、一般的规律"，而没有充分意识到这一规律主要是与资本主义早期阶段的社会经济关系和阶级矛盾的状况相联系的。

法。)本书第 8 章将对这一问题作较全面的考察。

注重分析经济利益矛盾及其在经济运动中的直接的决定性作用,是马克思主义的一个重要特点,也是它用来说明许多经济现象的一个基本武器。号称马克思主义经济学,而不实事求是地分析现存社会中的各种经济利益矛盾及其作用,便失去了马克思主义的一个基本特征,从而并不是真正的马克思主义经济学。

4.4 生产方式:生产力(生产资料)的概念和生产关系的概念的辩证法①

经济利益的矛盾,作为社会生产关系的直接表现,在马克思主义理论中,与一个更基本的社会矛盾相联系,即社会的物质生产力(劳动和物质资源、生产技术能力等)与社会经济关系之间的矛盾。

前两章我们已经看到,在新古典主义理论和凯恩斯主义理论体系中,社会生产的物质、技术能力和社会经济关系(经济制度),一方面是作为整个经济体系的既定的、外在的背景条件出现的;另一方面,这二者在经济运行过程中,只是在对各种经济变量(价格、供求数量等)的决定过程中,间接地相互关联,但二者本身一般不具有相互制约、相互影响的关系;当这二者发生变化时,只是导致经济变量的取值发生某种变化。②而马克思经济学的特点之一,正在于分析了这二者之间相互决定、相互依存、矛盾统一的关系。

社会生产力与生产关系的对立统一,构成了马克思著名的生产方式范畴。这个范畴表明了生产力和生产关系的辩证关系。马克思主义经济学借助这种关系,说明社会经济关系的性质及其发展演变的趋势。

生产力(经济的物质、技术条件)与生产关系的对立统一,即生产方式范

① 马克思,1980:《经济学手稿 1857—1858 年》,第 49 页。

② 现代新古典主义包含了某些对技术条件与市场类型的关系的分析,比如生产函数的规模报酬的性质与市场的竞争程度(垄断程度)的关系,还分析了某些制度因素的引入(固定价格等),导致技术选择的变化。但显然,在这些分析中,技术的性质并不与社会基本经济关系(所有制关系、分配方式等)相联系。

畴的内容。概括地说它包含以下几个方面的关系：

1. 物质、技术条件及其发展变化决定着社会生产关系的性质及其发展变化。不仅从人类历史发展的全过程进行考察是这样(社会经济形态随着社会生产力的发展而变化)，从资本主义生产方式本身的运动来看也是这样。技术的进步，劳动生产率的提高，资本有机构成的提高，提高了相对剩余价值，减少了资本积累对劳动力的需求，利润率的下降趋势又促使资本家加强对工人的剥削，使资本主义生产关系的内在矛盾不断激化、发展，并发生劳资关系某种程度的调整；同时，技术的进步还促进了资本的集中和垄断关系的形成等等，这些都使资本主义经济关系在其自身范围内发展变化。

2. 社会经济关系的性质，制约着生产技术发展的方向。首先，什么样的技术能够被应用到生产中去，什么样的科学技术能够变成现实生产力，是受存在着怎样的社会经济关系制约的；其次，一种经济关系本身，也创造出与之相适应的特定技术方法。例如，现代一些马克思主义经济学家指出，不是由于分工导致"老板"成为生产的组织协调者，相反(至少在许多场合下)是"老板"创造出分工，而使工人只能依赖于资本，资本家更便于监督工人(Marglin，1974：33—60)。

3. 社会经济关系决定着一种生产方式中生产力发展的动因和限度。在特殊的生产方式下，生产力的发展与这种生产的特殊目的相联系。在资本主义生产中，个别资本家为了追求尽可能大的剩余价值，不断"创新"，改进技术、要素组合方法、产品质量以及生产管理方法，以追求更多的剩余价值，构成了资本主义生产中的技术进步的特殊内在动机；资本家之间的竞争，构成了个别资本"创新"的外在压力。但是，在这种生产方式下，生产力的提高又有其特殊的限界。一方面，新技术的采用受到剩余价值提高与否的限制，个别资本家之间的竞争使得新技术不能迅速推广变为更大的社会生产力；最重要的是，在社会化大生产与资本主义私人占有关系这个资本主义生产方式的基本矛盾的基础上，形成了个别企业生产的有组织性和社会生产无政府状态的矛盾，不断发展的社会生产供给能力与有限的有支付能力的需求之间的矛盾，以及工人阶级对于发展资本生产力的反抗(阶级矛盾)；这些决定了资本主义社会生产不但必然伴随着经常性的生产力的破坏，而且发展到一定阶段，必然出现周期性危机，即对生产力的周期性的大规模破坏。

马克思指出，生产力的发展最终必然要受到现存生产关系的阻碍，导致社会革命，旧的生产关系让位于新的生产关系。

马克思主义经济学的上述特点，在现代已受到了较为普遍的重视，但是仍然存在不少误解，这里举两个较有代表性的例子。一个是认为马克思主义的特点，仅在于对经济制度因素的分析，并由此说明了资本主义制度的变化和发展。这种看法只是部分正确的，但没有正确地理解马克思的生产方式概念和在马克思理论中经济制度对生产力的依存关系。马克思主义之所以能够解释资本主义的发展，不仅在于它分析了制度因素本身，而且还在于它同时分析了技术进步因素对于经济制度发展演变的决定作用。马克思主义经济学的确主要侧重于对社会经济关系的分析，它对生产力的分析，目的最终也是为了说明社会经济关系的历史特征和发展演变的原因；但它之所以能在说明资本主义经济制度方面具有独到的洞察力，恰恰在于它考察了生产力与经济制度的关系，而不是仅仅考察了经济制度本身。

另一个误解是关于技术进步因素在马克思主义理论中的作用。在新近出版的一本经济学史著作中，下面的论述，构成了对马克思主义理论的一个主要批评："马克思主义经济学的许多惊人的预见，不是从它的正式的经济逻辑中推导出来的，而是来自这种正式的经济逻辑中得以进行的外在环境。例如，它的关于无产阶级苦难不断恶化的理论，不是建立在它的再生产公式或它的价值理论的基础上，而是建立在一些关于技术变化、资本家对利率下降的反应等外在因素的辅助假设的基础上的"(Backhouse, 1985:121)。有关外在和内在的问题，下一节要专门讨论，这里仅指出，上述观点是一种典型的从新古典主义理论和方法的角度出发而产生的对马克思主义理论的一种误解。技术进步等因素以及它们与经济关系的性质和变化之间的关系，在马克思经济学中，并不是辅助的假定，而恰恰是所要研究的重要问题之一，它们是包含在生产方式范畴当中的。至于价值理论和再生产公式等，它们在马克思主义体系中，本身事实上也包含着生产力与生产关系的矛盾，技术进步等因素对它们来说并不是外在的，从它们当中推导出的结论，自然也是符合经济逻辑的。

从经济学的角度看，在有关生产方式的问题上，马克思主义经济理论的不完善之处在于：(1)它正确地指出了生产力是一种人与物的关系并强调了它在经济生活中的重要作用，但却不适当地忽视了生产力范畴所没有包含的人与物之间的另一层关系，即人对使用价值的需要，以及这种人与物的关系在经济活动中的重要作用和在经济理论研究中的重要地位。马克思当初的一些论述，甚至导致了后来一些人认为经济学所研究的人与物的关系，全部体现在生产力的概念中，仅仅是技术效率的问题，不包括消费需求构成的问题，仅仅是怎样生产的问题，而没有生产与需求之间相互适应的问题。(2)生产方式的概念，迄今仍然是一个哲学概念；它的内容主要地还是处在与上层建筑的关系之中，而不是处在与经济利益的关系中，构成真正的经济学范畴。

4.5 各种基本经济因素的内生性和理论结构的开放性

第2章中指出了新古典主义理论作为一个封闭的体系的重要特点，就是在给定各种背景条件的情况下，研究经济的运行过程和经济变量的决定；在它的整个理论体系中，这些背景条件或是给定不变的，或者只是“外生地”发生变化，其变化原因则不在理论体系之内构成研究对象。并且这些背景条件之间，它们的变化之间，也不存在内在联系和相互决定的关系。

相比之下，马克思主义的一个重要特点，就在于它将经济分析的视野置于更广阔的领域之中。在这个体系中，技术进步、制度关系等，也是内生变量，并且在它们之间也具有某种相互制约、相互影响的函数关系；而经济运行的各种变量，如价值、价格、剩余价值、利润率等，则构成这种背景变量相互作用的中介。举例来说，根据上一节的分析，我们就可以看到，在马克思主义体系中存在着这样的逻辑关系：从某一特定时点的条件出发，一方面，剩余价值最大化动机，各资本之间的竞争程度，工人阶级对于延长工作日、提高劳动强度的反抗程度等这些体系内的因素，决定着资本家的技术创新欲望强度，从而决定了技术进步的速率(当然，作为经济学，我们必须假定自然科学的状态和发展速度是给定的外在条件，但是这不否定经济状况对技术进步的要求，是技术进步的决定因素之一，这一点不仅为马克思主义所肯定，也被科学特别是技术发展的历史所证明)；另一方面，技术进步的性质和速度，决定着资本有机构成提高的速度和剩余价值率提高的程度，决定着利润率下降的速度和资本更新改造的速率，从而决定着工人阶级面临的失业威胁的强度，决定着社会生产的平衡状况和社会经济利益矛盾的发展变化；而劳资矛盾的加剧，在危机中资本之间垄断竞争的加剧，又进一步构成技术进步的新动机，等等。总之，即使在对资本主义经济本身的分析中，被其他理论体系假定为外生的因素，在马克思主义体系内都作为内生变量出现。

其他一些被新古典主义视为外生的背景条件的基本经济因素，也有类似的性质。

消费偏好：尽管马克思主义认为工人的生活资料是由历史和习惯给定的，从而视工人阶级的消费偏好为一定，但在这个体系中，社会总的消费偏好却是由资本家阶级偏好的可变性所决定的，从而也是可变的。而资本家阶级的消费倾向(亦即储蓄或积累倾向)，则是由技术进步、竞争程度、剩余价值率水平等因素内在地决定的；消费服从于积累的需要，因而由决定资本积累的一切因素所决定，消费“作为炫耀富有从而取得信贷的手段，甚至成了‘不幸的’资本家营业上的一种必要。奢侈被列为资本的交际费用”(马克思，1975：《资本论》，第1卷，第651页)。

财富的分配：一方面，由于技术进步、“创新”与超额利润、资本的竞争与集中等因素被引入分析，资本权力在个别资本家之间的分配自然成为动态变量；另一方面，另一种“财富”或“禀赋”(endowment)即劳动(按马克思的说法，工人“必须总是把自己的劳动力当作自己的财产”，见马克思，1975：《资本论》，第1卷，第191页)，也是内生变量。劳动力作为工人的财产，本身的大小是由经济体系的状况所决定的——工人的劳动能力究竟有多少实际地成为他的财产，取决于现有资本的构成和大小，取决于技术进步条件下资本增殖和资本积累的需要，因为“劳动能力不卖出去，对工人就毫无用处”，“劳动能力……不能卖出去，就等于零”(马克思，1975：《资本论》，第1卷，第196—197页；后一句是马克思引用西斯蒙第的话)。在这个问题上，马克思主义的特点在于，它将劳动力的价值视为由历史的和道德的因素给定的常数，这样，劳动能够实现为工人的财富数量就成了要由经济体系所决定的变量。新古典主义则相反，它将劳动的赋予视为常量，而其价格是要由经济体系决定的变量。

人口：在马克思的理论中，资本主义经济所拥有的总劳动人口，并不是由生物学或抽象的人口规律所决定的。作为资本主义生产方式的人口(特别在马克思所重点考察的资本主义发展初期)，它还取决于各种经济因素：技术进步和劳资矛盾，会使得妇女、儿童等原来的非劳动人口变成劳动人口；资本主义的发展，大机器产品占领市场，使得原来社会中不属于资本主义经济的人口，转化为属于资本主义经济的人口①；等等(参见马克思，1975：《资本论》，第1卷，第23章，第3、4节)。

预期：马克思当初没有很多关于信息和预期的分析，而是一般地假定资本家只是根据目前的各种经济状况作出直接的反应，因而预期自然成为经济运动的内生变量。这当然是一种粗糙的理论，但它包含着真理的因素。现代一些预期理论事实上也正是将预期以某种方式处理为内生变量加以分析的，如当代的理性预期理论。

总之，在新古典主义体系中被视为外生变量的各种背景条件，在马克思主义体系中都作为内生变量存在——它把说明这些经济运行机制赖以存在并决定着各种运行变量(如价格、利润率、供求量等)取值的更为基本的经济因素的形成、发展和变化，置于自己的研究范围之中。与新古典主义的封闭的体系相比，马克思主义可称为一个开放的体系——任何经济因素，在这个理论结构中都作为内生变量存在，没有只作为前提假定存在的不变的限界。

在这个意义上，我们可以看到，马克思主义相比之下提供了一个更为广阔的理论结构，它可以包容其他理论所研究的问题，同时又为其他理论所没有研究或无法研究的问题，提供了基本的理论结构和分析方法。马克思主义的这个特点，在本书后面研究"理论综合"问题时，将成为对基本理论结构进行选择的重要依据。

当然，提供了一个更为广阔的理论结构，并不等于就解决了或能够解决全部经济问题，更不意味着在所有理论环节上都已做到了严谨、规范。一个

① 这一点现在都被新马克思主义者所强调，并指出了马克思主义与凯恩斯主义在这个问题上的一个差别：凯恩斯主义视人口增长率为一定，资本积累仅决定失业率；马克思主义则一方面肯定资本积累在决定总人口的划分和产业后备军大小中的作用，另一方面还指出了资本积累过程本身不断地重新创造出适应自己需要的劳动人口数量(Marglin, 1984：103—109)。

开放的体系，容量固然较大，但也正因其容量大，在其发展的初级阶段上，往往也难于同时对各方面的问题进行细致、深入的分析。事实上，马克思主义迄今也只是对它提出的理论结构内的一个方面的问题，即社会经济关系，作出了较为深入的分析；而在其他方面，它事实上只是提出了问题，指出了问题的性质及其在经济关系中所处的地位，并没有为这些方面的理论作出多大的贡献，比如有关物质生产与物质需要关系的理论，关于事前决策与事后效果关系的理论，等等。要发挥其作为一个开放的体系的优越性，恰恰需要对它进行发展和扩充，一方面是在自身基础上进一步将分析深化、规范化、数量化，另一方面也要尽量地吸收其他各种理论已有的成果，从而在各方面更加全面地说明经济现实。

5

经济活动的多面性与理论研究角度的差异

以上三章分别对现代三大经济理论体系的基本内容和一些主要特征进行了简要的分析，以下两章的任务，是要对这三种理论在总体上作进一步的比较研究。事实上在前面分析各种理论的特点的时候，已经在一些具体问题上对各种理论进行了一些比较；有的地方直接进行了对比，有的地方虽然没有直接提到其他理论，但读者可以看出，所谓“特点”，都是相对于其他理论而言的。在下面的分析中，将主要侧重于对三种理论的整体进行进一步的更加概括的比较，因而前面已经涉及的各种理论的一些较为具体特征，多数将不再涉及，也不拟将它们详细地再作罗列，而是仅在某些问题上进一步展开、深化，以便说明三种理论之间的一些最基本的差别和联系。

由于在以上的分析中，主要是强调了各种理论的差别和特征，因而这三种理论相互之间显得如此的不同。然而在前言中曾指出，本书的最终目的不是要指出各种理论如何的不同，而是要在区别中发现它们之间的相互联系和能够相互补充的关系。因此，现在的问题在于，各自自成体系并能自圆其说、但却又如此不同的各种理论，是如何相互联系，又如何能够相互补充的?

不同的理论之间能够相互联系并相互补充,不在于它们是否存在共同之处或相通之处,而在于它们之间差别的性质。这不仅是理解不同经济学之间相互关系的关键,也是科学地正确地理解和把握各种经济理论本身的关键。下面便着重研究各种理论之间差别的性质。在笔者看来,各种理论的差别基本上可以归结为两点:(1)对社会经济活动进行研究的角度的差别;(2)理论分析结构的差别。本章主要讨论研究角度的差别。分析结构的差别在前面各章中已有所涉及,但在下一章中将对其进行一些进一步的探讨并着重研究这种差别在理论综合时对于基础结构选择的意义。

5.1 研究对象问题

经济史学家布劳格曾指出:"马克思主义者与正统经济学家(这里指新古典主义者和凯恩斯主义者——引者注;本书后面在使用这个词时,含义与此处相同)的争议,总是被经济学应当回答的问题的性质所打断。"(Blaug, 1985:264)这应该说是一个符合实际情况的总结,而这也就提示我们必须首先回到最基本的问题上来,即经济学的研究对象是什么?各种经济理论所研究的问题的性质是什么?

许多马克思主义者目前对此问题的回答通常是:马克思主义着重研究了经济的一些本质的关系,而所谓正统经济学只研究了经济的一些现象形态,因而是研究对象"层次不同"的差别。这种观点自然包含着一定的真理,因为若仅从生产关系的角度看,各种市场经济变量自然只是反映本质关系的现象形态。前面第4章也分析了马克思主义经济学中本质范畴与现象形态的关系。但是,在西方正统经济学中的现象形态的背后,也有它们的本质关系,即社会物质生产条件与社会物质需要的关系。而根据马克思主义历史唯物主义原理,物质关系本身是比社会关系"更本质"的,生产力是比生产关系"更本质"的,因此,很难说正统经济学就没有研究现象形态后面的本质关系,尽管所谓本质关系在这里与马克思主义经济学研究生产关系时所谓的本质关系不是同一个东西。

总之，将研究对象的差别从层次上加以区分，不能真正说明不同理论的差别，而且本身包含着概念的混淆。

另一种较为普遍的解答是，不同的经济学的研究对象不同，或者说研究的是不同范围(range)的问题：马克思主义研究的是社会的基本经济关系或经济制度发展变化的规律，而正统经济学研究的是资源配置和市场经济的日常运行机制。①这种看法当然也包括着正确的成分。在一定程度上，这种看法能够直接为不同营垒的经济学家对自己的理论的研究对象或范围的定义来证明。②但这种观点导致的结论是，不同的理论，似乎并不是同一经济学科中的相互竞争的派系，而是构成了具有不同的研究对象的不同学科。无法解释为什么不同的理论研究了同样的一些经济范畴，如价值、价格、利润、利息等等；马克思主义也同样研究了经济机制的日常运行，而新古典主义和凯恩斯主义也研究了各种市场关系。同时，这种论点还必然导致这样的结论：我们根本不必去研究不同理论之间的相互关系，也不用去对它们相互争论的问题进行解释和说明，因为既然它们研究对象不同，要解决的问题不同，是不同的学科，便可让它们各自去处理各自的问题，"和平共处"，相安无

① 这种观点最早的阐述者是兰格 1935 年的文章《马克思主义和现代经济学》。

② 新古典主义研究对象的定义，可以萨缪尔森所称的目前"经济学家们同意的……一般定义"为代表："经济学研究人和社会如何作出选择，在使用或不使用货币的情况下，来使用可以有其他用途的稀缺的生产性资源在现在或将来生产各种商品，并把商品分配给社会的各个成员或集团以供消费之用。它分析改善资源配置形式所需的代价和可能得到的利益"(Samuelson, 1976:5)。

另一方面，恩格斯的政治经济学定义是：政治经济学是"研究人类各种社会进行生产和交换并相应地进行产品分配的条件和形式的科学"(《马克思恩格斯选集》，第 3 卷，第 189 页)。这个定义从形式上看与萨缪尔森的定义区别不大，但问题在于在理论分析中这一定义的实际所指。马克思对《资本论》研究对象的定义是："资本主义的生产方式及其与之相适应的生产关系和交换关系"(马克思，1975:《资本论》，第 1 卷，第 3 页)。后来，列宁的定义是："政治经济学的对象决不像通常所说的那样是'物质的生产'(这是工艺学的对象)，而是人们在生产中的社会关系"(《列宁全集》，第 3 卷，第 166 页)。又说："研究这个历史上一定的社会生产关系的发生、发展和没落，就是马克思的经济学说的内容。"(《列宁选集》，第 2 卷，第 588—589 页)。在后面研究其他问题时，本书还要涉及其他一些经济学对象的定义。

事，我们则可在遇到不同问题的时候，去求教于不同的理论（在不能或不想说明各种理论的相互关系的经济学家当中，这种看法是相当普遍地存在着的）。但事实上这又是不可能的，因为事实上不同的理论经常在解释同一经济现象时发生争论，各有各的逻辑，各有各的道理，各有各的结论[尽管有时“当两种学说涉及同样的一些问题时，它们的结论往往并没有什么真正的差别”(Blaug，1985:264)]。

以上是两大基本类型的观点。前者不妨称作“层次差别论”；后者则可称为“不同对象论”。不同著作家的观点可能各有特点，说法上略有不同，但基本上都属于这两类中的一类。

本书提出的观点，则可称为“不同角度论”。

5.2 社会经济活动的二重性和经济问题的二重性

尽管经济学家们对经济学研究对象的定义五花八门，但笔者下面提出的一个定义，恐怕是最为一般、最少特殊限定，从而能为较多经济学家同意的。这就是：经济学研究的是人们的社会经济活动及其规律的科学。

这个定义其实不过是个同义反复：经济学是研究经济的，因此，正因其一般，也就会各有各的解释。问题首先在于：什么是社会经济活动？不搞清楚这个问题，就无法搞清楚经济学的研究对象。

社会经济活动，首先表现为人类利用可支配的资源（包括劳动和技术知识），将其转化为尽可能大的使用价值，以满足人们的需要的活动。这是经济活动的最一般的物质内容①，从而也是“永恒的自然”。这是人与自然的关系，其中包括人作为“类人”或自然人、具有劳动技能的人之间的技术关系。

满足需要这个目的并不是自然而然地能够达到的。困难不仅在于人们在追求这一目的时遇到的自然物质条件和技术条件的限制，而且还在于社

① 马克思曾说：“虽然使用价值或财物的生产是为了资本家，并且是在资本家的监督下进行的，但是这并不改变这种生产的一般性质。所以，劳动过程首先要撇开各种特定的社会形式来加以考察。”（马克思，1975：《资本论》，第1卷，第201页）

会生产如何适应、满足社会需要的问题，也就是如何将资源合理地分配在各种不同的目的上，生产出各种使用价值的组合，才能在现有条件下最大可能地满足人们的各种需要。正是这后一点，构成了经济学所要研究的一个基本问题。严格地说，如何使用较少的资源（投入），生产出较多的产品这个问题，是技术科学和管理科学所要研究的问题（当然管理科学最初包含在经济学中），而不是经济学问题；只有资源如何合理地配置（包括按比例分配社会劳动）于各种使用价值（包括今天需要的使用价值和明天需要的使用价值）的生产的问题，才是经济学所要研究的特殊问题——这一点可以用反证法证明：没有任何其他科学可以研究这个问题①。这也就是所谓“经济效益”的问题：效益从来是手段与目的之间的关系；经济效率就是如何利用、配置资源以达到满足需要的关系。属于这个总问题的各种具体问题包括：各种需要之间的关系（各种不同的使用价值如何根据统一的尺度进行度量和比较的问题，第 7 章要专门进行讨论）；根据资源稀缺性对生产技术的合理选择；生产和需要的相互联系，相互适应；各种生产的相互联系，各种生产的规模、比例的调整；等等。

然而，人们的物质生产活动或追求经济效率的活动，总是在一定的社会交往关系中进行的，这种社会交往关系不是指人们在某种特殊生产活动中的技术关系，而是指人们在资源占有中结成的所有制关系，以及以此为基础而在生产中所处的地位，相互交换其活动的特殊方式，产品的分配关系等等。在这个意义上说，经济活动是一种社会活动，一种社会关系。

经济活动中人们之间的社会交往关系的重要性，首先在于它使人们的经济活动的直接目标，具有特殊的社会规定性，表现为不同的人或社会集团的特殊经济利益，并由此产生了经济活动中的利益矛盾，包括个人之间的利益矛盾，集团之间的利益矛盾和集团与个人之间的利益矛盾（社会整体利益也

---

① 列宁说：“政治经济学的对象决不像通常所说的那样是‘物质生产’（这是工艺学的对象），而是人们在生产中的社会关系”（《列宁全集》，第 3 卷，第 166 页）。孤立的物质生产或者说从技术角度考察的物质生产，是工艺学的对象，但与物质需要相联系的物质生产，是经济学的特殊研究对象，或者，换一个角度说，个别企业生产的技术问题，是工艺学的研究对象，而社会的物质生产（从而包括资源配置、生产比例等），是经济学的对象。

是一种特殊的集团利益)；在这些矛盾中，一方追求自身利益的行为会损害另一方的利益。这种利益矛盾的最终结果，表现为社会生产出的物质产品即使用价值，在社会成员中的分配比例。用一个简单的比喻来说，经济活动作为一般的物质生产活动，其结果是生产出一张“馅饼”；而经济活动作为一种特殊的社会交往活动，表明了不同的社会成员在生产这张“馅饼”的过程中所起的不同作用，其结果是将这张“馅饼”按照特殊的社会关系，即按照生产条件的占有关系以及人们在生产中所处的地位和所起的作用，以特定的比例，分配给各社会成员。

当人们谈论经济的社会关系的时候，往往注意到的仅仅是利益分配问题，也就是人们在社会生产中相互交往的形式以及所处的地位、收入分配过程中的平等问题。然而，这还仅仅是经济关系的意义的一个方面。社会经济关系，即利益矛盾、财产和产品的分配关系的最重要的意义，还在于它们对经济活动的另一方面，即对物质生产活动本身的制约和影响，对于经济效率提高的制约和影响。一方面，适应物质生产条件的社会经济关系，能够保证和促进经济效益的提高。另一方面，经济关系中必然存在的各种摩擦、矛盾、冲突，必然会造成某种程度的效益损失，影响到人们的生产积极性，造成资源配置的失调，导致盲目的生产，甚至是生产资源和生产能力的损失、浪费等等；人们追求各自特殊利益的活动，往往会损害别人的利益，损害整个社会的经济效益。总之，经济活动作为一种社会活动，其最根本的重要意义还不是在于结果的分配，而是在于这种利益关系对社会经济活动的效率的影响和制约①。

因此，一种经济关系下为什么有较高或较低的经济效益，个人追求各自经济利益的活动和相互间的利益矛盾为什么能有利于社会或不利于社会，

① 马克思曾经指出：“人本身是他自己的物质生产的基础，也是他进行的其他各种生产的基础。因此，所有对人的这个生产主体发生影响的情况，都会在或大或小的程度上改变人的各种职能和活动，从而也会改变人作为物质财富、商品的创造者所执行的各种职能和活动。在这个意义上，确实可以证明，所有人的关系和职能，不管他们以什么形式和在什么地方表现出来，都会影响物质生产，并对物质生产发生或多或少决定的作用。”(马克思，1972：《剩余价值理论》，第1册，第300页)

以及社会经济关系如何随物质生产条件的发展而演变，如何调整社会经济关系才能使之符合提高经济效率或减少效率损失的要求等等，便成为人们必须研究、解决的问题，而这些正构成经济学所研究的问题的第二个方面。

这样，我们就看到了：由于社会经济活动的二重性质，以社会经济活动为研究对象的经济学，必须回答二重的问题：一方面，在一定的经济关系下社会如何利用现有的物质、技术条件进行物质生产以满足社会的物质需要，以及如何才能在既定的生产关系下改善和提高经济效益；另一方面，在现有的物质生产条件下人们之间存在着怎样的经济交往关系，它们交换各自的活动和进行分配产品的过程具有怎样的特殊社会形式，以及什么样的经济关系才能符合物质生产条件的性质，促进经济效率的提高。

总之，社会经济活动，一方面是物质生产活动，另一方面是社会交往活动；一方面是人与物的关系，另一方面是人与人的关系。如果我们认为经济学的研究对象是社会经济活动的整体，那么这两个方面就都构成经济学的研究对象——社会经济活动的二重性，构成了经济学研究对象的二重性。

5.3 一个基本的划分：不同的经济理论着重研究了社会经济活动的某一特殊方面

物质生产活动和社会交往活动是同一社会经济活动的两个方面，而不是相互独立的两种活动。因此，它们在现实中是不可割裂开来的。但是，在理论上，由于理论的抽象性特点，经济学的研究却可以或可能分别从两个方面展开，或者说着重从二者当中的某一个方面对社会经济活动进行考察，而将另一个方面作为既定的前提。

马克思主义经济学与西方正统经济学（包括新古典主义和凯恩斯主义）的一个最基本的差别，就是对同一社会经济活动进行研究的角度上的差别。

马克思主义经济学着重从社会关系方面考察了经济活动，即着重研究了经济活动中人们相互间历史地发生的社会关系及其发展演变的原因和规律（如第 4 章所表明的）。在整个研究中，它指出了社会经济活动的一般的物质内容和社会经济关系与一般物质生产活动的依存关系，但总的来说，是把经济活动的这种物质内容作为社会关系的物质承担者和物质前提来加以确定的;而一旦这样确定下来,便马上将研究的重心,转到对经济活动的社会方面、经济范畴的社会内涵上去,而不是将其作为研究的重心。例如,马克思对价值、剩余价值的分析,是在社会对使用价值的需要结构为一定,资源配置由市场竞争机制自发实现和供求均衡等为前提假定下进行的,而并没有具体研究需求结构、需求变动的影响、资源配置的具体过程等等;关于社会按比例分配劳动这个社会物质生产一般规律,马克思也着重地分析了它的特殊社会形式,即在简单商品生产中的价值规律和在资本主义经济中的平均利润率——生产价格规律,而将它的物质内容仅仅作为理论的前提加以肯定,并不作为分析的重点。最具特征的是,在马克思主义理论中,经济行为的目标,都不是使用价值,而是工资、利润收入等以价值形式出现的特殊经济效益;资本主义生产的目的不是为了最后的使用价值的消费,而是为了利润和资本本身的增殖,而这些都是社会经济关系的体现,或者说是社会经济关系加在经济活动的物质目标上的特殊社会规定。至于人们如何将收入用于满足使用价值的需要的问题,原则上被抽象掉而未作具体考察。

相反,新古典主义理论,如第 2 章中表明的,则是将经济活动的社会方面,即经济关系、经济制度等视为给定的背景条件,甚至完全抽象掉,着重从人与物的关系、人类物质生产与物质需要的角度,考察社会经济活动,着重研究的是如何配置物质资源、选择生产技术,以满足人们的各种物质需要的问题。在这一理论中,各种经济范畴虽然事实上不可能不具有特殊的社会规定性,但它将其视为自然的规定或将其抽象掉不予考察。①

至于人与人之间的关系,财产的分配(个人的禀赋)是给定的前提,而研究的重点在于不同的人的物质需求偏好之间的关系(也就是埃奇沃斯方盒

① 新古典主义理论喜欢荒岛上的鲁宾孙,不是没有道理的——这符合它抽象地分析物质生产活动本身这一理论目的的要求。新古典主义理论的方法论大师罗宾斯指出:为了表明“选择规律的作用,由被隔绝的个人行为的推论可以最好地揭露这种规律的作用”(Robbins,1946:20),除了鲁宾孙以外,他们使用的经典例子有:“原始森林中的居民”,“岛上的居民”,“独自经营的庄稼人”(门格尔,1958:82、85、92、96),“一个人住在可以饮用的泉水旁边”,“沙漠中的旅行者”,“独居在原始森林中的农民”(庞巴维克,1964:153、170)等等。

中两个人的两条无差异曲线如何相切的关系），说到底仍是一种物质交换、“互换余缺”的活动；“人们之间的关系只是人同物关系的中间环节”（兰格，1987：48）。

凯恩斯主义理论，在这一基本问题上与新古典主义理论实际上是共同的，尽管凯恩斯主义比新古典主义者更多地注意到了资本家、投资者的利润预期在资本主义经济关系中的特殊的决定性作用，但是，它的总量分析，本质上仍然是一种物量分析，因为凯恩斯的基本总量范畴是总收入，而并不研究各种收入的特殊社会形式①；它所研究的是社会总的生产能力与人们的物质需要之间的关系，是为了解决如何充分利用现有资本生产能力和劳动人口以产生最大的社会福利的问题，社会经济关系也是被抽象掉的。“从概念上来说，这一套总量是一点也不含糊的。不管是哪一类型的社会，原始部落也好，社会主义也好，这套总量都可以应用，都可以用‘消费倾向’、‘投资倾向’等等名词来说明其间的比率”（Tsuru，1954：371）；“总量的本质，在凯恩斯体系内，对资本主义特征来说是中性的，即对一切类型的社会来说，这些总量就好像已经约分最小公分母”（Tsuru，1954：374）。因此，在这个意义上说，凯恩斯主义与新古典主义对社会经济活动的研究角度，都是侧重于它的物质方面而不是社会方面，因而与新古典主义一样，同属于西方正统派经济学一类（以下使用“正统派经济学”这个概念时，便都包含了此处说明的意义，即指那些着重从物质方面对社会经济活动进行分析的理论）。所不同的仅在于，凯恩斯主义还分析了信息不完全、预期不确定这个不可回避的事实在经济活动中所起的作用，突出地强调了经济活动中的主观预期因素对于资源的利用和配置（在今天的需要和为了未来的生产之间的配置）的影响。在一定意义上可以这样说，新古典主义和凯恩斯主义研究的都是经济活动作为物质生产过程的方面，区别仅在于新古典主义将这种活动作为瞬间完

① 在此必须承认，某些凯恩斯主义者，特别是后凯恩斯主义者们，分析了各种不同的收入（工资和利润）以及它们在经济活动中的不同作用，因此他们的理论与马克思主义是存在相同之处的。事实上，凯恩斯主义的重要先驱人物卡莱斯基从马克思主义理论中吸取了很多重要的理论因素。而新凯恩斯主义与李嘉图主义的关系，也表明了这一理论与马克思主义有着某些共同的来源——它们在一定程度上都分析了资本主义的特殊经济关系。

成的、决策与效果相统一的活动，而凯恩斯主义（更为现实地）注意到了在物质生产活动中决策和实现目的之间的时间间隔，强调了在物质生产活动受建立在预期基础上的事前决策支配的这一特点，从而指出了事前决策与事后效果之间的差异和矛盾及其对经济过程的影响。

按照上述方式对不同的经济理论进行区分和识别，关键的一个问题是要将一种理论本质上的侧重点、着眼点或落脚点与它不可避免地（由于经济活动的两方面在现实中的不可分割性）要涉及的东西区分开来。马克思主义经济学在分析资本主义生产过程的时候，首先指出了它是物质生产过程；但它分析研究的重点却在另一方面，即资本的增殖过程，在于生产过程作为剩余价值生产过程的特殊社会规定性。正统经济学虽然也涉及了资本主义市场经济的财富分配、劳资关系、分配关系等，但它研究的侧重点却在于物质生产或资源配置，社会关系或制度只是作为前提、背景条件出现的，并不构成理论分析的重点对象。不作这种区分，我们就不能抓住各种理论的本质特征，从而就无法正确地判断不同理论的差别的性质。

另一个值得重视的问题是，不能简单地用形式和内容、现象和本质的关系来看待经济活动的两个方面。就像不能说作为商品二重性的使用价值和价值二者当中一方是形式而另一方是内容一样，也不能说研究使用价值的物质生产就是仅研究了形式或现象，而研究社会经济关系就是研究了事物的内容或本质。马克思主义尽管研究的是社会经济关系，但它却认为物质生产是经济活动的内容，而社会经济关系只是物质生产的特殊社会形态。这对于深入理解我们当前所考察的问题，具有重要的意义。

5.4 经济活动二重性的具体表现：行为目标、运行机制和经济变量决定的二重性

物质生产和社会交往，是社会经济制度的最一般、最基本的两个方面的内容；或者说，是最抽象、最本质的二重性。它们必然要体现在一系列具体的经济范畴当中，从而使这些具体的经济范畴也具有二重性。而不同的经济理论从不同的角度研究社会经济活动，自然也就对这些具体范畴进行了

不同角度的考察。社会经济活动的二重性，具体表现在以下三个经济范畴的二重性中。

5.4-1 经济行为目标

人类的社会活动，是一种有目的的活动。作为物质生产，人们的目的自然是获得物质产品或各种使用价值，或者说满足需要。另一方面，作为一种社会交往活动，作为社会的生产，人们的社会关系，使不同个人的行为目的，表现为具有特殊社会规定的经济收入；在不同的社会关系下，由于社会生产会由某一利益集团所支配，从而整个社会生产活动的目的，也具有特殊的社会形式。例如在资本主义市场经济下，不同经济当事人（工人、企业主、资本家、食利者阶级）的经济活动的目的，表现各自的特殊经济收入（工资、利润、利息等），而整个社会生产即资本主义社会生产表现为为了最大利润、为了资本增殖而进行的活动。

而当不同的经济理论分别从不同的角度考察社会经济活动时，经济行为目标的二重性，便在不同的理论中获得了独立的二重表现：在正统经济学中，经济体系的目标函数，表现为效用函数，即各种使用价值的量的总和；而谋取特殊收入的活动，仅表现为这一最终目标函数限制条件。而在马克思主义经济理论中，则相反，资本主义生产的最终目的是最大剩余价值这一特殊社会形式的收入，物质产品的生产只表现为谋求和实现剩余价值的限制条件。

将物质产品（使用价值）和特殊经济收入理解为同一社会经济活动的目标的二重规定或两个方面，而不是将其中一方（无论哪一方）理解为形式或现象形态，而将另一方（无论哪一方）理解为实质或本质形态，对于理解社会经济活动的整体和各种经济理论的差别，具有重要的意义。从某一特殊角度考察社会经济活动，人们自然可以将某一方面视为本质，而将另一方面视为“形式”，比如新古典理论声称使用价值是本质，收入只是物质产品的形式；而马克思主义则可称剩余价值是本质，它采取了物质产品的形式。但是从社会经济活动的整体进行考察，这两者在理论中是处在同一层次上的，就像使用价值和价值是商品的二重性，而不具有形式和内容、现象和本质的关系一样。

O.兰格博士在1959年完成的《政治经济学》第1卷中，曾对马克思主义经济学与西方正统经济学（他称此为“主观学派”）中的经济活动作了一种很有特色的区分。兰格认为，在现代市场经济中，“商品生产和商品—货币交换使得经济活动与满足需要的过程断绝了直接的联系，人们的经济活动就分成两种不同的活动：谋取收入的活动和家庭经济中的活动”。“把经济活动分成两种不同的活动就引起经济活动目的的新构成。在家庭经济中活动的目的仍然为需要所直接决定”；“谋取收入的活动只有一个唯一的目的……即获得货币收入”；而后者，即“谋取货币收入”，“成为人们全部活动的中心”，“成为一切经济活动的基础”（兰格，1987：192—216）。兰格认为马克思主义的特点，就在于在其理论分析中，正确地将“谋取收入”这个经济活动的基本目的作为理解经济关系的中心，而“主观学派的实质在于，它把家庭活动看成是依据经济原则的活动”，因而在他们看来，经济活动的目的就是“作为最大限度的对象的效用”这样一个“统一的目的”（兰格，1987）。

这个区分的基础和特点就在于将上面所说的社会经济活动目的的二重性分割为两种活动，或者是经济活动两个阶段上的两种目的，而这种区分的不恰当之处也正在这里。原因在于，经济活动的目的，若仅从个人的角度考察，的确可以说在商品经济存在的条件下，分裂为两个组成部分或两个阶段，谋取收入和在家庭经济活动中的谋取使用价值——先要挣得收入，才能花费收入于各种使用价值的需要。但是，从社会的角度考察，也就是从整个社会经济活动的角度考察，家庭经济活动或花费收入购买使用价值的过程，也就是消费过程，正是收入得以实现的过程。正如马克思在《资本论》第2卷分析商品资本的循环和社会再生产条件时指出的那样：“全部商品产品的消费是资本本身循环正常进行的条件”（马克思，1975：《资本论》，第2卷，第108—109页）；“总的再生产过程既包括资本本身的再生产过程，也包括以流通为媒介的消费过程”（同上书，第436页）。因此，从社会经济活动的总体的角度考察，家庭经济活动即消费过程，是不能与谋求收入的活动割裂开的；它只是问题的另一方面，而不是另一个部分，或另一个阶段。因此，只有把使用价值的消费和需求看成经济活动的一个方面，才能全面科学地理解社会经济活动本身和各种理论在这个问题上的特点。

5.4.2　经济运行机制

在一定的物质生产条件和社会经济关系或经济制度下，社会经济活动按照特殊的方式进行；各种经济因素相互作用，各种经济当事人之间的行为相互依存、相互影响，从而构成了通常所说的“经济运行机制”（mechanism）。经济活动的二重性，决定了经济运行机制的二重性：一方面，它是显示社会需要偏好结构，使生产与需要相互适应，实现资源配置和技术选择的物质生产活动机制，可称为“效率优化机制”；另一方面，它又是人们实现其社会交往，追求和实现各自的经济利益，并使社会的各种利益矛盾不断获得解决又不断获得发展的社会机制，可称为“利益实现和协调机制”。同样，这不是两种机制，而是同一经济机制的两个方面的功能，它们是在经济运行的过程中同时实现的，不同的经济学理论从不同的角度或不同的方面对经济运行机制进行分析，构成了它们之间差别的又一个具体表现形式。

马克思在《资本论》中，着重研究了在资本主义经济的运行过程中，资本的运行过程和在此过程中剩余价值产生、实现以及在资本家之间进行分配的具体方式，从而分析了资本主义的经济运行机制，是如何实现资本家的经济利益，使得资本家阶级与工人阶级的利益矛盾如何不断获得解决又不断激化的，也就是说，他着重从“利益实现和协调机制”的角度，考察了经济的运行机制。而新古典主义和凯恩斯主义则主要把经济运行机制（主要是市场机制，有的经济学家也研究了计划机制）当作资源配置或效率优化的机制来加以考察，着重研究了经济运行机制如何使（或不能使）供求相等，实现效用最大化、资源最佳配置、要素最佳组合、技术合理选择等物质生产方面的问题。

有的人认为，马克思主义经济学研究的是经济的基本社会关系，如所有制关系和分配关系等，而新古典主义和凯恩斯主义研究的是日常的经济运行机制。这种观点只是部分正确。马克思主义经济学着重研究了社会经济关系而正统经济学不是这样，这一点毫无疑问。但问题是，马克思主义同样研究了在基本经济关系基础上经济的运行机制及其规律，不过研究的角度与正统经济学有所不同。这里重要的是要认识到两点：（1）经济运行机制不仅是资源配置、技术选择和满足需要的机制，它同时也是社会矛盾发生和解决的机制，也有二重性，同样可以从不同的角度加以考察。(2)社会经济关系是体现并实现在经济的运行过程中的，正如人与物的关系是体现和实现在经济运行过程中一样；脱离经济运行的过程，“干巴巴”地分析经济关系或物质关系，都不构成真正的经济学。①马克思主义经济学对社会经济关系的研究，最终是体现在对经济的运行过程的分析当中的。而正统经济学家之所以在一些问题上与马克思的结论不同，正是由于他们对同一经济运行机制的理解不同，分析的角度不同，从而对经济运行机制的作用和运行结果的理解有所不同。

不过，这里也必须指出，在马克思的《资本论》中，对日常经济运行机制的分析尚未得到充分、具体的展开：按照马克思自己的计划，竞争不属于《资本论》研究的范围。以后，有些马克思主义者在将《资本论》中对经济机制的分析进一步展开方面作了许多有益的工作，但也有些马克思主义者只满足于马克思最初的论述，错误地认为经济学不需要进一步研究经济的运行机制。

5.4-3 经济变量的决定

在一定的物质生产条件和社会关系下，经济机制的运行结果，表现为一系列能够观察到的经济运行变量，如价格、利润率、供求数量等等。或者说，经济机制运行的过程，就是一系列经济变量取值的决定过程。在此过程中，经济活动的二重性和经济运行机制的二重性，决定了这些经济变量的二重性和经济变量决定的二重性。

经济变量，相对于物质生产条件、物质需求偏好和社会经济关系等基本经济因素或者所谓经济背景条件来说，才是真正的现象形态(这并不是否定在各种经济变量之间也有不同层次的区别)，其特点就是反映和体现着经济的各种基本因素，由所有这些基本因素及其相互关系所决定；它们是整个社会经济活动的具体表现。而经济活动的二重性，也自然体现在各种经济变量中——体现在决定经济变量取值的二重因素当中：它们既由物质生产与物质需要的关系或人与物的关系所决定，也由人与人的社会关系、人们之

① 某些社会主义经济理论，往往犯有这样的毛病。

间的利益矛盾所决定。比如价格，一方面取决于社会必要劳动（价值）或生产者之间的社会关系，另一方面也取决于具体劳动与物质需要之间的关系。①又如利润率，一方面取决于社会生产力的水平，取决于社会技术水平的高低和生产资料或物化劳动在物质生产（使用价值的生产和实现）过程中的作用的大小②；另一方面，也取决于资本家与工人的利益矛盾的“二律背反”的斗争（马克思，1975：《资本论》，第1卷，第262页），取决于在一定的劳动生产率下，资本家能够历史地、社会地把必要劳动压低到何种程度③，等等。

经济变量及其取值的决定的这种二重性质，在不同的理论中，获得了二重的考察——不同的理论着重研究了决定经济变量的某一方面的因素。例如价格，马克思主义经济理论着重强调了它所体现的社会生产关系，指出了价格对价值即社会必要劳动的依存关系；而正统经济学则着重从使用价值的角度对它进行分析，认为它取决于效用和生产技术、资源稀缺性。又如利润，马克思主义强调地指出了它体现着工人与资本家的阶级矛盾关系，平均利润率则进而体现着资本家之间的利益矛盾，因此，它根本上由剩余价值决定，由剩余价值的瓜分所决定；而正统经济学则强调了利润率与物质要素边际生产率，与生产函数的“凹凸性”（边际报酬递增或递减的关系）之间的关系，以及（在凯恩斯主义理论中）心理预期状态等非客观因素在决定利润过程中的作用。

各种经济理论之间的差别，最终往往正是表现为在说明各种经济变量如何决定，以及它们之间的相互关系上。有的人认为，西方正统经济学主要是研究作为现象形态的、可以直接观察到的经济变量的决定和相互关系，而马克思主义主要研究的是经济过程中的一些本质关系，或者说，一些本质变量，如价值、剩余价值等。但是，这种观点不能解释以下的事实，即马克思主义的最终目的，也是要说明资本主义市场经济中可以观察到的那些经济变量；否则，经济学就失去了它的意义，也就不能称其为经济学。④而正统经济

①②③ 这些问题将在后面的有关章节进一步讨论。

④ 某些社会主义经济理论，只“干巴巴”地研究经济的本质关系，而不能说明经济现象，不能说明经济变量的决定及其相互关系，这种经济学还很难说是经济学。

学，也同样给予大量的篇幅研究那些不能直接观察和直接测量的本质变量，如效用偏好（使用价值的关系）、心理预期等等。（前面已经提到过，有些西方正统经济学家认为马克思分析了一些不可观察到的经济因素，而他们研究的东西都是可观察到的，这事实上是他们的一种误解，既是对马克思主义的误解，也是对他们自己的误解。）事实上，各种经济理论的最终目的，都是要说明经济现象，说明现实中的那些经济变量是如何决定的，它们变动的规律及其相互关系；各种经济理论的差别，则是在于分别着重从不同的角度进行了分析；在那些同样对经济变量起决定作用的因素中，特别地侧重于分析了某一方面因素的作用。

5.5　一个进一步的比较：经济目标与不同限制条件的关系

在以上几节中，分析了马克思主义经济学与西方正统经济学之间差别的基本性质，这就是，两种经济学理论分别侧重于从不同角度对社会经济活动即经济问题进行了研究。在这种分析中，三个主要经济理论体系，被划分为两类：马克思主义和西方正统经济学，而后者包含了新古典主义和凯恩斯主义。后两种经济学对社会经济活动的分析的角度，具有共同性（二者都不是侧重于从社会经济关系的角度而是侧重于物质生产活动的角度研究经济活动和经济现象），因此，在我们以具有二重性的社会经济活动这个标准来认识不同理论的差别的性质的过程中，它们的确可以属于一类，同样具有与马克思主义理论相区别的性质。因而上面的划分，有助于我们搞清楚不同经济理论之间差别的基本性质。

在此基本认识的基础上，为了更好地说明凯恩斯主义与新古典主义的区别，以及三种经济理论体系相互之间的区别和联系，这里进一步提出一种较为具体的对三者进行比较的理论结构，作为对以上基本认识的补充。

这里仍然从作为经济学研究对象的人类社会经济活动出发。但是，这里强调这种活动的这样一种性质，即它是人类一种有目的的理性活动。作为一种有目的的理性活动，其特点是包含着目的与手段、目的与达到目的的各种限制条件之间的关系①；它是人们在一定的限制条件下，力求实现其行为目的最大化的活动②。无论是在既定的条件下，还是从经济的发展过程看，都是如此。从这个意义上考察，经济学研究人类的社会经济活动的过程，也就是研究经济活动的各种限制条件以及它们与经济目的之间关系的过程。

人类社会的经济活动所面临的限制条件基本上可分成三类。

首先是物质技术条件，包括可供利用的物质资源、劳动时间、可供选择的技术范围等条件。人类，无论是个人还是整体，都首先受到这一物质条件的限制。

其次是社会条件，即人们之间的社会经济关系。一个人对自然和财富的占有，受到社会上其他人的限制；一个人的经济活动、在经济中所处的地位，受到其他人的行为和地位的制约和影响，从而一个人对社会物质产品的占有，也就要受到其他人的限制。在不同的历史阶段上，人们之间的经济交往关系的性质不同，但人们之间的相互限制总是构成个人和社会追求经济目标的一个重要的限制条件。

① 英国经济学家罗宾斯曾较早地对经济学下过这样的定义："经济学是一种科学，它把人的活动当作是目的和有各种各样用途的有限资料之间的关系来研究。"(Robbins，1932：16)O.兰格则曾对经济学与人类理性行为效果学(praxiology)之间的关系作了系统的分析，肯定了经济活动是人类在经济领域内、在一定的条件下力求达到最大目的的理性活动，同时批评了某些新古典主义者将经济学的研究对象看成是人类一切理性活动，从而将经济学混同于一般的人类行为效果学的倾向。但是，由于兰格过分地强调了目的和手段的可度量性和度量尺度的可统一性，或者说效率核算的现实可能性，从而将经济理性活动仅仅局限于谋取收入的活动，并认为只有在资本主义商品经济条件下这种活动才有可能。这样，理解经济活动的理性特点，似乎是过于狭隘了(兰格，1987：第5、6章)。

② 就人的经济活动的一般特征来说，其活动是否是合乎理性的？是否追求目标的最大化？行为理性(rationality)的含义究竟是什么？这些问题无论在对经济现实的理解和说明上，还是在理论分析结构和分析方法的选择上，都极为重要：它往往成为不同理论发生分歧的出发点。也正因如此，经济行为的理性问题在经济学说史上历来存在争议，现在也经常被一再提起。为了不打断对本书主要论题的阐述，将在本章附录《有关最大化经济行为的几个问题》中表明笔者对这一问题的看法。

最后是信息知识条件，包括个人和社会对现有的物质资源的规模与结构，对现有技术选择范围的知识，对现存社会的经济关系、他人的经济行为方式和社会经济运行机制的了解，以及对未来各方面经济因素变化的预期。这一条件的重要性就在于，对现状和未来的错误判断，必然导致错误的经济决策和错误的经济行为，使人们所追求的目的不能达到客观条件许可的最大限度。由于人们的知识和信息总是或多或少地有限的，因此任何判断都不可能完全正确，因而它同样构成目标最大化的一个限制条件。

这三种限制条件，又可进一步划分为两类：物质技术条件和社会条件统一构成客观条件；而信息知识条件构成主观条件。人们就是在这些主客观条件的限制下，追求其经济利益的最大化。

现在来研究经济活动的目的。概括地说，经济活动的目的，就是人们的经济利益。但正如前面已经指出的，人们经济活动的目的具有二重性，一方面是获得物质产品或使用价值，另一方面是具有特殊形态的收入。这一区分现在仍然适用。不过，前面是从经济活动的二重性质（物质生产活动和社会交往活动）的角度来考虑问题。现在，当我们从目的与条件的关系的角度来考虑问题时，经济利益这个目的，在与不同限制条件的关系中，具体地表现为不同的形式。

相对于物质、技术条件，人们的目的是使用价值——从物质资源和生产技术中人们不可能收获物质产品的特殊社会形式，而只能得到物质产品本身。而相对于社会关系条件而言，人们的目的是具有一定社会形式的收入——从人们之间的交往关系本身中，人们不可能生产出物质产品，只能产生出具有特殊社会名称的对产品的索取权。

相对于另一个限制条件，即主观的信息知识条件，经济活动的目的表现为预期目的（这里目的的内容既可以是使用价值，也可以是收入）。人们经济活动的目的，总是一种主观愿望，因此首先具有主观性，取决于人们的主观判断和心理感受；另一方面，由于经济活动是一个时间过程，总是一种受事先决策所支配的活动，因此行动的目的便总是具有预期的性质。然而，人们为自己设置怎样的目标，认为自己可能达到怎样的目标，采取怎样的行动、措施才能达到这一目标，则都取决于对现实各种条件的认识和对未来情况变化的预期；在不同的知识信息条件下，所设置的目的是不同的；同时，主观认识水平与客观实际不相符合的程度，决定着预期目标与实际结果的差异程度，也就是预期目的的错误程度。①

在与不同限制条件的相互关系中，经济目的表现出不同特征，这一事实可以给我们以重要的启示：可以根据一种理论体系中经济活动的目的的性质或特征，来判断这一理论体系所着重强调或重点分析了哪一种限制条件，着重分析了经济活动中哪一方面的关系。

在新古典主义理论中，一般均衡体系中的目标函数是表示各种使用价值之间关系的效用函数。这表明它是在一定的社会经济关系和信息条件下，着重分析物质、技术条件与使用价值目的之间的关系，研究有限的、稀缺的资源如何在各种使用价值目的之间配置问题。

在马克思主义理论中，资本主义社会生产目的是剩余价值或利润，这表明了这一理论着重研究的是社会经济关系，研究社会关系这一限制条件对整个社会经济活动的制约作用，而物质生产条件和信息条件在这一理论中不是研究的重心。

在凯恩斯主义理论中，经济活动目标的主观预期的性质占据核心的地位，在经济活动中起着决定性的作用：经济波动取决于投资者对资本边际效率的预期，而政府调节政策要以预期的充分就业总产量为目的，等等。这表明了它着重分析了信息知识不完全这一事实，以及它作为人们追求经济利益目标的限制条件在经济活动中所起的重要作用。

这样，不同经济理论的差别，就表现为它们各自着重强调了经济利益目标与某一方面的限制条件之间的关系，从而着重分析了作为有目的的活动的社会经济活动的某一具体方面。

这种差别和关系，可由如图 5.1 所示的简要图形示意：

在图 5.1 中：K 为凯恩斯主义，C 为新古典主义，M 为马克思主义；各经济范畴之间连线上的字母(理论)，表明各种经济理论所着重分析的角度。本章以上分析的内容，主要涉及的是各种经济活动的限制条件与经济目标之间的关系；而各种经济条件之间的关系，也是包含在经济学研究范围内的，但这是

① 对于社会主义计划经济来说，上述关系表现得十分明显。

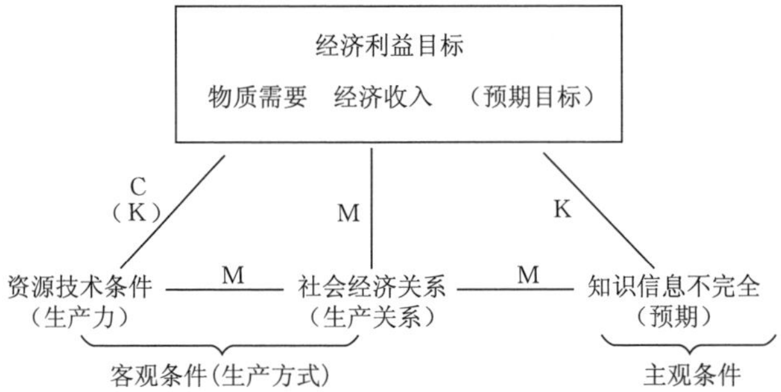

图 5.1

下一章要进一步讨论的内容。不过,为了在图示中较为综合地表明笔者的观点,在这里提前将各条件之间也画上了连线并标明了对它们进行了研究的理论。

要特别强调的是这类示意图的抽象性和局限性。图 5.1 只是表明各种经济理论所着重强调或重点分析的方面(角度),这并不排除有的理论在一定程度上或在某些问题上也对其他方面的问题有所涉及或有所研究。事实上,由于社会经济活动是一个整体,当人们着重从某一角度或某一侧面对其进行考察的时候,不可避免地会以某种方式(虽然可能是不恰当的方式)涉及其他的方面。但是,我们应该将涉及与着重分析作适当区分,将暗含的与直接的考察作适当的区分,否则便不能很好地掌握各种经济理论的主要特征和相互差别的性质。

附录　有关最大化经济行为的几个问题

5A.1　各种经济理论中的最大化行为

人们的经济行为的目标和方式,是历史地由人们所处的主客观条件决定的,特别是由人们所处的社会经济关系决定的。因此,社会经济关系和其他主客观条件,能够说明经济行为的特殊社会规定性。但是,除此之外,还有一个问题是,经济行为的一般特征是什么,或者说,在给定的各种历史条件下,人们的一般行为方式是什么?这个问题的基本意义就在于它可以使经济学家明确理论分析的推理方向。

理性行为公理假设，假定人们的经济行为的一般特征就在于它的最大化性质，也就是说，人们总是力求使他们所追求的那种经济利益尽可能地大；在各种可能的选择中，人们总是取能够带来最大利益的那一个。最大化行为也称为理性行为。

上述假设事实上具有公理的性质，就是说，它的正确性只能由经验观察证明，而不是来自演绎推断。经验事实的确能够证明这个公理——我们到处可以看到，人们总是在那里“研究研究”，权衡利弊，总是力求在条件允许的范围内，或者以同等成本获得最大的收益，或是以最小成本获得同一利益，或是以较少的成本获得较大的收益。

因此，最大化行为或理性行为假设，是一个合理的假设。

最大化行为公理，事实上在任何一种经济学理论分析中都明里暗里地起着重要的作用。在马克思主义经济学中，没有资本家的最大化行为，便不能说明绝对剩余价值、相对剩余价值、平均利润率、资本积累规律等任何一个理论命题；没有工人的最大化行为，便不能说明在工资问题上的阶级斗争，不能说明平均工资率；等等。在新古典主义理论中，效用最大化和利润最大化构成了一切理论分析及其结论的基本前提和论证基础。在凯恩斯主义理论中，没有投资者的最大化行为，便不能说明投资波动、需求决定和经济循环等任何关键的问题。

不过需要指出，是新古典主义理论家们将最大化行为的一般特征、它在理论论证中所起的作用，以及对它进行分析的方法放在重要的位置，进行了大量、细致的论述。

5A.2　关于最大化行为的一些争论和概念混淆

关于最大化行为假设问题，存在着一些争议，但仔细分析一下，可以看出在这些争论的背后，其实是关于最大化行为概念的一些不同的理解。

1. 有的人怀疑最大化行为的普遍性，指出在一定的经济制度下，只有某些人（阶级）能够最大化其利益，而另一些人则根本不能进行最大化活动。这种观点中包含的概念混淆在于，人人都在最大化，并不意味着人人都在最大化同样的东西：工人不可能去最大化利润，某些奢侈品也许根本就不进入工人消费满足最大化的目标函数，但这并不能否定工人也在最大化某种东西，如工资收入、工人的消费水平等。事实上，不同阶级所最大化的那种特殊的东西，即他们的特殊的利益目标，以及最大化行为的约束条件，是要由社会经济关系、人们特殊的经济地位等加以说明的；而以不同的经济利益为目标的普遍的最大化行为，恰恰能够首先用来说明利益冲突和阶级斗争；我们应该批评某些理论用最大化行为片面地论证万事和谐，却不能因此而否定最大化行为本身。

2. 有的人指出由于各种条件限制，特别是人们相互之间的利益冲突，任何人都不可能实现他自己的利益最大化。这里的混淆在于没有注意到，经济学中的任何最大化，指的就是最大限度、相对最大，是条件极值。任何人的最大化行为都受到各种主客观条件的限制，特别是受到其他人最大化行为的制约，从而不可能实现所谓的“绝对最大”。例如就资本家与工人而言，剩余劳动量总是受到必要劳动量的限制，反之亦然；工作日的划分总是由资本家和工人两者权利斗争的“二律背反”决定。事实上，任何人都不能实现利益的绝对最大，恰恰构成了经济学分析的复杂性和重要性；如果人们能够使其利益达到绝对最大，经济学就无需存在了。

3. 还有人认为，有些人并不追求什么最大，而只追求一些适度的目标，例如有的企业家并不一定追求最大利润而只追求适度利润，有的富人并不穷奢极欲，有的工人并不追求最大工资，有的经济实体并不追求效率最大，等等。这里的混淆，则在于把某一种目标当成了经济行为主体的唯一目标。事实上只要仔细分析便可看到，在上述那些情况下，人们必然还存在着其他一些利益目标，而且往往是一种“两难目标”，例如利润与稳定、消费与积累、工资与轻松、效率与平等，等等；为了兼顾各种目标，人们就必须在它们之间进行某种比较和平衡，不能因一方过大而过多地损害了另一方，这就是所谓“适度”的意义所在。可见，这里的问题不在于是否最大，而在于最大化什么，在于人们如何按照某种统一的尺度或标准对不同的目标进行通约和比较，在平衡不同分目标的基础上求得他所特有的多元而统一的目标函数的最大化。这构成了经济学分析中的一个重要问题，后面将对此作些进一步讨论。此外，还需指出的是，最大化行为是有节制的还是表现为无穷的贪欲，是一个限制条件的问题，却并不否定最大化行为本身。

4. 还有人认为，有的人追求最大化只是环境所迫，例如资本家不追求最大利润就要被挤垮，工人不追求最大工资就要挨饿，所以才有最大化行为。但是，在解释竞争对资本家的压力时，首先要根据竞争对手的最大化行为；在解释工人面临失业或挨饿的危险时，又必须根据资本家的最大化行为。一个经济学家不努力就会落后，正是由于其他人都在力争出类拔萃，必须用最大化行为来解释最大化行为，恰恰说明了最大化行为的公理性质。

5. 早期制度学派的理论家，曾认为人们的行为主要地取决于传统、习惯和制度，而不是追求最大化。但是，传统和制度属于经济学另一基本问题——社会经济关系的范围。事实上，制度学派对上述问题的一些批判性分析，主要针对的是忽视甚至否定社会历史和制度因素在经济生活中的作用的某些新古典主义理论。这种批判是正确的，但却并不能否定人们在制定历史、制度条件下和特定经济地位上追求利益最大化的行为特征。至于习惯性行为，那是不容否认地存在着的，但这与最大化行为并不矛盾，而是并行不悖。人们所处的历史形成的经济条件和地位并不是每天变化的，而是往往具有相当长期的稳定性；在这种情况下，人们无需每天进行最大化算计，一次算计之后，便可成为“日常规则”，重复进行下去，这便构成习惯(甚至是“积习难改”)，只需在新情况出现时作些局部的调整。在社会经济生活变化节奏很慢的中世纪，人们的行为事实上必然是以传统和习惯为特征的。另一方面，人们的日常行为，往往大多属于在最大化算计需要进行之前的必要行为，最大化算计只发生在超出日常行为之上的边际上。人们行为的这种特点，恰恰表现出最大化问题的特征；经济学中的边际分析方法，正是为适应对最大化行为的分析才产生和发展起来的。

6. 还有些人也许会说，哪里会人人都追求什么最大化，稀里糊涂过日子，靠一时冲动、脑门一热作决定的大有人在，将经济行为分析建立在最大化假定上又何必？但是，一个人可以稀里糊涂地过日子，经济学家却不能稀里糊涂地搞理论。经济学的任务是要概括、分析典型的经济行为，同时还要用一般原理对那些不典型的、属于特例的行为进行说明，比如我们也许可以说明稀里糊涂过日子所免除的烦恼可能比事事算计换来更大的享受，脑门一热所作出的决定正表现出由于那个决策者不必对公共财产的损失负责而形成的符合他自己的最大化原则的个人行为方式，等等。经济学要想成为精密的分析科学，得出确定的结论和规律，就必须在复杂多样的具体现象中概括出普遍适用的原则来。

5A.3 关于最大化行为的目标

人们的经济行为总是具有一定的目标的，这种目标主要就是他们的经济利益。关于不同的经济当事人具有怎样的特殊利益目标，什么成为某人的行为目标，他为什么有这样的目标而不具有那样的目标等等，是由经济学的其他种种要素，特别是社会经济关系来加以说明的。这里要讨论的，则是一个在理论分析中十分重要的一般性问题，即一个经济当事人的具体目标的多样性与最大化目标的统一性的关系问题。

最大化经济行为之所以构成经济学理论的一个基本要素，不仅在于它构成了经济分析中逻辑推理的一般基础，而且更主要地在于：经济学必须研究行为主体的各种目标之间的矛盾统一关系，以及这种关系对经济活动的直接或间接的决定作用。

这个问题在前面的一个地方已经提出来了，那就是一个人如何对他所同时追求的各种目标，其中包括“两难目标”，按照统一标准、尺度进行衡量、比较，以求得他所特有的某种统一的利益目标的最大化。我们可以就一个基本的例子进行讨论。消费者的消费行为是多样的，所消费的各种不同物品，提供的是不同质的使用价值；因其质的不同，这些使用价值是无法直接进行量的比较的；而消费者因收入有限又不可能一一最大化各种使用价值，而只能根据某种统一的最大化目标在各种消费之间选择合理的比例。他最大化的是什么？经济学家发现，各种使用价值在一点上是共同的，即能为消费者提供某种满足；对于不同的消费者，这种满足的程度是不同的，因而是不可比的；但对个别人来说，却是可以按统一的尺度相加和比较的。于是将这种满足称为效用，作为理论分析中消费者最大化行为的目标。这种目标是抽象的，从而是统一的，但它又不是简单的标量，而是由各分量通过某种方式构成的向量，是一个目标函数。由于经济当事人所追求的东西，一般说来总是多元的，因此，单一目标函数的多元性，便构成各经济当事人最大化目标的一般特征(在后面第 7 章，将进一步讨论这个例子的理论意义)。

由此可见，经济学的重要任务，不仅是要实证性地确认各经济当事人具有怎样的具体利益目标，而且还在于要将人们怎样在明里暗里对各种各样的目标进行通约、衡量和比较的那种统一的标准、尺度分析出来，抽象出来，概括出来，从而为各经济当事人确定多元而统一的最大化行为目标函数。

这里需要着重指出的是，由于人们所使用的那个对各种目标进行通约的统一尺度，往往是抽象的，在实际经济生活中还没有取得具体的表现形式，因此目标函数的理论可度量性不直接等同于它的实践可度量性。在有些问题中，如在投资分配问题中，有时可以用现实中存在的货币尺度对各种投资的收益进行比较，求得总投资收益的最大；但在另一些问题中，比如在经济决策以平等和效率两者为目标的时候，对于平等和效率，就不存在具体的统一衡量尺度，而只能在理论上用社会利益之类的抽象尺度对它们进行分析和比较。但是，这丝毫不否定理论目标函数对于分析实际经济运动的重要意义和指导实践的重要作用。事实上，许多学科中都是先在理论上形成了抽象的尺度，很久以后才能找到在实际中进行具体度量的方法。

有的时候，经济学家能在理论上为当事人确定某种相当具体的单一目标，例如经济学通常假定企业追求的是利润最大化。但事实上，人们都同意即使资本主义企业也往往不是仅以利润为目标的；因此，这样的理论建立于：只是当利润在企业目标中占有主要的地位（如历史和现实中的社会主义国营企业），而且同时有几种目标起着重要的作用，这时就需要有新的企业及企业家行为理论，否则便不能正确地说明经济现实。

关于最大化行为目标，最后还要指出两个问题：(1)经济行为的目标，并不一定仅仅是货币收入、物质享受等经济利益，名誉、尊严、地位等不能用经济尺度衡量的因素也会成为经济行为的目标（也就是说，如果对这些目标的追求涉及资源和产品的耗费、使用、分配或配置的话）。例如，人们寻找工作时，名誉和尊严显然起着作用。(2)他人的利益，甚至国家和民族的利益，也可能进入个别当事人的行为目标函数。以上两点都是说，对行为目标概念必须作广义的理解。

5A.4 最大化行为假设与社会主义经济理论

值得特别指出的是，社会主义经济理论至今存在的最严重的缺陷之一，便是尚未在理论上根据现实的经济关系，实证性地确认社会主义各行为主体的特殊的多元而统一的实际行为目标。在传统的社会主义理论中，在所谓“同志式协作”和“利益一致”的前提假定下，各行为主体的目标纯而又纯；即使承认存在某些局部利益和个人利益，也并不会有碍于社会主义基本经济规律的运行，并且迄今既不认真研究它们与公共利益之间的复杂关系，它们如何以特定方式相结合决定着经济行为，事实上也从未将其实证性地引入经济目标与手段的分析。

社会主义经济理论之所以迄今还不能成为严谨的分析科学，在许多方面不能得出确定的结论，重要的原因之一，就是未能实证性地为各经济行为主体建立起最大化行为的目标函数。

这里自然无法对此详加探讨，但是，将本书研究的各种经济理论与社会主义的问题相对照，可以简要地指出在研究社会主义经济行为时应该注意到的几个疑难问题。

1. 实证性分析问题。此处所研究的，不是人们应该具有什么样的最大化目标问题，而是他们在现实的经济关系下，事实上在以什么为其行为目标的问题。因此，必须进行实证分析，确认出人们的目标函数，首先是理论实证(possitive Analysis)，然后是经验实证(emperical Analysis)(后者是指用经验事实对理论进行进一步的检验)。在这里，任何理想主义的或先验主义的空谈都无济于事；传统社会主义理论中的先验主义和教条主义思维方式都必须抛弃。

2. 目标多元性问题。由现实经济关系所决定，社会主义的经济行为主体，往往具有多重的行为目标。比如社会主义企业，过去面临八大经济考核指标，尽管这八大指标的实际重要性并不相同，软硬程度不一，但至少有两项(比如产量和利润)以上是必须同时考虑的；此外，还可能有企业自己的小算盘等等。不仅如此，问题的复杂性还在于不同的目标之间，往往是相互矛盾的，构成“两难目标”。因此，在理论上就必须：(1)研究各种目标之间的相互关系；(2)研究人们在现实中是如何将不同的目标进行比较，换算成统一的单位，按照最大化原则作出决策，并将这种方法概括出来，上升到理论，形成适合于不同行为主体的不同的多元目标函数。

3. 非经济目标问题。由现实社会主义的经济关系和社会关系所决定，经济行为主体的利益目标，有相当一部分是非经济的；也就是说，既不是物质享受，也不能用货币价值尺度进行衡量比较。这一方面是由于商品货币经济尚不发达；另一方面，特别是由于在目前情况下，经济决策与政治决策往往总是紧密地纠缠在一起，政治的目标和考虑（无论是集体的还是个人的），对经济决策有很大的影响。因此，在为行为主体确定最大化目标时，就面临一个如何将经济目标与政治目标以某种特殊的、抽象的尺度相互比较，相互通约，相互换算，构成统一的目标函数的问题。

6 片面性、科学性与新的理论综合

6.1 “片面的科学性”

6.1-1 抽象分析的科学意义

上一章指出了不同经济理论间差别的一个基本性质，就在于它们分别着重从不同的角度对社会经济活动进行了考察。其立论的基础，首先在于经济活动、经济问题本身具有多面性。事实上，这种多面性本身要求经济理论包含对它的各方面进行抽象的分析。基于以下几方面的事实，任何将经济活动的其他方面作为前提确定下来，而着重反映、分析它的某一特定方面的经济理论，具有科学的意义。

1. 经济问题的不同方面的相对独立性。社会经济活动是具有多方面的整体，在现实中是不可分割的；但是在思维中，当人们把它当作由各方面构成的具体加以考察的时候，各个方面本身，在理论上就具有了抽象意义上的相对独立性[①]，从而在理论上可以将它们抽象开来对其进行独立的分析。明确地认识到问题的多面性，建立在理论问题相对独立性基础上的抽象，是科学抽象。只看到问题的一个方面，将其视为问题的全部，孤立地对其进行分析，是非科学的抽象，是片面性；这时，问题的相对独立性变成了绝对独立性。但是，这种绝对独立性本身不过是相对独立性的一种歪曲了的形式，它本身仍是与事物本身的多面性和各方面问题的相对独立性相联系的。

2. 抽象分析是获得对事物的全面认识的必要前提。由于人们只能在对经济活动这一整体的各个方面进行深入研究的基础上，才能进一步获得对它的较为全面、正确的认识，因此，对经济活动各方面的相对独立的抽象分析，不仅是可行的，而且是必要的。首先假定其他方面不变，分别对各个方面进行抽象的、独立的分析，然后再进行综合，是思维把握现实的一个基本方式。

3. 现实中经济活动的某一方面（或某些方面）在一定条件、一定阶段上具有相对稳定性。例如：在生产关系较为适应物质生产力的性质、经济利益冲突较为缓和的时候，社会经济关系便处于相对稳定不变的阶段；这时，人们往往较少关注对社会经济关系的研究，而更多地分析供求关系、资源配置等在任何社会条件下都存在，从而总是摆在经济学家面前的经济学一般问题；但在经济矛盾加剧、经济关系面临变革的时期，生产条件与物质需要的关系相对说来便会显得稳定，社会经济关系的性质和发展变化规律的问题便会较为突出地提到经济学家面前，引起更多的关注。在不同的历史阶段上，经济理论着重地分析问题的不同方面，是其发展过程的又一基本形式（这也可以说是一种螺旋式发展）。事实上可以看出，着重分析经济问题某一方面的理论，都是与经济现实发展的某些特殊阶段及其提出的特殊问题相联系的，这事实上也构成说明经济理论形成和发展的客观条件和历史原

① 抽象与具体这一对范畴，往往在不同的意义上使用。这里特别地在以下的意义上使用这对范畴：抽象指客观对象某方面属性在思维中的反映；具体指客观对象整体在思维中的反映。马克思在按这种意义使用这对范畴时曾指出："具体之所以具体，因为它是许多规定的综合，因而是多样性的统一。"（《马克思恩格斯选集》，第2卷，第103页）

因的一个重要方面。

6.1-2 理论的片面性

抽象分析的科学意义，并不意味着任何一种抽象分析都是科学的抽象。如果人们没有正确地意识到自己这种研究的特殊局限性，而是(1)只看到了经济活动的某一方面，并将自己研究的问题看成是整个经济科学的全部研究对象，否定还存在着其他方面的问题；或者(2)不适当地夸大了自己所研究的经济因素在决定经济运行过程和经济变量中的作用，甚至将这些因素看成是决定经济变量的唯一或全部因素，完全否定其他因素的作用；或者(3)将自己从某一特定角度进行研究所得出的结论，不适当地推而广之来解释整个社会经济活动和经济运行过程，这时人们就走向了片面性，就会产生错误的观念，得出错误的结论。

一个重要的事实是，迄今为止，各种经济理论恰恰都或多或少地存在着片面性。

新古典主义的片面性表现在：在它着重分析物质生产的时候，把社会经济活动作为物质活动的性质，当成了经济活动的唯一性质，从而把这一理论作为理论前提假定下来的资本主义市场经济的关系和形式，当成了经济关系的永恒的、自然的规定。它从人与物的关系的角度研究了物质生产与物质需要的相互依存关系，研究了市场经济使供求达到均衡、资源合理配置的作用和趋势，却把这种趋势不适当地看成了市场经济的唯一趋势，而不能认识到资本主义市场经济中人们的经济行为目标的特殊社会性质和利益冲突，所导致的内在的不稳定性和内在的破坏均衡、造成资源利用效率损失的反均衡趋势。当它从物质需要满足的角度理解经济利益或经济行为目标，并由此论证了物品的交换过程能够协调利益矛盾、产生资源最佳配置和普遍的最大限度满足的时候，却把市场机制的这种作用当成了它的唯一功能，而否定了交换机制使收入差距扩大、社会经济利益矛盾进一步激化的另一方面的社会功能。它分析了人的使用价值需要偏好、生产技术(要素生产率)等在决定产品价格和要素价格等经济变量中的作用，但却错误地将它当成了决定经济变量的唯一因素或全部因素，否定了社会经济关系，特别是生产过程和分配环节上的利益矛盾对经济变量的决定作用，等等。总之，新古典主义理论上的片面性，就在于将社会经济活动的一般物质性，当成了它的唯一属性，否定了经济活动的特殊社会规定性和社会经济关系在经济运动过程中的重要的决定作用。

凯恩斯主义由于对社会经济活动进行考察的角度与新古典主义有共同之处，其片面性与新古典主义也有所相似，但它较为突出地强调了资本主义市场经济的不稳定因素和非均衡趋势。它的特殊的片面性在于，由于它同样忽视对资本主义的客观经济关系的分析，从而在认识到了信息、预期因素在经济运动过程中的重要作用的同时，却将经济的不稳定性的根源，只归结为人们的主观心理因素，归结为人们的不确定的心理预期，而不能看到资本主义私人市场经济关系本身所决定的生产无政府状态与经济循环和危机的内在联系，不能看到资本家阶级与工人阶级的利益矛盾在决定预期的资本边际效率中的重要作用。而且，这套理论也没有从特定的社会经济关系出发，说明在资本主义经济运动中起作用的预期形成的特殊社会方式。凯恩斯主义认识到了有效需求不足的主要根源在于投资需求的不足，后凯恩斯主义者还认识到了有效需求不足与资本主义分配关系之间的联系，但由于它们不能把资本主义经济本身看成一个历史的发展过程，从而将作为资本主义关系较为成熟的高级阶段上的特殊现象的需求不足和经济波动，看成为资本主义物质生产过程中因时间因素的作用，因事先决策与事后结果之间的差别而产生的一般情况；同时在另一方面，又由于不能从社会经济关系的角度考察社会生产力闲置的根源，从而认为只要政府能出面进行总需求调节（一种物量调节），无需改变社会经济关系，便可治愈经济波动和富裕中的贫困。

对于马克思主义经济学家来说，正确地认识到马克思主义理论目前仍然存在的某些局限性，对于正确地掌握和发展这一理论体系本身，似乎有着特别重要的意义。在我们看来，马克思主义相对说来是较少局限性的。这不仅由于马克思主义经济学是建立在历史唯物主义世界观的基础上的，也不仅由于从理论结构上看，它是一个包含着各种基本经济因素及其相互关系的体系（参见第 4 章，本章后面还要对这种理论结构的科学意义作进一步的论述），而且还在于它在着重从社会经济关系方面对资本主义生产方式进行分析的同时，指出了这一生产方式的物质内容，指出了商品的二重性和资本生产过程的二重性(物质的生产和剩余价值的生产)。但是,由于马克思主要着重从社会经济关系的角度考察了各种经济范畴和经济变量,在一定程度上忽视了人与物的关系、物质生产与物质需要之间的关系在决定各种变量及其变动过程中的作用,从而也使其某些具体理论具有了一定局限性,不能全面地说明各种经济现象。这种局限性主要表现在,在价格决定和剩余价值率及利润率的规定性问题上,忽视了使用价值的需要与生产的作用。在价值—价格理论上,马克思用社会必要劳动解释价值,无疑是正确的,但他仅仅着重于对价值这一物品的社会形式进行了分析,将使用价值仅仅视为价值的物质承担者,当作价值分析的前提,却片面地认为价格只是价值的表现形式,忽视了商品二重性的另一方面即使用价值在价格决定中的作用。事实上,既然马克思承认商品具有价值和使用价值二重性,价格是商品之间的交换比例,那么价格在逻辑上显然就应该包含着使用价值的关系,表现的是价值和使用价值两方面的内容。劳动决定价值的一元论,并不应该否定或排斥价值和使用价值同时在价格决定中起作用的二元论。在剩余价值理论中,马克思正确地指出了劳动力这种特殊商品的社会性质,指出了剩余价值体现着资本主义特殊的生产关系,同时也指出了剩余价值率与劳动生产率之间存在着一定的关系。但是,马克思将劳动者的必要生活资料也就是劳动力价值的决定仅仅归结为历史习惯和道德的因素,而忽视了社会劳动生产率这个因素在分配关系中,在工人阶级与资本家阶级的利益斗争中,从而在劳动力价值决定中的作用。此外,马克思虽然正确地批判了资产阶级经济学“三位一体”的收入分配公式(事实上也就是批判了现代的边际生产力分配论),却由于仅仅着重于从社会经济关系的角度分析收入分配论,而忽视了生产技术和各种物质要素在生产使用价值过程中的贡献与价值(总产值)在各阶级之间进行分配的内在联系(以上这些问题,将在下篇各章的分析中得到详细的说明)。这样,马克思的某些具体理论便不能充分地说明一些资本主义经济的具体现象。如果说马克思当初为了特殊理论任务和理论目的而未能全面地分析某些问题,从而使理论存在一些片面性是难以避免的话,后来的马克思主义者却未能纠正这些片面性;相反,在某种教条主义式的思维方式指导下,有的马克思主义者还使这种片面性有所扩大,比如把物质生产和物质需要的关系、资源配置等问题完全排除于经济学的研究对象之外，认为经济学研究的仅仅是社会生产关系，甚至把经济变量决定的某些问题也排斥出经济学的研究范围，于是经济学在有些马克思主义者笔下变成了对社会经济基本关系的空洞的描述和说教。

认识各种理论的片面性，很关键的一点是，理论的片面性，并不在于它没有研究什么，而在于以偏概全，把局部当成了整体，当成了全部，或者不适当地夸大了某一理论的适用范围。马克思经济理论目前存在的某些局限性，也不在于因其特殊的理论目的而舍象掉了些什么或没有研究什么，而在于将它所研究的因素，当成决定经济运行过程和经济变量的唯一因素或全部因素。

6.1-3 “片面的科学性”

但是，理论的片面性，又并不否定或全部否定它们的科学性。这指的并不仅仅是在片面的理论中包含着科学的因素或在某些具体问题上得出了一些正确的结论，而是指片面的理论作为认识发展和科学进步过程的不可避免和不可缺少的一个环节、一个阶段所具有的重要意义（也就是“形而上学”这种错误的认识方法在认识史上的重要意义）。

一种经济理论，尽管它忽视了现实运动的某些方面，某些结论也是错误的，但只要它深入分析了某一方面的关系，也就是具有所谓“片面的深刻性”，它就在认识的发展上具有积极的作用，为以后人们获得更加全面、正确和系统的认识提供了有益的科学素材，从而具有科学的意义。

正是新古典主义这种片面强调经济活动作为人类一般的满足物质需要的活动的理论，将人的需要与资源配置、技术选择的关系，作了详尽和深入的分析，使这方面的理论发展到了相当严密的分析科学的水平。这不仅对物质生产活动本身的研究作出了贡献，而且也为进一步研究社会经济活动两个方面的相互联系提供了理论前提。凯恩斯主义尽管片面地将资本主义经济的波动和危机仅仅归因于心理预期的因素，但这一理论指出了信息不完全这个事实在受事前决策指导的经济活动中的不可忽视的作用，推动了近几十年来关于信息、预期的理论研究，深化了人们对于经济活动这方面的认识。而马克思主义理论，虽然在一定程度上忽视了物质需求与生产本身在经济变量中的作用，但它对生产方式和社会经济关系的深刻分析，揭示了资本主义经济和人类社会发展的内在规律，并为经济学如何从人与人的关系出发研究各种经济范畴和经济变量的决定，提供了科学的方法和理论结构。

在更加具体的各种经济问题上，只要一种理论以其独特的方法深入地分析了问题的某一方面，它同样也具有其“片面的科学意义”。前面几章中已经涉及的问题都可以说明这一点。例如，关于资本主义市场经济的运行机制与利益矛盾的问题，马克思主义突出地强调了经济运行的过程是矛盾不断激化、发展的过程；新古典主义理论则强调了市场机制协调利益矛盾的功能，认为个人追求自身利益的行为客观上有益于他人（“主观为自己，客观为他人”）；凯恩斯主义则认为只要有一个政府出面进行干涉，市场机制运行过程中产生的问题就可获得解决。而事实上，经济机制的功能，正在于使矛盾不断得到协调解决（新古典主义），但这种解决只是矛盾发展过程的一个特殊阶段，解决之后是矛盾的再发生、再发展，逐步激化，直到旧的矛盾转化为新的矛盾（马克思主义）；而当旧的矛盾未完全转化为新的矛盾的时候，到一定程度，也会产生出某种新的社会力量和新的经济因素（如政府），作为新的发展阶段上的新的调解矛盾的手段（凯恩斯主义）。可见，各种理论实际上是对矛盾运动过程的不同侧面或不同阶段上表现出的特点，作了突出的强调（不过，我们可以看到马克思主义关于矛盾运动的分析是较为全面的）；而从整体的角度看，它们都对关于矛盾运动过程的认识，提供了有价值的思想材料。例如关于利益矛盾本身，马克思主义认为生产过程中的利益矛盾在经济中起决定的作用，新古典主义认为交换过程中的矛盾起决定的作用，后凯恩斯主义者则认为分配过程中的矛盾起决定的作用，从而三者分别着重对这三个方面的利益矛盾及其作用进行了深入的分析，尽管这三者的观点是相互冲突的，严格说来只能有一家的观点构成正确理论的基础，但是，在这种分别进行的片面的分析中，三者都对深入认识各个经济环节上的经济利益矛盾，作出了各自的贡献，至少使人们对经济利益的普遍性和它在各方面发生、发展和起作用的方式，有了更深入细致的了解，为更加全面地分析研究经济利益矛盾打下了基础。

将以上几小节的内容总结一下，我们可以看到，由于社会经济活动、经济现象是多方面的、立体的，从而可以抽象地从某一侧面对其进行研究；但若理论仅仅看到问题的某一方面而忽视问题的其他方面，这些理论就不可避免地陷入片面性之中，并且往往会得出一些错误的结论。但是，在人类认识发展或一门科学的发展过程中，当人们还未获得对研究对象的细致、深入的总体认识之前，总会出现一些片面地、孤立地研究问题的某一方面的理论；而这些片面的理论，只要深入地考察和揭示了某一方面的具体关系和具体问题，它就为整个科学的发展，提供了有益的思想材料，从而具有不可否认的科学价值和积极的意义。

在各种理论的相互争论和相互批判中，经常听到的说法是：某种理论在整体上是错误的，或者是其理论的基本内容是错误的，但在个别问题上、在个别方法上，包含着正确的、科学的因素，可以借鉴。这是一种似是而非的说法。一种理论，特别是在逻辑上自成体系的理论（并不否认在有的理论中存在着自相矛盾或概念混淆等错误），其意义和价值就在于它的整体，它的基本内容，在于这一整体所提供的特殊思想材料；个别观点或个别的分析方法可能是中性的，为各种理论所共有，从而它若不与某种理论的整体和基本内容相联系的话，就可以不把其当作这一理论的特有内容来看待，因此说这些中性的东西是错误的理论体系中的科学因素，无异于是在说由于猪肉和小麦中都包含着蛋白质，因此猪肉中包含着小麦的因素。比如经济学中的边际分析方法，这不过是在研究数量关系中的一个一般的、中性的数学方法，它可以为任何理论所使用，只要它研究数量关系的话。它只有在与边际效用理论相联系，与边际生产力分配理论相联系时，才构成新古典理论的内容，而当它用于利润率递减趋势、用于级差地租分析的时候，则构成马克思主义理论的内容。因此，如果说只有像边际分析方法这样的东西是作为错误理论体系的新古典主义的科学因素的话，那么我们对它借鉴了一万次，也还是没有从新古典主义这个特殊的理论体系中借鉴任何东西，还是没有承认新古典主义理论作为一个理论体系所具有的科学价值（当然，不容否认的是新古典主义理论对于数学方法在经济学中的应用作出了特殊的贡献，目前其他理论中所使用的数学方法，许多都是最先在新古典主义理论中发展起来的）。其他一些问题也是这样，如生产函数（这本身只是对技术关系的描述),市场供求与价格的关系(这本身只是一个市场经济的客观现象)等等,各种理论都可以包容不同的理论的特点,关键在于如何利用它们,如何解释、从哪个角度来说明它们,而不在于是否包含着这些东西本身。因此,说它们是一种理论体系的科学因素,并不意味就承认了这种理论的科学价值。一种理论是否具有科学性,是否包含科学的因素,最主要的还是要看它的基本理论、基本方法,它的最本质、最具特征的东西,是否为科学的发展提供了新的、有价值的思想材料。

因此,用"片面的科学性"这一概念,而不是用"错误理论中的科学因素"这样的概念去理解、认识我们现在讨论的各种经济理论的科学价值和相互关系,不仅更符合经济理论的实际情况,也有益于我们在经济理论的发展过程中真正科学而充分地利用各种经济理论的成果。

6.2 理论发展的更高要求:各种理论的互补与综合

指出各种经济理论的"片面的科学性",首先意味着我们必须注意到三种经济理论体系各自的片面性、局限性以及由此导致的某些不正确的理论结论,应该用批判的态度去对待任何一种经济理论,从而提出经济理论发展的任务。而在另一方面,"片面的科学性"意味着三种经济理论体系,都是人类科学发展的既有成果,都值得我们去认真地学习掌握,都应作为当代经济理论进一步发展的前提和基础。前人已经付出的努力,我们不必重新付出;无视前人的成果,是愚蠢和无知的错误。"踏着前人的肩膀"去攀登新的高峰,是科学的"经济学",也是经济学的"经济学"。

各种经济理论的"片面的科学性",最终也就意味着它们需要并能够相互补充。各种经济理论都存在片面性,因此都不能全面地反映和说明社会经济活动的全貌;而它们又分别深入地分析了经济活动的某一方面,为从这一方面说明经济现象提供了有科学价值的理论和方法。因此,它们之间可以相互补充,相互结合,辩证统一,为进一步全面、精确而科学地说明经济的运动规律,提供更加完善的理论——各种经济理论的"片面的科学性",是它们应该互相补充和能够互相补充的基础;各种经济理论的互补性,根源于它们的“片面的科学性”。①

各种经济理论可以相互补充，却并不意味将各自独立的理论机械地拼凑到一起，就可以得到对事物的更进一步的、新的、全面的认识，形成新的、具有本身内在逻辑的理论体系。各种经济理论向更高级阶段发展，所要求的是建立在各种理论的互补性基础之上的有机综合，也就是形成一套既能够使各种理论所提供的科学命题和方法得以保留、得以发挥作用，又能够正确地合乎事物本身逻辑地建立起它们相互间的内在联系的理论体系；既为各种正确因素找到其正确的理论位置，同时又能摆脱各种理论本身所具有的“偏见”，说明一些各种理论本身独立地无法说明的经济问题。

这显然是一个艰巨而复杂的任务。根据人类思想认识发展的一般规律，根据经济学历史上和其他学科历史上曾经出现过的不同理论相互补充、有机综合、由片面到全面的先例，可以对这一任务的可行性、条件和性质作以下几点分析：

1. 一门学科，最终总会趋向于形成一套统一的“范式”。在科学发展的较低级阶段，总会有不同的、相互独立、相互竞争的理论并存，社会科学是这样，自然科学也是这样，它们在不同的方面深化着认识。但这种局面不会无止境地存在下去，发展到后来，随着知识的积累、方法的完善和眼界的开阔，人们将逐步地认清各种不同理论的相互关系，逐步发展起较为全面地反映事物整体联系的理论体系，于是统一的“范式”趋于形成，而以前各种相互独立的理论的科学内容，则变成这一统一体系内的一个有机的组成部分。这个统一的、全面理论体系可能还会再被打破，理论重新分裂，但最终还会再趋于统一，形成新的更高级、更全面的理论。这一理论发展的一般规律，对

① 这里引述一下物理学家和科学学家尼尔斯·玻尔关于物理学发展中的“互补原理”的论述，也许可以使我们获得某种借鉴和启发。所谓“互补原理”，就是指“把互相排斥的两种图像互相补充成为统一的整体性知识”。玻尔指出：“互补性概念绝不包括和科学精神不相容的任何神秘主义”。他认为：“当人们企图按照经典方式来描绘一种原子过程的历程时，所得的经验可能显得是相互矛盾的；但是，不论如何矛盾，它们却代表着有关原子系统的同样重要的知识，而且，它们的总体就包揽无余地代表了这种知识；在这种意义上，这样的经验应该被看成是互补的。”（玻尔：《原子物理学和人类知识》，商务印书馆1964年版，第100、80页）

经济学也是适用的。尽管作为一门社会科学，阶级性、党性、阶级利益的“自私的偏见”等，将对这种由片面走向全面的统一过程起到特别的阻碍作用，但人类科学知识的发展规律，迟早总会以其固有的必然性为自己开辟道路。从“大一统”的古典经济学结束到现在，经济学已经处于分裂状态100多年了。尽管在科学编年史上，自然时间并不说明问题，但这个学科不会永远处于这种状态，却是可以肯定的。因此，提出各种经济理论有机综合的目标和任务，是有其认识发展规律的依据的。

2. 不同理论的有机综合能否实现，这一目标是否有达到的可能性，是需要有各种主客观条件为前提的。这种条件，可基本地归结为两条：(1)各种理论本身的发展程度，它们各自所考察的理论方面所达到的深度和水平。这一条件的意义在于新的有机综合是否已有足够的各方面的思想材料为基础。据粗略判断，这一条件目前是具备的，本书所考察的三个经济理论体系，相当长时期以来都已进入了“精雕细磨”的阶段，已经很少有新的理论命题提出，也就是说，就它们各自所考察的问题来说，已经穷尽到了一定的极限。(2)是否有新的现实经济问题出现，而且是原有各种理论在其各自范围内都无法给予圆满解答的新的问题出现，这是一个现实向理论提出新挑战、新课题的问题。思想的发展最终是由现实来推动的。在笔者看来，这一条件也已出现，这不仅表现为资本主义经济学理论目前所面临的危机①，而且

① 自从20世纪70年代初西方经济学“新危机”提法出现以来，经济学家已对这个问题进行了大量的研究。1981年，在美国出版了一本名为《经济理论的危机》的论文集，探讨新的理论体系发展的各种可能性。作者之一I.克里斯多尔指出：“经济理论发生了危机，是由如下的事实来证明的：在我们的眼光中，这个没有争议的理论体系是在日益缩小而不是日益增长。在这些日子里，越来越多的经济学家费尽心机致力于废除我们的大学教科书中仍然深信不疑地加以宣扬的东西。今天，经济学中的几乎一切东西——几乎每一个概念，每一个原理，每一种方法——都已经变成为争论而进行的公正的竞赛。”(贝尔和克里斯多尔，1985：271)编者贝尔和克里斯托尔在前言中说道：“假如我们看到一种知识结构在分化瓦解，发现它的碎片形成了相互对抗的学派，那么，最终会带来的东西——如果我们钻研一下任何科学的历史——将是一种综合了更多内容的新的结构。虽然要讲出它会是什么样子还为时过早，我们猜想它将会在不同程度上，把这里提出的各个论点包含的因素结合在一起。”(同上)

特别表现为社会主义经济的现实运动向我们提出的课题，这将在下一节作详细探讨。

3. 各种理论能否以科学的方式相互补充，能否真正做到有机的综合，最关键的一步是能否科学地说明各种理论之间的真实的相互关系，不仅在总体上，而且在各种基本理论问题上，正确地说明它们各自的特点和相互联系。有机综合的最终目的应是形成新的理论，不仅是新的理论体系，而且是说明各种具体问题的新的具体理论，这样才会有“总体大于局部相加”的效果；但是，要想达到这一最终目的，前提条件却是首先说明现有理论之间的关系。这虽然还不一定等同于建立起新的理论，但也是一种创造性的工作，因为它要建立起现有各理论之间的尚未被认识到、未被建立起来的“桥梁”。本书的企图，便是在这方面作些初步的探索。前面几章考察了各种经济理论总体上的特点，并讨论了它们总体上的相互关系；下篇将进一步在各种具体的基本理论问题上展开这方面的分析。这一工作是否成功、是否有价值的标志，首先在于是否能对以往的理论争论提出一些新的、合乎逻辑的解释，其次在于能否解释一些个别理论所不能解释或圆满解释的旧的或新的经济问题。

6.3　理论的新综合：我们自己面临的挑战

尽管本书对各种经济理论的比较研究，主要都是就它们对资本主义经济进行研究的内容展开的；尽管就有关资本主义的经济理论来说，目前也面临着理论“新危机”的严重挑战，但是这里却要着重分析一下，“理论新综合”的任务对于我们中国经济学家自己的极为现实的意义——社会主义经济的现实，正向我们提出严峻的挑战，要求我们科学地、积极地利用一切既有的经济理论成果，建设能够说明我们自己面临的各种经济问题的新的基本理论体系。

传统的社会主义经济理论①，名义上是马克思主义的，但实际上与马克

① 这可以以苏联20世纪50年代初的《政治经济学教科书(社会主义部分)》为代表。这个理论体系至今事实上仍是正统的社会主义经济学教科书的“范本”，尽管其中的某些具体提法已有了很大的改变。

思主义经济学很少有共同之处:它名义上主要研究社会主义的生产关系,但并不是实证性地分析社会主义经济条件下事实上存在的生产关系究竟是什么,而只是根据某些理论假定(公有制、同志式相互协作、按劳分配等)推论出生产关系应该是什么;在“同志式相互协作”的前提假定下,经济中是不存在内在的利益矛盾的,在经济运行过程中,在经济变量(这里指的是计划指标、利润率、补贴率等)的决定过程中经济利益矛盾也不起任何作用;“在最大限度地满足人们的文化和物质需要”的统一经济目的(社会主义基本经济规律)的支配下,在被假定为正确地反映了生产条件和社会需要,正确地预见到未来变化的集中的(而不是无政府的)经济计划下,整个经济综合平衡,合理分配,万事和谐;一切不和谐的现象,都是错误的行为导致的,而不是生产关系、利益关系或制度本身内在地产生的问题,经济本身的“内在规律”是完美和谐的。不难得出结论,这样的理论体系,更接近于新古典主义,而不是马克思主义,因为马克思主义经济学特别注重实事求是地(即理论实证地)从人与人的经济关系、利益矛盾来研究经济活动,说明经济规律和经济变量的决定,而且特别注重经济中矛盾的运动和发展(需注意的是,应该将马克思主义的经济学科学理论,它的精神实质,它的分析方法,与马克思主义创始人当初对未来共产主义社会的某些设想或理想严格区分开来)。在社会主义条件下,经济的内在利益矛盾具有了不同的性质,但仍然存在,仍是经济运动的内在动因,否定了这一点,便否定了马克思主义的一条最基本的普遍真理。研究经济关系而不研究利益矛盾,不从利益矛盾出发展开各种经济范畴的研究,便从根本上否定了马克思主义的科学方法。

然而,另一方面,当传统经济理论认为社会主义经济中不存在利益冲突,社会生产的目标就是为了满足物质需要的同时,这一理论又不像新古典主义理论那样认真地研究人与物质使用价值的关系,不研究社会需要的结构和各种使用价值之间的关系,不研究人们的消费需要偏好在经济运行过程中所起的作用,不研究生产供给如何与社会需要相适应,而是认为这些问题根本无需研究,甚至不是经济学的研究对象,在经济理论中从来没有占据重要的位置,更没有在理论中起过实际的作用;计划理论只是研究如何使物质资源的配置和产品分配平衡的问题,而社会需要的规模和结构,事实上总是任意地规定并假定为正确的。

同时，尽管传统的经济理论突出地强调了公有制计划经济作为一种自觉的、由事前的计划管理的经济的优越性，却从不像凯恩斯主义那样认真研究信息、知识、对未来的预期等等因素在经济过程中的重要作用，认识不到越是集中的计划经济，对信息完全性的要求越高，信息不完全，知识不充分，在集中计划下往往会比分散的市场经济造成的损失更大，波动更大；也不能在理论上科学地分析长官意志、官僚主义、主观盲目、“一哄而起”等对经济效率的危害。

当社会主义经济中存在的问题逐步被认识到，传统经济理论的缺陷和无能也被逐步认识到以后，许多人便认为问题在于马克思主义经济学无用，于是眼光转向西方的其他经济理论。如上面两段所述，社会主义经济学的确需要向西方经济学学习许多东西。但是，由于对我们面临的问题的性质缺乏了解，对各种经济理论及其相互关系缺乏正确的认识，新的“风马牛不相及”的问题又出现在经济理论界。许多人不能认识到，新古典主义和凯恩斯主义经济学，由其研究角度的特点所决定，恰恰不适合于用来处理我们当前所面临的许多重要的经济问题。在目前，无论在说明现实经济问题，还是在研究经济改革目标和方法的过程中，我们恰恰首先需要求助于真正的马克思主义理论的精神实质，从社会生产关系与生产力的矛盾，从社会经济关系的角度，从经济利益矛盾及其作用当中，发展起适合于研究我们所面临的问题的理论；并且，只有以此为前提，正确地说明经济关系的背景，说明利益矛盾在经济运行、经济变量决定过程中的作用，我们才可能运用其他各种理论的成果，科学地研究如何实现资源合理配置，如何制定可行的经济政策管理经济问题。

以上的讨论向我们指出，面对我们中国经济现实所提出的问题，我们首先要做的就是吸收、引进、学习、掌握各种经济学理论的科学成果，搞清楚它们的精神实质、理论特点，说明它们之间的相互关系，形成一种新的理论综合，然后在此基础上，加上我们自己的新的创造，最终建立起能够真正说明我国经济现实的运行过程和各种经济现象，能够指导我们的经济实践的新的基础理论体系。

本书比较分析各种理论，研究它们的特点和联系，讨论它们的片面的科学性和互补性，探讨新的理论有机综合的科学方法，最终正是为上述目的服务的。

不过,这里需要指出的是,利用各种经济理论建立起适合于我们需要的理论体系,并不是说要建立或者能够建立什么有别于一般经济理论的"中国式的经济学"。科学本身是没有国界的:能够说明一个国家的特殊经济问题的理论,不过是一般经济理论的一种特殊应用,而不构成特殊的经济学。这一小节讨论的是理论新综合对于我们当前的特殊的现实意义,因此这里要说明我们当前的特殊需要。但是,(1)理论新综合的意义绝不仅限于此;(2)只有建立起了科学的一般理论,才能最终科学地说明特殊的问题。我们要特别地警惕那种借口"国情特殊"而否认科学的普遍意义,拒绝学习和利用人类已经发展起来的一切科学成果的错误观点和错误做法。这种观点和做法,长期以来已经对科学理论的发展造成了严重的阻碍,因此现在似乎应该特别地强调科学的普遍意义。

6.4 马克思主义新综合——经济学家的理性选择

既然我们承认,理论的综合,不应是各种理论因素的拼凑或堆积,而应是各种理论的一种有机的结合,应该形成一个有自身内在逻辑的体系,那么,我们就面临一个如何使既有的各种经济理论获得某种有机统一的问题。

使既有的各种经济理论获得有机的统一,使它们在一个有机的整体中各得其所,处在恰当的位置上相互联系,一般说来有两种情况或两种方法。一种就是创造出一个全新的理论结构,而将以往产生的各种理论素材作为这一全新结构的组成因素包括进来。一般说来,这往往是在一门学科创建初期发生的情况,其结果是一门学科体系的形成。但是,当一门学科已经过相当程度的发展和积累,各种理论已不是作为一些零散的理论观点存在,而是本身就已构成某种具有系统性的知识体系的情况下,作为整个学科向更高级阶段发展过程的理论综合,便往往是按照另一种方法进行的,这就是以某一种容量较大的理论为基本理论结构,或者说以其为新体系的理论结构的基础,而将其他各种理论的科学内容包括进来。

在笔者看来,经济学目前发展阶段所面临的任务,并不是初创期新体系的建立(亚当·斯密的理论体系在当初完成了这一任务),而是如何对已经形成的各种理论体系进行有机的综合。

因此,我们面临的一个重要的问题是:在各经济理论体系之间进行比较和选择,作出一个理性的判断,看哪一体系更适合作为综合的基础结构。

这就使我们必须进一步比较研究各种经济理论在基本理论结构上的差异。

前面已经提到,理论结构的差异,是各种理论从总体上考察时表现出的基本差别的第二个方面。

在第 2 章中,指出了新古典主义在理论结构上作为一个封闭的体系的基本特征,也就是在假定各种经济背景条件(现在我们事实上已经将它们归纳概括为三方面的条件:物质技术条件、社会关系条件和主观信息知识条件)为一定的前提下,研究各种经济变量之间的关系;而各种背景条件本身却是孤立的、不变的,若发生变化也是外生的,与经济运行过程本身无关,相互之间也不存在内在的联系。在第 3 章中,指出了凯恩斯主义在理论结构方面的特点是着重地分析了一个背景条件即信息预期的不完全、不确定对整个体系运行的决定作用(后凯恩斯主义还分析了一些社会制度因素如分配关系等),而预期不确定这个事实本身也是外生的。因此,它虽然因这种分析而推翻了传统经济学的许多理论命题而自成体系,但在基本理论分析结构上与传统的新古典主义并无多大的差别。

与此相区别,第 4 章指出,马克思主义理论分析结构的一个突出特点就是它的开放性:作为新古典主义体系背景条件的一切主要经济因素在马克思主义体系内都具有内生性;它不仅分析了各种经济变量之间的关系,同时也分析了背景条件的变化规律和它们的相互关系(如技术进步与生产关系之间的关系和变化规律等等),同时也包括了对经济变量和背景条件变化之间关系的分析(见第 4 章第 5 节)。

这样,从总体上看,在我们面前摆着的是两个有着显著差异的理论结构,一个是正统经济学的封闭的体系——它分析的是被封闭在给定的背景条件之内的经济运行;另一个是马克思的开放的体系——在这个体系中,一切都是可变的,没有封闭着的限界。

一般来说,对一个封闭的理论体系较容易进行严格、精密的分析,而一个开放的体系则较难把握，尽管它更接近现实。因此，正统经济学已经率先使其理论在分析方法和精密程度上达到了较高的水平，而马克思主义经济理论的一些内容在目前甚至还没有确立起严格的数量分析方法。但是，在理论结构的宽广程度和发展前途上，马克思主义却显然有着无可置疑的优越性。新古典主义把经济的几乎所有基本因素假定为不变的背景条件，在一定意义上不过是宣告对这些最重要的东西无可奉告，比如关于决定收入分配的“禀赋”的分配，新古典主义在任何场合都视其为既定的前提，相对于每一种“禀赋”的分配，都可以确定一个帕累托最优。有人指出，这不过表明了“关于收入分配这个问题，经济学家作为经济学家说不出任何东西，因为决定任何初始收入分配的是历史而不是经济学”(克里斯托尔和贝尔，1985：215)。“经济学(这里指现代西方正统经济学——引者注)的全部传统做法是不断排除‘外生’因素，把这些因素只作为‘已知’的，并且不断加强‘内生’分析与精密观察。精神活动致力于建立逻辑的以及常常是数学的模式，以谋求完全人为的和相互毫无联系的某种‘体系’的‘最优化’，这是一种异想天开的精神活动，而所有这些‘体系’是建立在几个毫不关联的假设之上的”(E.舒马赫，1985：37)。从理论发展的全过程来看，笔者并不认为这种特点就能否认新古典主义理论的科学价值，马克思主义者也应该学习新古典理论家的那种力求形式完美、结构严密的精神活动。但是，就迄今为止的整个理论结构而论，新古典主义虽然看上去洋洋大观，其容量实际是相当狭窄的。相对于开放的马克思主义体系来说，它实际显得不过是一个被暂时封闭的，因而在分析上较为成熟的局部(就理论的整体与局部的关系而论，这有点类似于牛顿力学与初创时期爱因斯坦物理学的关系)。

马克思主义经济学体系作为一个更为广阔、更为全面的基本理论结构的特点具体表现在：(1)一切基本经济因素和一切作为现象形态的经济变量在这一体系内都具有内生性，都可作为内生变量处理。因此尽管在一些方面，理论分析尚显粗糙，但具有将各种理论包容进来的巨大容量。(2)它对每一经济过程和每一基本经济范畴，都指出了它们的二重性，即物质关系的规定性和社会关系的规定性(见第4章)，指出了这两个方面的基本关系。因此，尽管它着重分析的仅是社会关系方面，因而在一些经济过程和经济变量的分析中，不适当地忽视了物质活动本身的作用，但只要适当地将物质关系引入，进行综合，便较容易地产生更全面、精确的理论（在这方面，新古典主义由于完全忽视社会关系的分析和意义，制度因素完全是外生的，因而很难将其植入分析的内部结构）。(3)马克思主义经济理论特别重视对基本经济因素的分析，至今基本上仍主要侧重于一些本质范畴的研究，但同时也建立了基本关系、本质范畴与运行机制、现象形态之间的桥梁。因此，尽管马克思主义理论对于日常经济生活中的能观察到的经济变量和经济现象的分析仍然显得较弱，但是将新古典主义等理论对现象形态的分析经过适当加工而置于马克思这个地基之上，显然要比为较为强调现象形态分析的其他理论挖一个地基更容易些。

当然，将马克思主义作为理论综合的基本结构（或者更严格、谨慎一些地说，将其作为新综合理论结构的出发点），也要求对马克思主义理论本身进行发展和改造，吸取其他理论在各方面具体问题分析中的方法和结构上的优点。此处当然还无法具体而详细地勾画应该如何进行这种改造，但有必要指出以下一些方法论上的基本问题。

历史唯物主义和辩证法，在马克思主义经济学理论体系的创立过程中，起到了重要作用；马克思主义经济学的理论结构之所以具有宽广、开放的优点，也从这些哲学方法论上受益匪浅。但也正因如此，马克思主义经济学有一个从哲学中解放出来的问题，这表现在以下两个方面：

1. 同一事物在哲学中与在经济学中所处的关系不同，因而存在着将哲学范畴转换为经济学范畴的问题。这里指的主要是生产力、生产关系和生产方式几个基本范畴。在历史唯物主义哲学社会历史观中，社会生产力与社会生产关系的对立统一，即生产方式，构成社会上层建筑的经济基础，对生产方式的研究，目的是说明社会形态的性质及其发展变化的物质、经济方面的根本原因。但是，经济学的任务却显然不是为了说明社会形态和上层建筑的性质和发展变化。经济学的一个基本特征是，它研究的是人的一种特殊的活动，即经济活动。这个研究对象与自然科学和哲学社会历史研究对象的差别是，人的活动总是一种有目的的活动，而不像自然界和人类历史本身那样，表现为一种自然的、无目的的过程。作为一种有目的的活动，其本质特点是包含着目的与手段（或条件）的关系，这也就决定着经济学分析结构应具有的一个重要特点，是要研究行为目的与限制条件之间的关系（见

第 5 章第 5 节)。而当我们从这个角度考察问题时,我们便可以发现:哲学中的生产力事实上构成了经济学中的物质、技术条件,生产关系构成经济学中的社会条件,而作为二者对立统一的生产方式构成整个经济活动的客观条件;所不同的在于它们所处的相对关系不同。在哲学中,它们相对的是上层建筑;而在经济学中,它们相对的是作为经济行为主体的有目的的活动目标,即经济利益。这一分析并不一定意味着完全放弃在经济学中使用生产力与生产关系等概念术语,因为经济学仍然要研究二者关系本身。但是,我们必须明确地在不同学科的差异中把握它们。这对建立科学的经济学理论结构具有重要的意义,特别是对于改造马克思主义经济理论结构,为行为目标、物质需要等因素在分析结构中确立起应有的地位,使数量分析精确化等等,有着重要的作用。①

2. 辩证逻辑向形式逻辑转化的问题。马克思《资本论》的一个基本特征是以辩证法作为考察经济范畴的基本方法,基本范畴之间的关系,具有矛盾由抽象到具体上升的性质。这使马克思主义在分析经济关系,分析经济事物的本质与现象的关系,分析经济运动的规律和发展趋势等方面,具有独特的洞察力。但是,这种方法在使经济学概念获得进一步的质和量两方面内涵,在对经济范畴和经济现象进行数量分析的问题上,迄今还具有一定局限性。这是因为,辩证逻辑只有以某种特殊的方式转化为形式逻辑,才能用于数量研究。事实上,数学中正是把辩证逻辑通过微积分学转化为形式逻辑,才使对数量之间的辩证关系(动与不动、有限与无限等)的分析得以发展起来。在经济学中,使用价值与价值的矛盾、价值形态的矛盾、资本主义生产二重性等等,也必须经过从辩证逻辑转化为形式逻辑的过程,才能得以对它们进行量的分析,获得进一步严格、确定的理论结论。这里丝毫不否定在现代马克思主义经济学中已有的数量分析的成就,只是想指出,若想使马克思主义经济学得以进一步在数量分析方面发展,包容现代其他经济学的许多

① 这在当前的社会主义经济理论中表现得最为明显。一方面,经济行为主体的行为目的和行为方式是不明确的,从而不能在理论上得出确定的、逻辑的结论;另一方面,所谓“社会主义基本经济规律”的分析与生产方式的分析,至今不能获得有机的统一。

内容，就必须进一步进行某些方面的辩证逻辑向形式逻辑转化的工作。

总之，根据理论分析结构的优越性，笔者认为现阶段经济理论的新综合，应该建立在马克思主义体系基础之上①，可称之为“马克思主义新综合”。当然，在此这还不过是一个抽象的概念，一个口号，具体内容还有待于以下各章的讨论和本书之外的进一步研究。

*　　*　　*

以上几章主要是从总体上对各种经济理论体系进行说明和比较，一方面分析各自的特征，另一方面也分析它们在经济学学科整体中的地位和相互关系。这种分析已经给我们提供了一定的指导思想和理论基础。下一篇将在各种具体理论问题上对不同的经济理论体系进行分析比较，重点在于说明各种具体理论问题上不同观点之间的关系。这种具体分析，一方面是本章提出的基本观点的应用，另一方面也是对这种基本观点从各方面的进一步具体说明。相对说来，下面的具体理论的研究，或许更为重要。概论是不可缺少的，但若没有具体的实实在在的理论内容作为补充，概论就只是空论。

① 理论综合时的理性选择，或许还应考虑其他因素。前面分析的各种经济理论之间的另一基本区别，即对社会经济活动进行考察角度的差别，似乎也应成为重要的选择标准之一。但是，笔者还不能确定在综合过程中是以社会经济活动的物质内容为基础更优越，还是以社会形式为出发点更优越，因此此处不作考察。另一个可能的选择标准，即阶级性标准也是重要的，即使我们目前仅仅研究的是实证理论的问题。但由于阶级性标准本身的社会性特征，必然出现“公说公有理，婆说婆有理”的情况，争执不下时还是要诉诸其他的非阶级性标准。

下　篇

具体理论

7

价值—价格理论

在非马克思主义经济学中，价值理论及其所处的地位，经历了一个从有到无、从重要到“无所谓”的发展过程。“边际革命”抛弃了古典经济学派的劳动价值论，代之以边际效用价值论。在20世纪初以前，无论在哪一本重要的经济学著作中，价值理论都占有重要的地位，占有大量的篇幅。但是从帕累托、卡塞尔等人开始，以绝对量为量的规定的价值概念逐步被抛弃了，均衡价格理论代替了价值决定价格的理论；没有价值理论，似乎也可以说明经济现象，价值理论本身变得可有可无，不再重要了；它甚至被视为一个古老的概念。对于马克思的劳动价值论，一般的看法也是只有在为剩余价值论服务的目的上，才是有用的（许多人甚至认为对剩余价值理论来说也没有用），在解释价格的问题中，它被认为是可有可无的（例如，它似乎可以被长期均衡价格所代替）。

但是在这一切的背后，对价值理论的关心，并没有完全泯灭。“100年来，伟大的非马克思主义经济学家，如A.马歇尔、J.熊彼特和凯恩斯，先后都对完全没有价值理论的经济学感到不满意。”（Drucker，1981：29）之所以如此，就在于真正的理论家都会感觉到价值理论作为整个经济学基石的意义，正如帕西奈蒂指出的：价值理论是“经济分析范式差异的一个源泉”（Pasinetti，1986：

408)。

在马克思主义阵营方面，面对正统经济学的批判，经济学家近百年来从未停止过捍卫和发展劳动价值理论的努力。总的来说，这种努力体现在两个方面：一是进一步阐发劳动价值论在说明资本主义经济关系中的重要的、不可缺少的作用；另一方面是在坚持劳动价值论本身基本内容的同时，对其进行某种修正和扩充，比如试图在价值决定中引进需求的作用（如对社会必要劳动"第二种含义"的讨论、解决转形问题等等）。

在笔者看来，一个全面、科学的价值—价格理论所需的各种理论因素目前已经具备，但它们是由不同的理论在不同的形式下提供的，因此迄今在价值—价格理论上还存在着一些基本概念的混淆。而解决价值理论所面临的问题（比如如何全面地说明所谓"价值规律"、全面说明价格的变动等），根本不在于是否能提出一个新的价值理论，而在于说明价值与使用价值之间的关系、价值与价格之间的关系，说明不同的价值理论之间的关系，说明价值量决定与供求决定价格这一现象之间的关系。

7.1 劳动价值论

据说，有一次在研究班讲课时，一个学生问凯恩斯，为什么在他的《通论》中没有价值理论。凯恩斯回答说："因为唯一通行的价值理论是劳动价值论，但它已声名狼藉了。"（Drucker，1981：28）

凯恩斯这段话至少表明两点：(1)在西方其他现代经济学中没有价值理论；(2)劳动价值论无论是否"声名狼藉"，却是现存的唯一的价值理论，考察价值理论，必须要以它为起点。

7.1-1 价值的质的规定

马克思主义劳动价值论的基本内容包含以下两个方面：

1. 将价值归结为劳动。商品的价值实体是社会必要劳动。在第4章中已指出了这一命题的唯物主义含义：在马克思主义经济学中，任何经济范畴都具有物质实体；将价值归结为人类的物质活动，不仅确定了价值范畴的物质属性，同时也为各种经济范畴的物质统一性奠定了基础①。商品是劳动创造的，商品的价值代表着一定量的劳动，这是一个基本的事实。认识到并承认这一点并不难。无论在现代生产中生产资料如何起着重要的作用，但只要将视野追溯到足够长的历史时间，生产资料本身也是劳动创造的产品，生产资料的生产资料也是劳动创造的。最初的古典经济学家就看到了这一点，“斯密教条”也反映了这一点。在现代，非马克思主义的经济学家也不难得出这一结论。凯恩斯、罗宾逊等人事实上都承认国民总产值是劳动创造出来的，并因此认为应用劳动作为价值尺度(Keynes，1937；Robinson，1962：22—23)。但是，要注意到的区别是，马克思主义劳动价值论认为物化劳动是任何一种商品的价值实体和内在属性，而凯恩斯、罗宾逊等则是将劳动作为一种特殊的价格标准，即瓦尔拉斯所称的“计价物”，事实上只是一种价格尺度，它是外在于商品的。因此，这种理论不过是对马克思指出的交换价值形式中价值与使用价值矛盾外化这一事实(见后)的一种反映，而并不构成劳动价值论。也就是说，承认劳动创造财富，并不等于劳动价值论；劳动价值论的一个基本特征是将劳动视为商品的内在属性，是将劳动确认为价值的物质内涵。

2. 价值是一种特殊的社会生产关系。劳动并不是在任何情况下都表现为价值；劳动表现为价值，是由“消耗在物上的劳动的一定社会方式”决定的(马克思，1975：《资本论》，第1卷，第99页)。因此，价值范畴本身是商品的社会规定性；劳动决定价值，同时也就意味着劳动的特殊社会关系决定着价值关系。而这就意味着，社会生产关系的内容都会体现在、浓缩在价值范畴之中；而对价值关系的分析，则构成对社会经济关系分析的基础。

将价值的本质归结为特殊的社会生产关系，是马克思劳动价值论的一个最本质的特征，在整个经济分析过程中起着极为重要的作用，并因此而与古典经济学的劳动价值论区别开来。既然价值本身是劳动的社会关系的表现形式，那么社会经济关系的一切规定和发展变化也必然表现在价值关系上。

① 马克思：“价值本身除了劳动本身没有别的任何‘物质’”(马克思：《马克思恩格斯〈资本论〉书信集》，人民出版社1958年版，第132页)。

当简单商品经济发展为资本主义商品经济时，不仅出现了劳动力这一特殊商品价值的决定问题，而且价值本身也转化为生产价格。所谓“转形问题”，本质上首先是生产关系的“转形”问题，因而必须首先由价值的社会规定性来说明（见第 8 章）。工人和资本家阶级之间在劳动力价值决定和剩余价值率决定问题上的斗争，资本家之间分配剩余价值的竞争，必然都会对价值关系（从而对价格决定）产生重要的影响。经济学中的许多争论，往往是由不能全面理解马克思劳动价值论的这一重要特征而产生的。不过，此处还不拟对此作更多的涉及（下章将有所讨论）。

7.1-2　价值量

上一小节涉及的是价值范畴的质的方面。然而，经济学说史上引起争论最多的却集中于价值规定的量的方面，最容易产生概念混淆的也正在这一方面（当然，这方面的争论其实在很大程度上根源于对价值范畴的质的规定的不同理解）。

马克思把价值量定义为社会必要劳动，而这个社会必要劳动，在《资本论》第 1 篇《商品和货币》中，就是定义为“在现有的社会正常的生产条件下，在社会平均的劳动熟练程度和劳动强度下创造某种使用价值所需要的劳动时间”（马克思，1975：《资本论》，第 1 卷，第 52 页）。这个量是什么呢？十分明显，就是当时特定物质、技术条件下的社会劳动生产率的倒数。事实上，所谓价值量，指的就是在一定的社会生产力下社会同质（平均）劳动生产某一种（任何一种）产品所需的劳动时间。因此，它也就体现着社会生产力，或者说，代表着、标志着一定的社会生产力。就单个物品来说，价值量的问题就在于在当时的生产条件下，生产它要多少劳动的问题；就社会总产品来说，便是社会总劳动在当时的生产力条件下可能生产出多少量的具有任意一种组合的总产品的问题。在这里，既不涉及对产品的需要问题或社会需要的比例结构问题，也不涉及生产调整与否、供求适应与否或所谓的“长期和短期”的问题，因为问题的性质不在于是否要生产，而在于生产的能力。至于如何利用这个能力，完全是另外的问题，而不是价值量范畴本身所包含的问题。

价值量的规定的这种性质，已经表明了它的不言自明的意义：(1)在一定的生产力条件下，若一定量的某种产品是需要的，那么生产它的劳动，最终必须符合体现生产力的社会必要劳动，从而它构成价格不断偏离价值但又趋向于价值运动的重心；(2)社会生产力变化，价值必然变化；(3)在生产同种商品的部门中，效率高于平均值的劳动创造较大的价值量，低效的劳动只能创造较小的价值量。

新古典经济学家们常常将马克思的价值量，等同于在完全竞争条件下的长期均衡价格，并常常强调劳动价值论所包含的前提假定：(1)单一、同质要素(劳动)；(2)完全竞争；(3)长期供求均衡等。这看上去是论证了劳动价值论的合理性或科学意义，其实是不得要领，混淆了不同的问题。所谓完全竞争下的长期均衡价格，是以一定结构的使用价值需求为前提的；在引入需求的前提下，劳动决定价值自然意味着长期均衡价格。但是价值量概念本身还根本没有涉及需求问题，就物质内容而言，它仅是生产任何一种使用价值或任意一组使用价值的物质、技术可能性问题，相应地，由于长期均衡问题不存在，自然也就不存在短期均衡、边际成本、生产比例调整、产业转移等问题。因此，反过来用劳动价值量相当于长期均衡价格，因而不适合于价格变动、短期均衡、边际调整等等问题的分析，来指责劳动价值论，认为它无用，也就是风马牛不相及的。

马克思自己对这个问题也并不是完全清楚的，因而在《资本论》第 3 卷(以及第 4 卷的一些地方)涉及社会需要、社会生产比例、结构调整等问题时，提出了所谓“社会必要劳动第二种含义”的概念。①他没有认识到，在价值量的决定问题上，这个概念与第 1 卷的“第一层含义”是无法统一的(也是无法与“价格偏离价值”的命题相统一的)。或者更严格地说，这个概念只有在供求长期均衡的前提下，才能统一；然而既然供求均衡，这个概念又毫无意义，因为在均衡条件下，就不存在不被社会承认的、对于社会需要来说不必要的劳动，也不存在因社会必要而被当作较多社会劳动的某种劳动——社会劳动能创造多少价值，与这个价值总量在不同生产、不同产品上的配置比例，是两个截然不同的问题。这是关于“社会必要劳动第二种含义”和社会

① 参见马克思，1975：《资本论》，第 3 卷，第 208—209，716—717 页。

需要在价值量决定问题上的讨论长期未获得(不能获得)结果的一个基本原因。①

通过以上的分析,我们可以看到价值范畴的重要意义和作为经济学基础的性质:它本身包含着社会经济关系与社会生产力的辩证关系;一切有关生产关系与生产力辩证运动的理论分析,都可由此引出并在此基础上展开。但另一方面,它作为“基础范畴”在整个概念体系中的地位也是必须明确的:它还不能直接被用来解释许多经济现象。要做到这一点,还需要引入其他的因素。过去理论上发生的许多有争议的问题,正是在于让这一价值理论解释它本身不能解释的现象。

7.2 交换价值理论

7.2-1 交换价值形态

“价值对象性纯粹是社会的,那么不用说,价值对象性只能在商品同商品的社会关系中表现出来。我们实际上也是从商品的交换价值或交换关系出发,才探索到在其中的商品价值。现在我们必须回到价值的这种表现形式”(马克思,1975:《资本论》,第1卷,第61页);也就是说,回到交换价值。

“交换价值首先表现为一种使用价值同另一种使用价值相交换的量的关系或比例”(同上书,第49页)。用马克思的代数式,简单交换价值形式是“x 量商品 A＝y 量商品 B”(同上书,第62页)。但是,这里的等号,只能在理论上读作“等价于”或“与……相交换”,并不是数学上的等号。为了避免混淆,与后面的数学符号相区别,这里将其改写为“〈＝〉”,即

$$xA\langle=\rangle yB$$

以下称这个公式为“交换价值形态”。

① 笔者曾长期相信“社会必要劳动第二种含义”能与劳动价值论相一致,直到撰写本书前不久,还相信这是解决问题的正确方向。然而,进一步的研究证明,它不能产生任何一种逻辑上前后一致、并能说明各种理论问题的价值理论。不过受篇幅所限,这里不能详细讨论这个问题。

一个重要的理论事实是，以上这句话和这样的公式，我们不是仅仅在马克思的著作中读到；类似的话，几乎也能在任何一本属于其他理论体系的经济学著作中读到。看来问题的奥妙正在这里。

对交换价值的分析是联接价值理论与价格理论的中间环节。而在最基本的理论层次上，交换价值理论是联接价值理论与使用价值理论的中间环节。以往的一切有关的理论争论，都是因为双方没有充分地认识到这一点而陷入了混淆。

7.2-2 商品两因素矛盾的外化

马克思对交换价值形态的分析，首先是从交换双方的相等关系中，在它们的价值量的无差别性中，揭示了价值是无差别的人类劳动的单纯凝结。

然而，对我们现在的论题来说，马克思的最为独到的功绩，在于他运用辩证法，在对交换价值的分析中，揭示了这样一个重要的理论命题："潜藏在商品中的使用价值和价值的内部对立，就通过外部对立，即通过两个商品的关系表现出来了"，"所以，一个商品的简单的价值形式，就是该商品中所包含的使用价值和价值的对立的简单表现形式。"（马克思，1975：《资本论》，第1卷，第76页）

可见，上述交换价值形态，就是价值与使用价值矛盾的表现形式，是价值与使用价值之间的一种外化的关系。读过《资本论》的人都知道上述命题所包含的理论内容，此处不多复述，而是直接从中引出本书所需要的重要结论。

7.2-3 交换价值：商品两因素的二重表现形式

推论一：交换价值形态中"一种使用价值与另一种使用价值相交换的关系或比例"，只是一种"表现形式"，在它背后，较深一层的关系实际上是价值与使用价值之间的关系。

《资本论》第1卷第1章的分析过程是：首先从作为表现形式的交换价值，即不同物品的交换比例关系入手，直接揭示价值规定，然后再返回来分析交换价值形式，并且作为这种分析的结论，揭示出交换价值实质上是商品内部矛盾的外化，是价值与使用价值之间的矛盾关系的表现。这也就是说，交换价值本身也有一个形式和内容的问题：物品间交换的比例，是它的形式；而它的内容则正是价值与使用价值之间的关系。马克思在明确提出了商品两因素矛盾外化的命题之后，却没有得出这个关于交换价值形式和内容的结论。

推论二：交换价值本身既是价值的表现形式，也是使用价值的表现形式。

任何两种商品，各自本身都具有二重性，都既是价值，也是使用价值。当它们作为价值相互发生关系的时候，它们处在价值形式中。但是，这并不能否定它们也作为使用价值相互对立、相互联系。特别是，在简单交换价值形态上，也就是在两种物品直接的物物交换过程中，交换的目的并不是为了价值，而是为了使用价值，人们是在放弃一种使用价值而换取另一种使用价值。两物之间的价值关系，是说明它们等价，因此可以交换，但却不能说明为什么交换，因为从价值的角度看，以等价换等价，“双方都不能得到利益”(马克思，1975：《资本论》，第 1 卷，第 180 页)。交换的问题，必须由使用价值之间的关系才能加以说明，因为只是由于使用价值的不同(不仅是质的不同，而且对交换者个人来讲也是量的不同)，才能使“交换双方都得到利益”(同上)。因此，交换价值形态，即 $x\text{A}\langle=\rangle y\text{B}$，不仅是价值关系表现形式，也是使用价值关系的表现形式。交换价值形态本身是价值与使用价值对立统一的表现形式；它既是价值形式，也是使用价值形式；它是价值形式与使用价值形式的对立统一。

马克思正确地指出了单个商品内部的两因素或二重性，又正确地指出了交换价值形态是价值与使用价值矛盾的外化，然而他却没有得出上述结论。他把注意力放在对价值形式的分析上，以说明货币形式的起源。这本身并不错。马克思的失误在于片面地认为交换价值形态仅仅是价值形式(在马克思的术语中，交换价值与价值形式是同义语，《资本论》第 1 卷第 1 章第 3 节的标题就是“价值形式或交换价值”)，而没有认识到它同时也是使用价值形式。这是马克思交换价值理论的一个根本的缺陷，也是其价格理论的缺陷的根源。

7.2-4 交换价值作为使用价值形式

作为价值形式，交换价值形态中的商品 A 处在相对价值形态上，仅表现为使用价值；商品B处在等价形态上，仅表现为价值。

作为使用价值形式，交换价值形态中的商品A处在交换手段形态上，仅表现为价值——A的主人用它作为等价物手段去买另一件商品；而商品B则处在交换目的形态上，仅表现为使用价值——A的主人要用A去换B，是为了获得B的使用价值，而不是为了它的价值。

可以注意到，同一商品，在价值形式和使用价值形式中，表现商品的不同的属性。如A，在价值形式中，作为使用价值；而在使用价值形式中，则作为价值。这既表现了价值与使用价值在同一商品中的内在统一，又包含着二者的对立——同一商品，不能同时在两种形式中以同一身份出现；一件商品，在交换中要想被表现为价值，就只能作为使用价值出现，而不能作为交换手段；而要作为交换手段，又只能作为价值形式出现，其自身的价值便得不到表现。这表明了价值形式与使用价值形式的对立，同时也是物物直接交换的矛盾和困难的根源。

这样，当一般等价物出现后，整个交换过程的两个阶段的关系也就十分明确了：第一阶段即卖的过程，是商品价值形式的独立化；第二阶段即买的过程，是商品使用价值形式的独立化。因此，商品交换过程的两个阶段，不过是交换价值形态二重性的进一步外化；它是商品两因素矛盾的外化的外化。

7.2-5　交换价值量的二重性

推论三：交换价值（价格）①的量的规定，同时包含着价值量的关系和使用价值量的关系。

量的规定是由质的规定所决定的。同时，不存在没有量的质。既然交换价值（或价格）在内容上是商品本身价值和使用价值两因素矛盾的外化形式，那么它的量的规定，自然也就包含着价值量的规定和使用价值量的规定两个方面，而不可能仅由价值量决定。这实际上不过是可以从以上对交换价值形态内容的分析中直接推导出的一个结果，而马克思没有得出这一结论，这

① 请原谅这里直接从交换价值跳到价格。不过，撇开货币形式问题（货币只是一种特殊价值形式，即一般等价形式），交换价值也就是价格。

是他片面地把交换价值形态仅仅当成价值形式而没有同时把它当作使用价值形式的一个直接结果。后面将着重于这个问题的分析,这里暂不多议。

7.3 抽象使用价值——效用

7.3-1 马克思论使用价值

马克思未能提出一个完整的交换价值或价格理论,在理论分析上的一个直接原因,是在于他当时缺少一个完整的关于使用价值的理论,关键是缺乏对使用价值量的分析。

马克思并不是没有研究使用价值理论,他关于使用价值的分析所包括的内容有:(1)使用价值具有满足人的某种需要的属性。(2)它首先取决于物本身的客观属性,但只是"在使用或消费中得到实现"。(3)一物可以有多种使用价值,并且既可以满足"胃的需要",也可以满足"幻想的需要"。(4)一种物品对不同的人来说具有不同的使用价值,比如烟草,对有的人有很大的使用价值,对有的人则完全没有使用价值。(5)使用价值在商品关系中是价值的承担者,"没有一个物可以是价值而不是使用物品",只有生产使用价值的劳动才创造价值,但"一个物可以是使用价值而不是价值。在这个物并不是由于劳动而是对人有用的情况下就是这样"。(6)商品经济的特点,是生产者为他人生产使用价值,"即生产社会的使用价值",作为商品的使用价值的历史特殊性就在于它最终具有"社会的使用价值"的性质。①(7)在交换过程中,"就使用价值来看,交换双方都能得到利益",也就是能使交换者获得更多的使用价值。(8)一物的使用价值本身也是可以发生变化的,如磁石原来的使用价值和其他石头是一样的,但是后来使用价值提高了,因为"磁石吸铁的属性只是在通过它发现了磁极性以后才成为有用的。"(以上引文均

---

① 一个更严格的说法是:"如果只有四个不同的生产部门,那么,这四个生产者中的每一个人都会有很大一部分是为自己生产,如果有几千个生产部门,那么,每一个人就可以把他的全部产品当作商品来生产。"(马克思,1972:《剩余价值理论》,第1册,第203页)这就是说,商品使用价值的社会性,也依商品生产本身的发展程度所决定。

散见于马克思，1975：《资本论》，第1卷，第47—98页）(9)最后，就使用价值与生产发展的关系而言，“需要是同满足需要的手段一同发展的，并且是依靠这些手段发展的”（同上书，第559页）；就使用价值与社会经济关系的关系而言，“‘社会需要’，也就是说，调节需求原则的东西，本质上是由不同阶级的相互关系和他们各自的经济地位决定的”（马克思，1975：《资本论》，第3卷，第203页）。这些都是正确的内容。

但是在一个重要的问题，即关于使用价值的量的规定上，马克思没有能够提出相应的理论。他认为作为使用价值，商品首先有质的差别，商品相互交换，就在于它们是不同质的；而质上不同的东西之间，在量上是不能相互通约的。因此，商品之间的量的比较，只根源于同质的劳动即价值的比较，而不同物品的使用价值在量上是无法比较的，不存在一个建立在同质性基础上的统一的量的尺度对它们进行通约、度量和比较。

这里，马克思未能提出一个关于使用价值量的理论，有两个方面相互关联的原因。一是他错误地认为对使用价值来说，衡量尺度，只是物品的长度、重量等自然尺度，而没有充分认识到在经济学中，物品的意义不在于物本身，而在于使用价值；而作为使用价值，还有一个经济尺度的问题。①另一方面，最重要的是，他没有能够为不同的使用价值在理论上确认出共同的质。马克思正确地运用了理论分析的抽象力，在价值问题上，为不同种的劳动找到了它们的同质性，即抽象劳动。但对于商品两因素的另一因素使用价值，他的困难则发生在没有能够充分运用抽象力，为不同的使用价值找到一个共同的从而也是抽象的质。

7.3-2 抽象使用价值——效用

让我们从一个简单的事实出发。在商品的交换中，我们不妨假定在商品交换最初发生的时候也就是在“公社的尽头”，或者假定在上页注中的社会仅有“四个生产部门”的情况下，一个生产者为什么不把他所生产的在价值

---

① 不过，马克思曾经指出：“我们的需要和享受是由社会产生的，因此，我们对需要和享受是以社会的尺度，而不是以满足它们的物品去衡量。”（《雇佣劳动与资本》，《马克思恩格斯选集》，第1卷，第368页）

上相同的产品全部交换出去,而只交换某一特定的量去换取一定量的另一种物品?(马克思不曾提出过这个问题)显然,就这个生产者来说,当他在交换时,是将他所有的物品与被交换的物品进行了量上的比较之后才作出这个决定的;但他比较的显然不是价值,即劳动,因为对他来说,平均地这些产品所付出的劳动都是相等的,他并不因最后几件产品付出的劳动较多或较少才想把它们交换出去。他比较的只能是交换中不同质的物品对他来说的使用价值的大小——是因为后一种物品的一定量所提供的使用价值,比他所有的那种物品的一定量所能为他提供的使用价值更大,他才想去交换(正如马克思所说:"就使用价值看,交换双方都能得到利益")。可见,对一个人来说,不同物品的不同使用价值是可以,而且事实上正是被按照某种共同的尺度来加以度量和比较的;而可以通约、比较这个事实,则正说明不同的使用价值对一个人来说存在着同质的东西。

这个同质的东西是什么呢?那就是各种商品都能为一个人所带来的需要的满足。正像马克思将体现在不同种具体劳动中的人的脑、肌肉、神经、手等等的生产耗费称作抽象劳动一样,按照同样的方式,可将各种不同的使用价值能为一个人所带来的生理、心理或社会的满足,称为"抽象使用价值"。正如具体劳动是不可比的而抽象劳动是可比的一样,不同的具体的使用价值是不可比的,但体现在具体使用价值中的抽象使用价值是可以在量上进行通约、度量和比较的。抽象使用价值构成各种使用价值的共同的质,它的量构成对不同使用价值进行度量比较的统一尺度。

在西方正统经济学中,所谓"效用"(utility),也可译为"有用性",其实正是这里的抽象使用价值。为不同种劳动找到统一的度量尺度即抽象劳动,是马克思的功绩;而为不同使用价值找到统一的度量尺度,即效用,是"边际革命"的产物,是边际效用学派的功绩(遗憾的是,无论是边际革命的赞成者还是反对者,至今都没有认识到它的这种意义)。不过,边际效用价值论,在作出这一功绩的同时,也把将使用价值混同于价值的做法发展到了极端。由于交换价值的谜一般的性质,经济理论史上从最初就一直存在着把使用价值当作价值,或者不区分价值和使用价值,仅用使用价值解释价格的倾向,这种倾向在边际效用价值论中得到了最后的彻底的完成:它实际是提出了抽象使用价值的范畴,却把它当成了价值理论。凯恩斯不把它算作一种价值理论，也就表现出了他的伟大之处。

7.3-3 抽象使用价值的特点

抽象使用价值即效用概念，具有以下几方面的特点：

一是它的个人性。尽管劳动是由个人付出的，做同样的工作，对不同的人来说，体力、脑力损耗是不同的，但作为一种生产活动，多少还是能够根据它所作的功、耗的热等客观指标进行社会比较的，但是，一种使用价值能为人带来的满足即效用，却完全是因人而异的。一个精神病患者打出一个铁钉，他就是付出了与他人造一铁钉一样的劳动；但这一铁钉能为精神病人带来的幻觉的满足，却与它能为正常人带来的满足毫不相同。对一个学者来说，一架子书与一套公寓等值，而对一文盲来说，也许只与一只鸡等值。这种个人性为经济学带来了巨大的麻烦。基数效用论演变为序数效用或偏好理论，以及效用加总问题和长期争论未决的社会福利函数问题等等，都表现出经济学处理这种效用个人性的难度。但这并不能否定抽象使用价值本身的一定的理论意义，它仍能为解决许多理论问题作出贡献。也正因如此，人们尽管对它的实践有用性不断地怀疑，但又从不舍弃。

从交换价值的角度看，抽象劳动决定着物品间的社会通约性，抽象使用价值代表着物品间的个人通约性。不过，由于个人与社会的辩证统一关系，在某些理论问题上，我们也可以简单地以加总的方式，或平均数的方式，考察某一商品的社会效用。

二是它的抽象性。由于“满足”这个概念是极为虚玄的，又包含着主观性，因此它至今还是不可能直接度量的（不知人类以后能否做到对其直接度量），仍然仅仅是一个理论的、抽象的量标，最多只能间接地度量。马歇尔所谓的“用事后的经验材料反过来测度”的提法，以及萨缪尔森、希克斯等提出的“显示偏好”（revealed preference）理论，都体现着这种间接度量的做法。但是，这种抽象性其实并不独特。作为价值的抽象劳动从量上看本身也是相当抽象的，只能通过交换过程的反复比较间接地度量；人类一旦能够直接度量计算劳动，价值形态也就不复存在了。长期发生疑问的复杂劳动换算为简单劳动的问题，事实上正是由价值量的抽象性引起的。另一方面，度量尺度的抽象性，丝毫不减损其理论价值和对实践的指导意义。人们在许多领域都是先在理论上确定了抽象的度量尺度，然后（可能很久以后）才能找到具体的度量办法；但人们不能因还未找到具体的度量办法，就否定抽象尺度所能带来的许多重要的理论结论。

三是主观性。笔者希望读者不要从“主观”两字中读出过多的贬义来。物品本身是客观存在，具有客观属性，是消费对象，但它是否具有使用价值，有多大的使用价值，则取决于人对它的评价。因此“主观性”概念在这里只是表明，使用价值本身是人与物的关系。否定使用价值本身的主观性，认为经济学根本不研究这种关系，其实才是不承认现实的主观主义。《资本论》一书开篇第二段文字就承认了使用价值的主观性，指出需要的性质，既可以由胃产生也可以由幻想产生。经济学家们用“主观学派”一词时所含的“贬义”，并不是批判使用价值的主观性，而是批判一种学说只研究人与物的关系并用它来代替人与人的关系。

抽象使用价值即效用概念的确立，对于经济学的意义，不仅在于为从人与物的关系方面考察经济活动、全面地研究价格运动提供了理论基础（之一），而且还在于为经济学全面地对经济行为进行数量分析奠定了基础，使其得以将经济活动中各种选择行为，用求最大值或最优规化的方法来进行处理，得以对消费行为和生产行为以同一方法加以研究，并使二者在数量关系上有机地结合起来。O.兰格在他 1959 年写成的《政治经济学》第 1 卷中最先指出了“边际革命”使得经济学得以按同样的“资本主义精神”，即建立在理性选择基础上、追求利益最大化原则的基础上来分析家庭经济活动即消费活动，从而使得经济学对理性选择行为的研究获得极大发展的意义。① 米克也曾进一步肯定了兰格的分析，并指出了效用分析对经济学中计划、控制理论的发展所作的重要意义（Meek, 1973）。抽象使用价值即效用概念在经济学中的确立，与边际分析方法在经济学中的运用同时发生（即在边际效用理论中同时出现），不是偶然的。边际分析本身是为求最大值问题服务的。然而，若不能对不同的标量（各种使用价值）找到一种统一的度量标准，最大化问题的研究便无法展开，因为最大化问题的目标函数可以是多元的，

① 不过，在这部著作中，兰格对经济学是否应该研究家庭经济活动，效用这一统一尺度能否具体度量等提出了怀疑。

但必须是统一的、单值的。最大化数理分析可以得到许多确定的、具有极值意义的结论。这也就是为什么经济学的数理分析在效用概念确立后得到长足发展的一个重要原因。

7.3-4 效用概念形成的历史条件

根据上述理论,这里还可以对“边际革命”发生的客观历史条件作出一个新的解释,以便更好地理解抽象使用价值或效用范畴的理论意义。马克思曾精辟地指出:“最一般的抽象总只是产生在最丰富的具体的发展地方,在那里,一种东西为许多东西所共有,为一切所共有。”(《马克思恩格斯选集》,第2卷,第107页)正如抽象劳动概念只有在社会分工充分发展、劳动的具体形式充分发展的条件下才能最终形成一样,抽象使用价值的范畴,也只有在物质多样性、使用价值多样性充分发展的条件下才能产生。在资本主义以前和资本主义早期,由于社会生产力低下,物质不丰富,人们的生产只是满足有限种类的基本消费需要,而且生产的发展长期停滞、缓慢,往往一个人的一生中没有新的消费对象产生,从而消费选择的问题、最大化满足的问题虽然暗含地存在,但并不构成真正需要思考的问题。人们通常只是按照习惯消费而已,不同使用价值对他们的关系是固定的,以传统、习惯的形式出现的(这正是制度学派批判边际效用学派的根据,但韦伯等人正确地指出过这个问题上的历史发展进程)。只有到了资本主义时代,当生产力大大发展起来,一般人的消费已超出了基本生存的需要,而且新的消费对象以很快的速度不断出现,物质丰富达到一定程度的时候,选择的问题,对各种使用价值进行统一度量、比较的问题才真正提到人们的面前,因为人们现在确实面临着“可要可不要”的问题,面临着将一种原有的使用价值与新出现的许多使用价值进行比较、选择的问题。只有在这时,抽象使用价值的概念才可能产生。由此可见,在产业革命后资本主义生产高度发展的历史背景下,19世纪60—70年代的经济学“双重革命”,一方面以社会分工的发展为条件产生了马克思的抽象劳动范畴,从而使价值理论得以完成;另一方面以物质产品丰富为条件,形成了抽象使用价值—效用范畴,从而使使用价值理论(尽管人们当时以为它是价值理论)得以完成,绝不是偶然的,它充分表现了人的思维活动对现实状况的依赖关系。

7.4 价格理论

现在，我们一方面有了价值理论，另一方面有了使用价值理论，让我们再回到外在地体现使用价值和价值关系的交换价值形态。这一形态的确具有谜一般的性质，以致马克思仅仅把它当成了价值形式（尽管他指出了在这个形式中包含着商品两因素矛盾的外化），效用价值论者则仅仅从中看出了使用价值的意义，而我们现在已经明白，它的真正含义，是价值形式和使用价值形式的对立统一。但是重要的问题在于，这种关系不仅需要思辨地加以把握，也需要以确定的逻辑方式进行量的分析。这里不打算对复杂的情况进行严格的数理分析，而是仅用较简单的数学形式来阐明价格理论与价值理论和使用价值理论的两个方面的基本关系，以及这两方面关系的有机统一。

7.4-1 作为物的交换比率的价格

现在仍仅考察简单交换价值形态：

$$xA\langle=\rangle yB$$

这里，A、B只是商品种类的代表，而不是数量，因此可将其删去，但要记住 x 是A的量，y 是B的量：

$$x\langle=\rangle y$$

用一单位A交换的B的数量，构成A的价格，即

$$p_a=y/x \tag{7.1}$$

p_a 便是以B的数量表示的A的价格。而B，由于处在等价形态上，自己没有获得价值表现，一单位的B，只是一单位的B，没有别的意思；因此，才有了所谓等价物或“计价物”价格等于1（也就是它自己）的结论。在这里 $p_b=1$。而由于 $p_b=1$，p_a 既可以理解为A的价格，也可以理解为A与B的“比价关系”，即 $\frac{p_a}{p_b}=p_a$。

这里，y/x 的意思实际是一单位 A 所能交换的 B 的数量，比如 2 件上衣（x）与 40 匹麻布（y）相交换，一单位上衣换 20 匹麻布，$p_a=20$。由于等价物的特点是用自己的自然形态的量来表示其他商品的价值，因此通常说上衣的价格是 20 匹布。p_a 事实上代表的是一定量的 y（因此也可直接表示为 y_a，即一单位 A 所能交换的 y）。但不能忘记，价格本身是一个相对量，是一个比率；在等价物数量的下面，事实上总有一个分母存在。

7.4-2 价值关系

根据劳动价值论，交换价值形式两边之所以能够在交换中相等，是因为生产它们的劳动量相等。设 L_a 为生产一单位 A 所需的社会必要劳动；设 L_b 为生产一单位 B 所需的社会必要劳动。生产 x 单位 A 的总劳动量为 $L_a x$；生产 y 单位 B 的总劳动量为 $L_b y$（这里 L_a，L_b 是劳动生产率的倒数）。根据劳动价值论，在价值关系中，一定量的两种商品等价交换，就是因为生产它们所用的劳动量是相等的，也就是：

$$L_a x = L_b y \tag{7.2}$$

移项后，可得：

$$y/x = L_a/L_b$$

而 y/x，正是前面给出的商品 A 的价格，即 p_a。因此，就有：

$$p_a = L_a/L_b$$

对于这个等式，必须指出以下几点：

1. 根据劳动价值论，在市场供求均衡的前提下，价格作为价值形式，所表明的是生产两种商品的劳动，即 L_a 与 L_b 之间的关系；价格的高低，取决于生产两种商品的社会必要劳动之间的比率。在商品 B 为一般等价物（如黄金）的情况下，公式（7.2）中的 p_a 可以表示所谓"绝对价格水平"；在 A 和 B 都不是一般等价物的情况下，p_a 表示的就是这两种商品的相对价格。

2. 所谓价格与价值相等或相符指的绝不是价格等于商品自身所包含的劳动量，而是指价格这个比率，同商品自身包含的劳动量与作为等价物的商品中所包含的劳动量的比率之间的相等关系。这并不是说一种商品的价值取决于它包含的劳动量与其他商品所包含的劳动量之间的关系，而只是说，当我们谈论价格与价值的关系的时候，由于价格永远是一种相对量，一种比率关系，因此它不可能与作为绝对量的价值（劳动时间）相等，而是只能与价值的比率相等或相符。比率只能与比率在数量上相等和比较，而不能与某种以绝对度量标准来衡量的数量相等；这个基本的数理关系，在一些马克思主义经济学著作中是未被注意到的。马克思经常说价格等于价值，还说过总价格与总价值相等，严格地说都是不精确的。

3. 公式（7.2）是仅仅根据价值关系得出的。它不仅没有表明商品之间使用价值的关系，而且它事实上是在对于使用价值关系的某种特定的严格假定的前提下得出的。本书后面将以较为明确和较为严格的方式表明价格与价值相符，意味着使用价值关系处在怎样一种特殊状态之下。但在这里，可以首先明确马克思在分析价值关系时的前提假定，即在完全竞争的条件下，各种商品的供求因竞争的作用而达到均衡。①

但是，要全面说明价格现象，提供完整的价格（交换价值）理论，就必须引入使用价值关系的分析。

7.4-3　使用价值关系

人们交换商品的目的是为了获得更多的使用价值；但是，人们只交换一定数量的商品，这个事实首先表明了人们在交换中所获得的（新增）使用价值，不会无限地增加下去，到了一定程度，再进行交换，他放弃的使用价值就会大于获得的使用价值。这说明在物品的获取量或消费量与它所能提供的使用价值之间存在一定的函数关系，并且是边际递减的关系，也就是所谓“戈森第一定律”，即边际效用递减规律所表明的关系。

以 U_a 代表商品 A 所能提供的抽象使用价值或效用；$U_a(x)$表示 A 所能提供的总效用与其总数量之间的关系，即总效用函数。根据边际效用递减

① 马克思说：“如果商品都能够按照它们的市场价值出售，供求就是一致的”；“供求实际上从来不会一致……可是，在政治经济学上必须假定供求是一致的。为什么呢？这是为了对这种现象要在它们的合乎规律的符合它们的概念的形态上来进行考察，也就是说，要撇开由供求变动引起的假象来进行考察”（马克思，1975：《资本论》，第 3 卷，第 211—212 页）。

规律，这个函数满足：(1) $U'(x)>0$，即(在一定数量界限内)x 的增加总能使效用有所增加；但是，(2) $U''(x)<0$，即新增加的效用(边际效用)，比起以前一单位 A 所能提供的边际效用是递减的。

人们只交换一定量的商品，不再交换下去，同时也说明这时使用价值的变化达到了某种最大限度——再交换下去使用价值不会再有所增加。这就是说，在交换停止之时，两种商品交换量的边际使用价值是相等的。这就是所谓"戈森第二定律"，即边际效用均等规律所表达的内容，也就是所谓交换者个人效用最大化条件。用公式表示为：

$$U'_a(X)/p_a = U'_b(Y)/1$$

(交换双方当中，B 是等价物，$p_b=1$) 这意味着：

$$p_a = U'_a(X)/U'_b(Y) \tag{7.3}$$

由于 p_a 是与一单位 A 相交换的 B 的数量，可写作 y_a，因此将公式(7.3)展开可得：

$$U'_a(X) = U'_b(Y)y_a \tag{7.4}$$

这就是在交换停止时，两种商品之间的使用价值之间的关系。

前面曾指出过效用的个人性。但是，由于交换和价格是社会的事，因此在均衡点上，每个人的效用关系都满足上述条件(当然严格地说，这必须对个人效用函数的凹凸性作出适当假定)，只是要明确上面等式中的效用函数都是属于同一个人的(虽然可以是属于任何一个人的)。

7.4-4 价格作为价值和使用价值的二重表现形式

将公式(7.2)和公式(7.3)放在一起，我们可以得到：

$$\frac{U'_a(x)}{U'_b(y)} = p_a = \frac{L_a}{L_b} \tag{7.5}$$

在联等式的右边，是商品的价值关系(价值形式)；在左边，是商品之间的使用价值关系(使用价值形式)。价格(交换价值)作为价值形式和使用价值形式的对立统一性质，便以这种确定的方式得到了直观的表现。

前面曾经指出，交换价值形态的二重性，不过是商品本身两因素的表现形式。这一层意思可以通过对上式两端进行移项后获得的下式表明：

$$\frac{U'_a(x)}{L_a}=\frac{U'_b(y)}{L_b} \tag{7.6}$$

这就是说，在均衡时，两种商品各自的边际使用价值(边际效用)与自身价值的关系或比率，是相等的；或者说，一单位的抽象劳动，在不同的生产部门中所能提供的边际使用价值是相同的(由于分母是生产一件商品的劳动量，除以分子后便得到平均一单位劳动在边际上所提供的使用价值量)。①

熟悉现代一般均衡理论的读者对公式(7.6)也许不会陌生——它其实正是一般均衡理论(在采取单一生产要素和固定产出系数假定时)分析到最后得出的关于资源最佳配置和效用最大化的一个重要的结论，也是完全竞争条件下市场经济达到一般均衡的一个最基本的条件，即各种生产中要素投入所产生的边际效用相等。这就是一般均衡理论的实质性意义所在：它事实上表现了商品两因素即使用价值与价值的矛盾所内在地规定着的市场经济的运行规律；一般均衡的条件是以价值与使用价值对立统一关系为基础的，尽管人们迄今并未能从这一层本质关系上来理解问题。

只要公式(7.6)的关系得到满足，我们便有：(1)价格符合价值 ($p_a=L_a/L_b$)；(2)市场供求均衡，价格是“均衡价格”[$p_a=U'_a(x)/U'_b(y)$]。反之则反是。可见公式(7.6)这个基本关系的重要意义。

定义 $u_a(x, L_a)\equiv U'_a(x)/L_a$ 为商品 A 的劳动—效用边际转换率；$u_b(y, L_b)\equiv U'_b(y)/L_b$ 为商品 B 的劳动—效用边际转换率。公式(7.6)可写为：

$$u_a(x, L_a)=u_b(y, L_b) \tag{7.7}$$

7.4-5 均衡价格的含义

公式(7.5)的确给人以理论审美的享受，因而值得我们对它的含义再进行一些深入的分析。

1. 它直截了当地表明了使用价值关系和价值关系如何会从两边同时对

---

① 对以上各命题及公式的进一步数学证明，见本章附录。

价格发生影响或决定价格。

2. 价值关系(L_a/L_b)既表现了社会劳动生产力即物质生产条件的性质，也表明了个人劳动与社会劳动(其他人的劳动)之间的关系；使用价值关系则表明了人与物的关系，表明了社会需要的结构或比例。在市场经济条件下，这两个方面通过市场价格相互发生联系；市场价格这个具体的现象形态，是一个综合的指数，它包含着各方面的关系，包含和体现着社会生产同社会需要，以及人与人的关系同人与物的关系之间的关系。

3. 公式(7.5)还表明了，所谓均衡价格，不过就是价值与使用价值之间、生产与需要之间、人的关系和物的关系之间所刚好处于的那么一种特殊的相互适应的关系状态。它说明所谓均衡的可能性，但同时也说明了均衡的不现实性；要使价格 p_a 同时与两边的两个比率相等，是一件极不现实的"小概率事件"。因此，均衡只能是两方面因素相互作用的一种趋势，一种倾向。

4. 这个公式既然表明在均衡时，两种商品各自的使用价值与价值的比率是相同的[公式(7.6)]，它也就表明了，在均衡点上，无论怎样对数量关系本身进行解释，都是一样的——这就是为什么劳动价值论者和边际效用论者同时都认为自己能说明价格的根本原因。但这个公式也同时表明两种理论本身都具有片面性——它们各自只是从某一边(左边或右边)来解释价格。

7.4-6　价格对价值的偏离与趋同

公式(7.5)虽然很"美"，但使用价值关系和价值关系毕竟还是在价格的两边，还没有统一起来构成一个既体现两边的关系，又能说明各种价格现象的统一的价格公式。这就是有机综合所要完成的任务。

现在让我们从使用价值形式出发(马克思的价值理论分析实际上也是以此为出发点的)，即从下式出发：

$$p_a = U'_a(x)/U'_b(y)$$

将分式中的分子乘以 $L_a/L_a=1$，分母乘以 $L_b/L_b=1$，可得到：

$$p_a = \frac{\dfrac{U'_a(x)}{L_a}}{\dfrac{U'_b(y)}{L_b}} \cdot \frac{L_a}{L_b} \tag{7.8}$$

由于分子分母乘的都是1，等式两边的值（均衡价格的值）不变，但是问题已经充分暴露出来了。

等式右边乘积的第一个因素的分子和分母，正是前面定义的不同商品生产中的劳动—效用边际转换率；在均衡点，这两个比率相等，从而，

$$\frac{\frac{U'_a(x)}{L_a}}{\frac{U'_b(y)}{L_b}}=1$$

上面这个比率所表示的是每一单位生产不同商品的抽象劳动，在边际上所能提供的使用价值的比率关系。正是这种使用价值的对比关系，决定着价格是符合还是偏离价值，以及偏离的程度如何。可以定义上面这个比率为 h，称为“价格偏离系数”，表示价格对价值的偏离程度。只要 $h \neq 1$，无论是 $h>1$，还是 $h<1$，都令价格与价值不相符合。

利用公式(7.8)和系数 h，可以分析出价格与价值偏离和趋同的所有情况和变动过程。①

1. 商品A本身的价值发生变动（比如下降）。由于一个分子和一个分母同时变化，最初时价格 p_a 不变，但这就意味着原价格因价值变化而与价值发生偏离；这表现在系数 h 的分子 $U'_a(x)/L_a$ 由于 L_a 减小而增大，不再与分母 $U'_b(y)/L_b$ 相等，从而发生 $h>1$，$P_a>L_a/L_b$。价格高于价值。这将吸引较多的劳动投入这一部门（之所以如此的根本原因将在后面论述），供给增大，$U'_a(x)$减小。另一方面，由于较多劳动投入A部门，用于生产B的劳动减少，供给减少，$U'_b(y)$增大。这两方面的变动从两个方面使 h 趋向于1，也就是使价格 p_a 趋向于与新的价值相符。

2. 等价物B本身的价值发生变化（比如下降）。这时的情况与上面的情

① 短期劳动耗费边际变动的情况除外。不过，只要在适当的前提下，将偏离系数中的平均劳动量，换成边际劳动量，再引入短期成本与长期成本的关系（在完全竞争条件下，均衡时边际成本＝平均成本），短期变动的情况也完全可以纳入公式(7.8)进行分析。现在的公式(7.8)表示的是线性生产函数或一切生产调整过程只在长期中发生的情况，当短期过程进入长期过程时，边际成本等于平均成本，也是符合公式(7.8)描述的情况的。

况相反：新的价值高于原价格；劳动从部门A撤出投入部门B；$U'_b(y)$下降，$U'_a(x)$提高，最终价格p_a上涨，与价值趋于一致。若将B视为一般等价物，便可以用这个原理，对富金矿发现时一方面出现淘金热、另一方面价格水平上涨的情况同时作出解释。

以上两种情况的特点是，最初价格与价值偏离，是由于价值变化，价格未变，而价格调整趋向于符合价值的过程，是通过社会生产结构的调整，使用价值关系的变化而实现的。

3. 价值不变，但A本身所能提供的使用价值变化（比如提高）。这指的是A的效用函数本身发生变化所引起的$U'_a(x)$的变化（增大），从而使$h>1$，价格大于价值；这在市场上表现为对A的需求提高，价格被拉高，吸引生产B的劳动转向A，最终使$h=1$，价格趋向于符合价值。

4. 价值不变，B的效用函数发生变化（比如当人们更重修饰时，黄金本身打成首饰所提供的使用价值提高）。这时的调整过程与上一种情况相反，价格水平会下降。

这后两种情况的特点是：价值关系不变，最初价格偏离价值的原因和以后的调整过程，都是由于使用价值关系的变化和调整。

在这些分析中，我们可以清楚地看到价值理论和使用价值理论的不同作用和它们各自的重要意义。劳动价值论为价格运动的根本趋势提供了理论说明。它背后更深一层的含义是，经济活动最终总是受社会生产力水平的制约。使用价值理论则构成说明价格偏离和趋向于符合价值的调整过程的基础。它首先提供了关于社会需要的理论，并由此说明了在一定生产、技术条件下，社会如何配置劳动比例、如何调整部门结构等基本问题。

价格偏离系数为：

$$h=\frac{\dfrac{U'_a(x)}{L_a}}{\dfrac{U'_b(y)}{L_b}}$$

这是一个综合的指数，它不仅表示劳动生产力的高低，而且还表示一个生产部门的规模和不同生产部门的相对关系。因为$u'(x)$不仅取决于一种商品所能提供的使用价值大小［由函数关系$u(\cdot)$表示］，还取决于该部门

的生产量 X；同时，L_a 本身代表平均生产力，它本身与规模问题无关。因此，系数 h 的特殊意义就在于，它综合地表明了社会正常的技术生产能力与社会现实生产比例这两方面问题之间的关系。它表明，价格本身是一个综合的指数。

马克思在他的经济分析中经常遇到有关部门比例结构调整之类的问题，但他却简单地把它归结为竞争的问题，而没有明确地意识到它的经济原因是使用价值的关系，也就是物质生产与社会需要之间的关系问题。在经济分析上，马克思成功地运用了辩证方法，从社会财富的"细胞"即单个商品的内在属性出发，逐步说明了一系列有关的现象；但在使用价值问题上，他却脱离了正确的思维路线，没有从"细胞"的内在因素中寻找经济现象的原因，并使其逐步外化、具体化，逐步上升，说明各种相关的现象。这是他的理论的一个严重的不对称性。

7.4-7 价格偏离价值作为一种分配关系的意义

当偏离系数 $h \neq 1$ 时，价格不等于价值。从价值理论的角度考察，这一现象的社会内容是什么呢？

价格不等于价值，意味着生产一种商品的一定劳动量，可以与比它更大或更小的另一个社会劳动量相交换（请注意，由于这里涉及的是不同种劳动问题，因此是两个劳动量相互交换的关系，而不是同种生产中不同效率的劳动被算作较大或较小社会必要劳动的问题）。或者说，当价格偏离价值时，商品的等价交换（等价格交换），意味着不等量的价值（劳动量）相交换。

这样，从价值理论的角度考察，价格或交换价值就有了另一层社会意义：它指的是一件商品所能交换到的价值或社会劳动量，是一件商品与社会劳动量相交换的特殊能力的指数。所谓价格偏离价值，其实质就是商品能够交换到的价值，大于或小于它自身的价值。因此，它体现着商品生产者之间的分配关系。这是我们不仅把交换价值当作价值形式，也把它当作使用价值形式，明确交换价值形态中包含的使用价值关系所引申出的一个特别重要的结论；它对于我们说明各种价格现象，说明长期在理论上处于含混状态的所谓"价值规律”，以及包含在交换关系中的分配关系具有重要的意义。①

一件商品自身的价值，取决于生产它的社会必要劳动；而它的交换价值，则不仅取决于它自身的价值，而且还取决于它自身的使用价值与其他商品的使用价值之间的关系。正是后者，构成了一件商品的能交换到的价值与其自身的价值相偏离的物质基础，也是为什么商品生产中价值规律能够调节社会物质生产的比例，并能够刺激生产者不断创造新产品、新使用价值的根本原因。

价格偏离价值，使个别商品的交换价值大于或小于其自身包含的价值，只是对个别劳动才是适用的。就整个社会劳动来说，它只创造一个价值总量，而不可能同另一个社会劳动总量相交换（此处排除国际贸易）。因此，就社会总商品来说，其交换价值总是与价值相等的。这可以使我们得到两点结论：(1)交换价值，或一件商品所能交换到的价值，与其自身价值在量上的偏离，是个人劳动与社会劳动这一商品经济基本矛盾的又一表现形式。(2)交换价值，或商品的相对价格，事实上体现着不同的个别劳动者对社会总商品财富所拥有的索取权——由于使用价值之间的相对关系，使得一定量的某种劳动可以同较大量的另一种劳动相交换，从而可以换取到较大量的物质财富，使从事这种生产的劳动者，拥有了较大的对社会财富的索取权。所谓在商品交换中实现的初次分配，就是建立在这种关系的基础上的。因此，价格作为交换价值，本身也包含着不同商品生产者之间的分配关系。（当然经济中的分配关系远不仅只是这种分配关系。新古典主义之所以将分配理论变成了一种特殊的交换理论，把工资收入、利息收入等也当作价格来处理，就是由于它将商品生产者之间的分配关系，当作了资本主义经济的全部分配关系。）

明确了交换价值也是一件商品所能够交换到的价值，其体现着商品生产者之间的利益分配关系，就可以使我们明白通常说的价值规律的真实含义究竟是什么。说到底，所谓价值规律，就是商品所能交换到的价值（即交换价值）

① 在斯密的著作中，价值有时指的是商品自身包含的价值，有时指的是它们能交换到的价值，说明他感觉到了问题，但是混淆了价值和交换价值两个概念。马克思区分了价值和交换价值，但却把交换价值仅仅看成价值形式，将价值和交换价值在内容上等同了起来，从而使他未能揭示出价值与交换价值的关系包含着商品自身价值与所能交换到的价值的矛盾，从而未能对价格偏离价值的性质，对价格运动的过程和规律，对交换价值中包含的利益分配关系，作出全面的分析。

趋向于与其自身包含的价值相等的规律。它表现为价格趋向于价值的规律。

价值规律发挥作用的机制是:当价格偏离价值,一种商品所能交换到的价值量大于其自身包含的价值量,从而使该种商品的生产者在利益分配中占有较大的份额,也就是获得较高的收入,这种生产便表现得较为有利可图;相应地,这时必然有另一种或一些商品所能交换到的价值小于自身价值,处于不利地位,这就导致收益较低的部门的生产者撤出(如果可能的话),减少那种商品的生产和供给,转入收益较高的部门(如果可能的话),增加该产品的生产和供给,从而使不同商品之间的使用价值关系发生变化,由此导致价格即交换价值发生相应的变化,最终趋向于与各种商品的交换价值与价值相等。使用价值关系的变化,物质生产比例的变化,生产与需要相互适应,是通过社会利益关系的改变实现的,这是商品经济的一个基本特征。

价值规律充分发挥作用的条件显然是所谓的"完全竞争",不存在任何形式的垄断,无论是自然垄断还是人为垄断。只要发生垄断,交换价值趋向于价值,商品按价值交换的过程就会被打断,就必然发生某些商品的交换价值总是大于自身价值(另一些则相反),某些生产部门所拥有的利益分配权利总是相对于另一些部门更大,总是拥有以等量劳动索取或攫取较大量社会财富的权利。地租和垄断利润的实质,都在于土地产品和垄断产品的交换价值被垄断因素长久地维持在高于自身价值水平之上的结果。地租和垄断利润作为一种分配关系,是以商品生产中不同部门劳动者之间的分配关系为基础的(由于这里没有引入平均利润和生产价格问题,因此这里的地租指的不是资本主义地租,而是"地租一般"),同时也是加在商品生产者分配关系上的一层特殊规定性。

此外,明确了交换价值中包含着可交换到的价值与自身价值的关系,包含着利益分配关系,也可以使我们很容易地解释诸如不可再生产的稀有物品之类的交换价值的实质等问题。

7.5 小结

在这一章中,通过阐明一个新的交换价值理论,使劳动价值论和边际效用价值论的关系得以明确，并使二者有机地结合起来，摆放在适当的理论位置上。

这一章的分析，是对本书主要论题，即“不同理论分别着重从不同的角度考察经济活动”这一论题的一个具体论证。马克思主义着重于社会经济关系方面的考察，重视价值关系的研究，提出了劳动价值论，但却片面地将交换价值仅仅理解为价值的表现形式（即价值形式），而忽视了它也作为使用价值表现形式的意义。边际效用学派（及新古典主义）着重于从物质方面考察经济，重视使用价值关系的研究，提出了较完整的使用价值理论，但却片面地把交换价值仅仅理解为使用价值的表现形式，否定了劳动创造价值、决定价格的基本关系。这两种理论都在不同程度上陷入了片面性，但同时也都在其片面的形式上为深入认识经济活动的不同方面作出了科学的贡献。因此，只有以适当的方式将二者有机地结合起来，既克服其各自的片面性又利用其科学成果，才能建立起更全面、更科学的经济理论。

本章的分析还是相当简要的。不过，在今天，只要我们说明了基本关系，在这一基本理论结构的基础上，便可很容易地利用现代价格理论中的各种成果①，来进一步说明各种问题。

最后，似乎有必要指出本章分析的现实意义：社会主义经济理论长期以来缺乏社会生产与社会需要相互关系的分析，至今还把价格仅仅与成本相联系，一计算计划价格就是计算产品成本，价值—价格理论与社会生产比例、供求关系等在基本理论层次上总是缺乏内在的统一；经济计划的研究和制定，总是不能从社会对使用价值的需要出发，从社会福利（社会总效用）最大化出发，都是以缺乏完整的使用价值理论和完整的交换价值理论为理论根源的。

① 需要指出的是，现代新古典主义的均衡价格理论，不包含价值理论，它事实上是从使用价值理论直接过渡到交换价值形态，然后在此基础上通过引入生产成本概念来建立价格理论。它事实上反映了交换价值形态本身所包含的使用价值与价值的矛盾，因此能够较全面地说明价格运动。但是，由于它没有认识到价值理论体现着社会经济关系，因此在进一步分析资本主义经济关系的时候，便表现出了很大的局限性。我们从以后章节的分析中可以看到这一点。

附录　均衡价格理论与价值理论

本附录以马克思在《资本论》第1卷中分析价值形式时事实上使用的简单商品生产理论模型为基础，用均衡分析的方法，对我们在第7章中所得出的一些基本结论，进行再证明。这一再证明所要表明的是：第一，现代一般均衡分析及均衡价格理论事实上是如何与各种价值理论相联系的；第二，均衡价格理论事实上仅是一种交换价值理论，它并不能完全代替价值理论；第三，价值理论只有通过均衡价格理论的中介，才能完整地说明价格。

“简单商品生产”，不仅是为了理论分析的方便而作出的一种简化的假定，而且也是对商品经济基本关系的抽象。此处的证明与正文中的证明的区别是：正文中的分析只是从市场运行的结果出发，而这里则包含了对个人行为方式和市场运行机制本身的分析。

现在假定：

经济由两个经济人构成——经济人1和经济人2；经济中共有两种商品，均为消费品——消费品A和消费品B；它们的价格分别为 p_a 和 p_b，取商品B为计价物(numéraire)，因而总有 $p_b=1$。

每个人所拥有的生产资源，仅是同等数量的劳动时间 L；这一定数量的时间，既可用作闲暇直接消费，也可用作(单一)生产要素进行商品生产，获取收入。劳动收入不妨称为工资，以 w 表示，这里我们必须假定劳动是时间资源的一部分，而不是假定劳动时间和休息时间为一定，这是因为在此模型中只有两个个体生产者，生产结构的调整必须通过个别劳动量的调整来实现，而不可能通过生产者在不同部门之间的转移来实现。在假定存在 n 个生产者，并假定 n 无穷大的情况下，便可以放弃个人劳动量可变的假定。

又假定社会劳动分工已经导致经济达到这样一种状态：每个生产者只生产一种商品。

假定生产函数都是线性的，加上假定单一生产要素，于是就有单一要素生产函数：

$$X_a = f_a(l) = al;$$
$$X_b = f_b(l) = bl$$

其中 a 和 b 均为常数，代表一单位劳动所能生产的不同商品的数量。

每个经济人的行为方式都是：一方面在消费中最大化效用，另一方面在生产中最大化收入。

这样，对于经济人 1，要解决的问题是：

(1) 效用最大化

$$\max U_1(x_a^1, x_b^1, L - l^1)$$
$$\text{s.t.} p_a x_a^1 + p_b x_b^1 = wl^1 \quad (1)$$

(2) 收入最大化

$$\max \Pi = p_a X_a - wl^1$$
$$\text{s.t.} X_a = al^1 \quad (2)$$

对于经济人 2，要解决的问题是：

(1) 效用最大化

$$\max U_2(x_a^2, x_b^2, L - l^2)$$
$$\text{s.t.} p_a x_a^2 + p_b x_b^2 = wl^2 \quad (3)$$

(2) 收入最大化

$$\max \Pi = p_b X_b - wl^2$$
$$\text{s.t.} x_b = bl^2 \quad (4)$$

对于整个经济来说，生产必须满足：

$$X_a \geqslant x_a^1 + x_a^2$$
$$X_b \geqslant x_b^1 + x_b^2$$

运用拉格朗日条件极值方法对经济人 1 的诸问题求解，并将所得到的一阶条件作适当移项，便可得到：

$$\frac{\frac{\partial U_1}{\partial x_a}}{\frac{\partial U_1}{\partial x_b}} = p_a; \; p_a \frac{\mathrm{d}X_a}{\mathrm{d}l} = p_a a = w$$

同理,可从对经济人 2 的问题的解中得到:

$$\frac{\dfrac{\partial U_2}{\partial x_a}}{\dfrac{\partial U_2}{\partial x_b}}=p_a;\ \frac{\mathrm{d}X_b}{\mathrm{d}l}=b=w$$

这样,便可得到下面的关系:

$$\frac{\dfrac{\partial U_1}{\partial x_a}}{\dfrac{\partial U_1}{\partial x_b}}=\frac{\dfrac{\partial U_2}{\partial x_a}}{\dfrac{\partial U_2}{\partial x_b}}=p_a \tag{5}$$

以及

$$p_a\frac{\mathrm{d}X_a}{\mathrm{d}l}=w=\frac{\mathrm{d}X_b}{\mathrm{d}l};\ p_a a=w=b \tag{6}$$

这里需要指出的是,不同生产部门中的劳动收入率 w 相等,在这个模型中是假定分工发展到一定程度的结果。在简单商品生产条件下,如果劳动(同质简单劳动)收入率不等,就会发生劳动在不同生产之间转移和个别生产者不是从事单一生产、个别劳动者的劳动技能也是多样化的情况;只有社会分工经过较长期的充分发展,才会实现每个人都只从事一种生产。然而,这种情况也就包含着、意味着收入率在不同生产中大体相等。因此,此模型公式(6)中的收入率相等,来自理论假定,而不是来自数学推导。这种假定是为了说明我们面临的理论问题而作出的一种抽象的规定,但却是合理的规定;而工资率在均衡点均等这一理论命题,对于多个劳动者可以在各种生产之间自由转移的更复杂的模型,特别具有现实性。

由公式(6)可得到:

$$\frac{\dfrac{\mathrm{d}X_b}{\mathrm{d}l_b}}{\dfrac{\mathrm{d}X_a}{\mathrm{d}l_a}}=p_a;\ \frac{b}{a}=p_a \tag{7}$$

请注意 a 和 b 分别是一单位劳动所能生产的一定数量的产品,它们的倒数就是一单位产品中所包含的劳动的数量。因此,定义

$$l_a \equiv \frac{1}{a};\ l_b \equiv \frac{1}{b}$$

于是可得到：

$$p_a = \frac{l_a}{l_b} \tag{8}$$

利用式(8)和式(5)，便有：

$$\frac{\dfrac{\partial U_1}{\partial x_a}}{\dfrac{\partial U_1}{\partial x_b}} = \frac{\dfrac{\partial U_2}{\partial x_a}}{\dfrac{\partial U_2}{\partial x_b}} = p_a = \frac{l_a}{l_b}$$

一般来说，对于任何经济人 $i = 1, 2$，下面的关系成立：

$$\frac{\dfrac{\partial U_i}{\partial x_a}}{\dfrac{\partial U_i}{\partial x_b}} = \frac{l_a}{l_b} \tag{9}$$

而这正是在长期均衡中价值与使用价值的关系。

对公式(9)进行移项，就可得到：

$$\frac{\dfrac{\partial U_i}{\partial x_a}}{l_a} = \frac{\dfrac{\partial U_i}{\partial x_b}}{l_b} \tag{10}$$

这就是前面正文中得出的基本结论之一。可以称公式(10)两边的分式为“劳动—效用边际转换率”。

还可以较容易地将以上的分析扩展到 n 个生产者和 m 种商品的情况，而并不影响结论的成立。

8

分配理论

8.1 导论:分配关系与分配理论

经济学家发生重大分歧的又一个领域是分配理论。

分配问题的重要性和复杂性是不言而喻的。只有在鲁滨孙的孤岛上不存在分配,而在任何现实的社会经济活动中,都不仅存在着社会产品如何生产的问题,还存在着生产出来的产品如何在社会成员中进行分配的问题。产品分配是以资源或财富的分配和占有为前提的,因而分配理论不仅关系到如何认识分配过程本身,而且关系到如何认识和评价整个财产关系和经济制度。从社会的角度考察,可以说经济活动是一种以创造物质财富或使用价值为目的的活动;但就任何个人或集团而言,必然存在生产出的社会总产品中有多少、按怎样的比例归他或他们所有的问题,因而他或他们的经济活动,必然首先是以获得以一定形式分配到他或他们名下的收入为首要的目的。特定形式的收入,构成人们的特殊经济利益;收入的分配,体现着社会的利益关系。

在考察分配理论之前，应该先考察生产理论：只有先把财富生产出来，才说得上分配；生产的方式决定分配的方式。不过，“分配关系本质上和生产关系是同一的，是生产关系的反面”（马克思，1975：《资本论》，第3卷，第993页）。在一定的意义上，分配关系是整个社会经济关系的集中体现，有时甚至只有从分配关系的角度进行考察，才能清楚地揭示不同生产关系的差别；同时，在现实的经济关系中，分配往往是在生产之前就决定了的，并因此而影响生产，决定生产。而且当我们考察不同的经济学理论体系时，发现分配在这些理论中所处的地位具有极大的差异。新古典主义理论将其包含在交换中，仅表现为一种特殊的交换关系；马克思主义理论认为它是生产过程的一个方面，包含在生产过程中；而后凯恩斯主义理论则将其视为在生产和交换过程之前并与生产和交换相独立的一个最重要的环节。

因此，此处考察分配理论的特殊意义在于：(1)将分配关系作为所有制关系和生产关系的结果，作为社会利益矛盾关系的集中表现方式加以考察；(2)在对分配关系的考察中，事实上包含着对不同理论中出现的生产、交换、分配各经济环节之间的相互关系的考察。

此外，这里在分析生产之前分析分配，也是为了使论述相对集中和连贯：本章第1节和第2节考察的简单商品生产中的分配关系和价值转形为资本主义均衡价格（生产价格）过程中包含的分配关系问题，紧接在上一章对交换价值的分析之后，可能要比放在生产理论之后再回过头来进行分析更为方便，使某些问题显得更加清楚。而在后面，将生产和社会生产理论与积累和增长理论紧接在一起，也能使论述更为集中。因为本书不是系统的教科书，而是对各种经济理论进行比较与综合的学术专著。

8.2 简单商品经济中的分配关系

以下两节，事实上是上一章价值—价格理论的继续，但这里是着重从利益关系及其变化的角度考察交换价值关系。在这种分析中，我们将清楚地看到价值范畴在说明社会经济关系时的重要意义——它能够说明没有价值理论的均衡价格理论所不能说明的问题。

由于现代经济理论所涉及的主要都是某种特殊形式的商品经济，其特殊的分配关系也都是建立在商品经济的分配关系基础之上的。因此，这里有必要先将商品经济中的一般分配关系确定下来，一方面避免商品经济中一般分配关系与特殊分配关系的概念混淆①，另一方面也便于在以后的分析中将一般的关系抽象掉，以集中于对分配关系特殊性质的考察。在这里，“简单商品经济”或“简单商品生产”的概念，来源于马克思所使用的一个特殊术语(德文 einfache warenproduktion)，它既可理解为一种特殊的商品经济，其中生产资料为商品生产者私人所有(从而不包括资本家与工人的关系)，也可理解为商品经济一般或抽象的商品经济。笔者这里着重在后一种意义上理解它。

商品生产和商品交换中包含着两层分配关系。

一是同一生产部门内各生产者之间的分配关系。一种商品的价值，是生产它的劳动者付出的劳动，而在用这一商品进行等价交换(这里先要假定按等量劳动交换)中所换取的另一商品的等量价值，便构成该生产者的收入。但价值量由该部门内平均的社会必要劳动决定，而不是由个别劳动者决定。个别劳动生产率之间的比例(单位产品中个别劳动量的倒数的比例)，便决定着该部门创造的总产值在不同劳动者之间的分配比例。这个比例简单地表现为同一时间内不同生产者生产的产品数量，在总产品量中所占份额之间的比例。

二是不同商品的生产者之间的分配关系。在商品按照价值交换，即价格符合价值的情况下，每个商品生产者所得到的等于他付出的；因此，在“同等时间内每个人付出同等数量的抽象劳动”的假定下，每人在社会总产值中的分配份额是相等的。②但是，交换中价格并不一定总与价值相符，甚至往往会

① 在当前社会主义商品经济的理论研究中，关于分配关系的概念混淆特别严重。因此可以说，本节内容的现实针对性是很强的。

② 这里存在着复杂劳动换算为简单劳动的问题。在经济学说史上，这是一个存在争议的问题，因为有人怀疑是否能够进行这样的换算。在笔者看来，只要我们假定考察的对象是简单商品生产或商品生产一般，那么，用获得复杂劳动的特殊技艺所需支付的价值或时间的差异，来作为换算的近似尺度，在理论上是完全合乎逻辑的。因为深入的分析表明，只要假定不存在祖传秘诀之类的垄断，不存在人的能力的巨大天然差异，当市场达到均衡时，复杂劳动的较高收入，正是与获得复杂技术的较高代价成比例的；没有更多的人进入复杂劳动的部门，正是由于受到了学习复杂技术的较高代价的阻碍。

由于存在阻碍完全竞争的社会因素而总是不相符合；由同等劳动所能提供的使用价值的差别所决定，一件商品所能交换的社会劳动，与其自身中包含的社会劳动会不相等，从而人们在总产值中的分配份额，也就是不相同的。而一单位劳动在不同生产中所能提供的（边际）使用价值的比例，便决定着社会总产值在不同生产者之间的分配比例（参见上一章）。

商品经济中的分配关系，是包含在商品的生产和交换关系之中的，并且是在商品交换中实现的，而不存在独立于生产和交换之外的分配环节。这是商品经济中分配关系的特征，但仅仅是抽象的商品经济或简单商品经济的特征；夸大这种分配关系的适用范围，认为在任何特殊的商品经济关系中，都仅仅存在这样的分配关系，便会导致错误的结论。新古典主义的分配理论，是以简单商品经济或抽象的商品经济关系为客观依据的，因而是有其合理性和科学价值的；但它把这一理论一般化，应用于资本主义这种特殊的商品经济，认为可以用这一理论一般地说明资本主义的特殊分配关系，便导致了错误的结论（在下面将进一步看到这一点）。

既然在简单商品经济中，分配关系包含在交换关系之中，那么，有关分配关系的基本因素，便也全部包含在交换价值形态之中，并可由交换价值理论得到全面的说明。事实上，同一部门内不同生产者之间的分配关系，体现在价值关系中；不同部门的生产者之间的分配关系，则体现在使用价值关系中；而交换价值关系，便体现着简单商品经济中的分配关系的总和。这具体地表现为，任何一个商品生产者在社会总产值中的分配份额，都取决于他的商品的相对价格。由此可知，价格（交换价值）本身体现着分配关系，是一个分配指数；在一定的意义上，价格关系与分配关系是一个同义语。而当分配关系还由简单商品交换关系之外的其他因素决定时，那些特殊的分配关系同样也会体现到价格中来，决定价格本身的形成。在后面会看到这一命题的重要意义。

8.3 所有权介入价值运动

8.3-1 土地所有权

简单商品生产的特殊性在于，在任何时间范围内，除了谋取劳动收入的动机外，任何其他的权利或动机，不构成支配或阻碍价值形成和生产结构调整的因素。

劳动虽然是价值的唯一物质要素，却从来不构成使用价值生产的唯一生产要素。“种种商品体，是自然物质和劳动这两种要素的结合。”（马克思，1975:《资本论》，第 1 卷，第 56 页）任何最原始的生产活动，也是人作用于自然的过程，从而对自然的占有，即所有权，构成劳动生产的前提；既是物质的前提，也是社会的前提。因此，从最初的生产开始，就存在一个所有权的问题。但是，只要一切不同种类的劳动，都是直接作用于土地（经济学中代表自然的名词是“土地”）的劳动，土地所有权就最多仅构成对本部门劳动产值的一部分的索取权或分配权（这是下一节所要考察的对象），而不会影响、干扰价值运动，不会形成阻碍价格趋向于符合价值，制约不同部门的商品生产者分配关系的特殊因素。用经济学家已经熟悉的语言简单地说就是，这时只能存在级差地租以及某些归因于土地特殊性质的自然垄断地租，而不会出现绝对地租；因为绝对地租的存在是以另一个或一些劳动不直接作用于土地的生产部门的存在为前提的，只有这个前提存在，才可能因土地产品的使用价值相对提高（需求相对增加），但同时因土地稀缺性垄断而使生产无法调整，从而使土地产品的价格（交换价值）高于价值，形成绝对地租的来源。在仅以土地为生产资料的情况下，土地稀缺性对每一个部门来说是无差别的，需求的相对变动不过最终导致土地用于不同生产的比例的变化，而不会使某一特殊产品的价格因土地稀缺性本身而维持在高于价值的水平上。总之，在生产资料仅由自然物质构成的条件下，所有权对商品生产（如果存在的话）中不同商品生产者之间的分配关系不发生实质性的影响。

8.3-2 迂回生产

然而，生产技术水平的提高，使这种状况逐步发生了改变。正如庞巴维克指出的那样，当人们发展起了新的生产方法，并发现若不是直接生产消费资料，而是先生产生产资料，进行迂回生产，他们可以生产出更多的使用价值。“生产过程越是延长，技术效果就越大”（庞巴维克，1964:113）。反过来说，只有迂回程度高的生产所能提供的使用价值大于迂回程度低的生产所能提供的使用价值，人们才会采用这种耗时较长的生产方式；只有中间产品

(无论是原材料还是机器、工具)包含着较大的间接生产力,使人们最终获得较大的使用价值,人们才会采取迂回生产方法。

迂回生产的出现,使得使用价值划分为直接使用价值和间接使用价值①,产品被划分为初级产品(土地产品)和加工品(工业品);进而社会生产被划分为农业和制造业,在制造业中又划分为初级加工业和高级加工业,而划分的标准,就可以归结为迂回程度的区别。但从劳动创造价值的角度看,生产过程的这种变化,迂回生产周期的延长,除了引起产品中包含的劳动分为前期物化劳动和新追加的劳动两个部分之外,并不能引起价值运动的任何变化。在长时期中,价格也必然趋向于符合价值,因为经过生产比例的调整,劳动过程长、所需劳动多的产品,所能提供的使用价值必然较多,使用价值与劳动量的比率,必然与劳动过程短的产品相同。也就是说,上一章的公式(7.8)仍然成立;所不同的仅仅在于,现在,比如说,L_a 中包含的一部分劳动,是由前期投入的物化劳动构成的。若假定 B 本身构成 A 的原材料,A 是加工品,$L_a = L_b + L$,其中 L 是在加工业中新投入的劳动,则 A 所提供的使用价值与 $L_a = L_b + L$ 的比例,在均衡时必然与 B 本身所能提供的使用价值与 L_b 的比例相同。比如生产面包的总劳动量比生产小麦的劳动量大,但其使用价值也比小麦大,否则就不会有面包的生产。也就是说,最终必然有 $U'_a(x) > U'_b(y)$,以及

$$h = \frac{\dfrac{U'_a(x)}{L_a}}{\dfrac{U'_b(y)}{L_b}} = 1 \longrightarrow p_a = \frac{L_a}{L_b} = \frac{L_b + L}{L_b}$$

8.3-3 资本所有权的介入

上面仅仅是迂回生产问题的一个方面。若仅仅看到了这一方面而没有看到其他方面的问题,便会使理论误入歧途。

迂回生产的另一个方面的结果,是形成了生产资料产品的所有权。高级

① 最初,在瓦尔拉斯的著作中,资本物品的使用价值,也被认为是它直接产生的服务(Walras, 1874:212—213);后来,一般的看法是,资本的效用是由它所生产的产品引致并被归算到它名下的。

阶段的生产(以及后来所有生产部门的生产),都必须以占有一定的生产资料为前提。在社会分工还不发达,劳动技能在生产过程中还占主导地位,从而生产资料的所有权还与劳动者相结合的早期条件下,这种生产资料的所有权对价值运动的介入还不具有实质性的效果,因为谋求劳动收入的动机仍在生产过程中占有支配的地位,所能交换到的劳动量与自身劳动量相等的规律也就仍然起着支配的作用。但是当经济进一步发展,生产资料所有权与劳动相分离,劳动开始隶属于生产的物质条件本身,也就是当生产资料的所有权转化为资本的所有权的情况下,价值运动,从而交换价值关系中包含的分配关系,就会发生实质性的改变。

在生产资料所有者不是劳动者的情况下,这个所有者也要凭借其所有权从本期劳动新创造的价值中,分得一定的份额。至于这个份额是如何决定的,到下一节中统一加以考察,这里仅仅假定这个份额是存在的。这个所有者是如何获得这一份额的呢?他不是靠加入自己新的活劳动(也不是靠出卖劳动力)获得的,而是靠投入他所有的物化劳动(这时还不能将其称为资本)而获得的。这样,他的收入表现为物化劳动的收入,从而在观念上可能仅仅与物化劳动发生关系,收入率表现为他的收入与物化劳动量的一定比率。

如果劳动不隶属于资本,上述观念上的差异并不发生实质的结果。但是,在劳动隶属于资本,资本在决定生产什么、如何生产等问题上处于支配的地位,谋取资本收入的动机在决定投资方向上占据统治地位时,情况就大不相同了。对于资本所有者来说,生产资料只是一定的物化劳动即价值的物质承担者和收入的来源,至于它采取什么样的物质形态,具有怎样的生产力,对他说来是无所谓的,他关心的只是这一价值量所能带来收入的大小。因此,如果有两种生产,一种处于较高级的迂回阶段上,所需的物化劳动投入较多,另一种处于较低级的迂回阶段上,所需的物化劳动投入较少,但新投入劳动数量相同并且给资本所有者带来的收入量相同,资本就会更多地投入后一种生产,从而使这种生产扩大,产品价格相对降低,前一种生产缩小,价格相对提高,最终使得在两种生产中资本的收入率相同为止。这就是所谓"价值转形为生产价格"的过程。这意味着资本主义经济的市场均衡,不是像简单商品生产时那样,以商品所能交换到的价值(收入)与自身价值

(劳动耗费)相等为特征,而是以资本的收入率即利润率相等为特征。从价值运动的角度看,这时价值规律转化为生产价格规律;从分配关系的角度看,等量劳动获得等量收入的规律,让位于等量物化劳动(资本)获得等量收入的规律,支配着整个资本主义的生产和分配。

8.3-4 资本主义均衡价格

为了使概念更加明确,这里称第1章分析的与价值关系相一致的市场均衡价格 p_a 为简单商品生产均衡价格;定义 p_a'为有资本所有权介入后的资本主义生产均衡价格,也就是生产价格。

假定有两种生产,在同样时间内,相同数量的劳动作用于不同的生产资料,生产出相同数量的两种商品A和B。这样,在每件商品中本期新增加的劳动(新增价值)是相等的,设其都为一单位劳动;同时,假定在这一单位的新增价值量中,都有一个相同份额 R, $0 \leqslant R \leqslant 1$, 将归资本家所有(相当于马克思的剩余价值在新增价值中的比例 $M/V+M$, 由于这里假定 $V+M=1$, 因此 R 就等于 M,既是绝对量又是相对量)。这里称 R 为资本收入份额。至于这个 R 有多大、如何决定等等,是下一节将讨论的问题,这里仅先假定它的存在就可以。两种生产的差别仅在于,A的生产处于较高的迂回阶段上,从而所使用的生产资料中包含有较大的价值量,使得追加劳动后的总价值 L_a 较大;而B则处在较低的迂回阶段上,所用生产资料中的物化劳动量较小,从而总价值 L_b 较小(相反的假定则得出相反的结果)。这就是说, $L_a > L_b$, $L_a - 1 > L_b - 1$; 后式中的两个量代表两种生产中所使用的生产资料的价值量,也就是预付资本量。(这里假定不存在预付工资,加进这个条件对结论的一般正确性不会发生影响。)

让我们以下面的方式思考问题。利润率相等这个资本主义市场均衡条件,意味着当前生产创造的一单位价值中获得等量收入 R 的较大量预付资本,必然还要从交换中获得一个额外的收入,作为利润的一部分。这就意味着,它的产品的价格,必然高出其价值,从而其总收入(利润量)为:

$$(L_b \cdot p_a' - L_a) + R$$

这里,仍像上一章交换价值分析中假定的那样,商品B为等价物;A的价格

p'_a，代表着一定数量的B；而这一数量B中包含的总价值量（即B自身包含的价值量）为$L_b \cdot p'_a$；它正是在与B交换中，一件商品A所能交换到的价值量（而不论A自身的价值如何）；而$(L_b \cdot p'_a - L_a)$则构成生产A的资本家除获得R之外，从交换过程中获得的一个额外收入。

另一方面，由于B是等价物，其价格在简单价值形式中总为1，即$p'_b=1$，便总有$L_b p'_b = L_b$，其由价格而来的额外收入等于0$(L_b \cdot 1 - L_b = 0)$，利润收入就等于R。①

在资本主义均衡点上，投入两种生产的预付资本的利润率相等，也就是：

$$\frac{(L_b \cdot p'_a - L_a) + R}{L_a - 1} = \frac{R}{L_b - 1} \tag{8.1}$$

移项后可得到：

$$p'_a = \frac{L_a}{L_b} + \frac{R}{L_b}\left(\frac{L_a - 1}{L_b - 1} - 1\right) \tag{8.2}$$

可以注意到，公式右边第一项，即L_a/L_b，就是上一章说明的简单商品生产中商品的均衡价格，也就是商品自身价值的比率。

公式右边括号中的$L_a - 1/L_b - 1$，实际上相当于马克思著作中的两部类资本有机构成的比率。由于这里假定每种商品中包含的新增劳动量相等，又假定资本收入份额（即$R = m/v + m$）在各部类都相等，因此资本有机构成的比例就可直接由预付资本的比例表示。定义$k \equiv L_a - 1/L_b - 1$，公式(8.2)转化为：

$$p'_a = \frac{L_a}{L_b} + \frac{R}{L_b}(k - 1) \tag{8.3}$$

① 请注意这里处在最抽象的层次上考察问题。B的价格总为1，是由其作为等价物的地位直接决定的；但是价格总为1，并不意味着这种商品在社会价值的分配中地位不会变化，它依与其他商品价格的相对关系的变化而变化。这首先表现在，当价值完全转形为生产价格以后，由于生产B的生产资料的价格发生变化，进入B的生产的物化劳动的量也会相应地发生变化，这在上式中表现为L_b本身的变化。不过，这里不考察完全转形问题，因此有必要提请读者不要将这里的抽象公式直接应用于它所不能完全说明的问题。

公式右边第一项，即 L_a/L_b，即两种商品自身价值的比率。现在，它只构成资本主义均衡价格的一个组成部分，而不是全部；现在均衡价格的高低，还取决于等式中的第二项，只要第二项不为 0，就会发生对价值的偏离。

再看一下这种偏离与使用价值的关系。上一章给出的表示使用价值关系与价值关系对立统一的交换价值公式，在资本主义条件下同样成立。但这时，价格

$$p_a=\frac{\frac{U'_a(x)}{L_a}}{\frac{U'_b(y)}{L_b}}\cdot\frac{L_a}{L_b}$$

即使在均衡时，也是与生产价格相符，而不是与价值相符。也就是说，在均衡时，存在下述关系：

$$\frac{\frac{U'_a(x)}{L_a}}{\frac{U'_b(y)}{L_b}}\cdot\frac{L_a}{L_b}=\frac{L_a}{L_b}+\frac{R}{L_b}(k-1) \tag{8.4}$$

两边同除 L_b/L_a，可得：

$$h=\frac{\frac{U'_a(x)}{L_a}}{\frac{U'_b(y)}{L_b}}=1+\frac{R}{L_a}(k-1) \tag{8.5}$$

根据公式(8.3)和公式(8.5)，可以得出以下一些结论：

首先可以注意到，若 $R=0$，公式(8.2)中的第二项便总是等于 0，公式(8.5)中的 h 便总是等于 1，无论其他因素如何。而其他因素，L_b 和 k，都是由物质生产的技术条件决定的，R 却不是这样，它本身是资本凭借资本所有权在新增价值中索取的份额，是资本主义的特殊社会经济关系的体现。通过这种简单的方式就可证明：即使存在迂回生产，存在资本有机构成的差别，$k\neq 1$，也不一定发生价值向生产价格的转形；只有资本所有权，以及相应的收入分配权，使 $R>0$，是资本主义均衡价格偏离价值的根本原因，即价值转形为生产价格的根本原因。

再联系到上一章关于价格符合价值以完全竞争为条件的分析，这里的结

论实际表明,资本所有权本身就是一种垄断权,正是它阻碍着市场价格趋向于符合价值的运动。这种垄断权的根本含义在于:若得不到资本的允许或雇佣,劳动便不能进入某种生产;劳动与使用价值的关系,现在服从于资本与资本收入的关系;社会物质生产的结构,由资本追求资本收入的动机决定,而不是由劳动收入的动机决定。

其次,只要给定 $R>0$,生产价格偏离价值的方向,便由 k 的取值决定。当 $k>1$(本书例子中的情况),价格高于价值;$k<1$,价格低于价值;只有当 $k=1$,价格等于价值。也就是说,预付资本量的比例,决定着生产价格偏离价值的方向。

这里要注意的一个问题是,由于这里处在抽象分析的最底层,仅仅是用两种商品之间的交换价值形态,来说明一些最基本的理论问题,因此必须明确它的适用范围。例如,这里生产价格偏离价值的方向,仅仅是与等价物相比较而言的,而不是相对于社会平均资本有机构成而言的。因此,这里的偏离方向或偏离程度都是就讨论中的两个商品的相对关系而言的,不能将它们直接应用于整个经济范围内各种价格的偏离状况。不过为了避免混淆,不妨作些明确的假定,即假定等价物 B 本身具有平均构成。这既可以理解为李嘉图的黄金(他曾假定作为等价物的黄金具有平均构成,见李嘉图,1981:第 4 章,第 12 节),也可将 B 理解为马克思的具有平均资本有机构成的部门的产品,或者理解为斯拉法在不存在平均资本有机构成部门的情况下构造出的具有平均资本有机构成的标准商品(Sraffa,1960)。

再次,由于系数 h 中包含着不同商品生产量 x、y 的关系,因此,它表明了均衡条件下社会生产的比例结构。而从公式(8.5)中可以看出,在资本主义生产条件下,由于 $R>0$,市场均衡时一般不存在等量劳动提供的边际使用价值相等,即一般总有 $U'_a(x)/L_a \neq U'_b(y)/L_b$。这同时表明,在资本主义均衡条件下的社会生产比例,与简单商品生产条件下是不同的。

前面已经说明,这种情况是由资本所有权的介入引起的,这时社会生产的比例究竟如何,也将取决于资本收入份额 R 的大小。不过,这里也应注意到这种情况本身包含的资源合理配置的含义。在迂回生产的生产技术条件存在的条件下,在任何时点上,社会生产都面临着如何一方面利用社会现有劳动量,另一方面利用现存有限的生产资料的问题。由于生产资料现在构成了生产力的一个组成部分,而这种生产力在任何情况下都是有限的,因此那些占用生产资料较多的生产部门规模过大、产量过高(这导致该种商品的边际效用将较小),其他部门的生产规模就会过小,社会生产力就不能得到合理有效的利用;从作为生产力另一组成部分的劳动的角度看能产生最大量的使用价值(劳动、效用转换率均等),但从利用有限生产资料的角度看就可能不是这样。因此,从生产力各个组成部分合理配置、综合利用以发挥最大效益的标准出发加以衡量,那些占用生产资料较多的部门,生产规模应该较小(投入劳动相应较少),而产品的边际效用应该较高。在那些社会生产水平受到物质资源限制,缺乏资本的条件下,就更是这样。事实上,正如绝对地租表明土地的稀缺性一样,生产价格高于价值的超额收入,表明了现存资本的稀缺性。马歇尔把资本利润称为"准地租",是有一定道理的,尽管他并没有揭示这当中包含的特殊社会关系。资源的合理配置,是通过人们的利益关系特别是分配关系实现的,分配关系中包含着资源配置,这是理解经济现象和经济理论的一个关键,也是理解资本所有权积极的历史意义的一个关键。

一般来说,生产资料所有制是否符合生产力的性质,是有利于还是不利于充分发挥各种资源的经济效益,最根本的就在于这种所有制关系是否提供了一种利益动机或一种利益调节机制,使资源能够实现合理的配置。生产资料所有制之所以不仅是一个社会公平的范畴,也是一个经济效益的范畴,原因正在于此。这一点显然对于社会主义经济问题的研究,特别是对于社会主义所有制关系的改革,具有重要的意义。

为什么这里的结论是,在资本主义均衡条件下,不同生产中的劳动—边际效用转换率不等;而在现代均衡价格理论中,结论是在均衡时每种要素(包括资本和劳动)在不同生产中的边际效用转换率都相同?道理很简单,那就是后者把一件商品的交换价值(即可以交换到的价值量)直接等同于商品自身的价值,从而把生产价格直接等同于价值。同时,这种理论将利润率相等视为资本的自然本性的结果;这样(因生产规模受到限制而存在着的)一种商品的较高的边际效用,便自然地归到了较为密集的资本投入的名下,成为它的生产力,而剩下的归在劳动生产力名下的那部分,自然相对较小,于是既有以利润率相同为前提的资本边际效用转换率均等,又有以工资率相同为前提的劳动边际效用转换率相等。这正从反面说明了,只有劳动价值论,才能正确揭示资本主义特殊社会关系在价值—价格运动过程中的内在作用。

8.3-5 小结

以上提出了一个抽象的理论结构,分析了资本主义条件下价值—价格运动的特殊方式,以及这当中包含的特殊的分配关系。这种分析也有利于我们搞清各种不同的分配理论的意义和地位。

上面的出发点是庞巴维克的迂回生产,而最终论证了资本所有权介入所导致的价值运动形式的变化。但正是庞巴维克最先"发难",指出了马克思《资本论》第1卷与第3卷之间的"矛盾",也就是所谓按价值交换与按生产价格交换的"矛盾"。但是,在这个问题上犯错误的却是庞巴维克而不是马克思。庞巴维克正确地揭示了迂回生产所引起的使用价值关系的一些变化,但没有意识到由迂回生产本身产生的资本所有权的社会本质和在这个过程中所起的特殊历史作用,错误地将由资本关系引起的变化归结为技术生产力本身的特征,将资本主义的特殊关系等同于迂回生产本身("生产过程的绝对长度才能正确衡量资本主义的程度",庞巴维克,1964:118),因而也就不能正确理解马克思对资本主义特殊经济运动方式的分析。

在这个问题上,十分重要的一点是必须把资本看作一定量的价值而不是使用价值,同时必须把价值不仅看作一种物质生产活动的交换关系,也要将其看作一种社会分配关系。在这里,后凯恩斯主义者对新古典主义资本理论和分配理论的批判显示出一定的洞察力。后凯恩斯主义者的批判主要包括两个方面:(1)资本的同质性问题;(2)资本价格以利润率为前提的问题。①第一点实际指的是,资本作为资本的性质,不同于资本作为物质生产要素的性质。作为具体生产要素,它们处在不同的物质形态上,是无法通约的,只有将资本视为价值,才能在一开始就具有可通约、加总的性质;并且,只有作为价值,资本才能不受具体形态的限制,在各生产部门中

① 参见 Robinson(1953)。

流动，追求较大的收入。第二点则实际上表明，资本价值关系本身是一种分配关系，资本是一种获取等量收入的权力；它的大小，本身是由其所能获取的收入(即利润)的大小来衡量的。不过，在这一批判中，后凯恩斯主义者将利润率作为资本价值的前提，从而将分配关系作为资本所有权关系的前提，包含着片面的因素。它可以用来解释资本收入份额(即前面公式中的 R)对总资本和个别资本价格的决定作用，却不能科学地解释平均利润率的形成过程。只有从劳动价值论出发，引入资本所有权的作用，才能既说明 R 的形成，又正确地说明平均利润率这一资本之间的分配关系，是个别资本追求较高收入的结果，是资本主义生产关系的结果，而不是它的前提。

在这里可以清楚地看到，在说明资本主义特殊的生产关系和分配关系的问题上，劳动价值论的确比新古典主义的边际生产力分配论具有优越性。新古典主义由于直接从商品所能交换到的价值出发，从而不能说明资本所有权和分配权产生后，引起的商品生产者之间分配关系的变化和特殊性质。通常人们都能认识到马克思的劳动价值论，在说明工人和资本家之间的分配关系中的不可缺少的作用，但还没有认识到，即使在说明资本家之间的特殊分配关系时，也必须从劳动价值论出发。

在前面的分析中，我们看到了在公式(8.4)中，生产价格对价值的偏离程度、相对价格的高低，还直接取决于资本收入份额即 R。这个 R 所代表的就是工人和资本家之间的分配关系。这实际上也表明了后凯恩斯主义的一个重要命题：分配与价格之间，并不是像新古典主义所说的那样是同时决定的或相互决定的，而是分配决定价格。①这应该说是一个正确的命题。价格是一个综合的、具体的现象形态，是一切经济关系的一个综合指数，因而必然是由社会分配关系，特别是阶级之间的分配关系所决定的。

然而，以上只是假定 R 的存在，却并没有研究它的大小是如何决定的问题。下面一节便要对此进行考察。

---

① 这可以说是斯拉法生产价格方程体系告诉我们的一个最重要的理论结论(Sraffa, 1960)。

8.4 生产当事人之间的分配

第1节分析的简单商品生产,其抽象性表现在两个方面:(1)不受任何非劳动收入动机的干扰;(2)它所实现的分配关系,只是不同商品生产者之间的分配关系。这里的商品生产者既可以是一个劳动者,也可以是一组与生产过程相关但处于不同地位、具有不同利益的生产当事人。但是,商品交换关系本身并不能说明商品生产者内部如何将商品生产和交换所获得的总收入在各当事人之间进行分配的关系。上一节已经通过对第一点进行扩充,引入资本所有权,分析了资本主义特殊的商品关系中包含的特殊生产关系和分配关系。本节则要在给定上一节分析的资本主义商品生产者之间的关系的前提下,对商品生产者内部,即不同的生产当事人之间的分配关系进行考察,这样才能完整地说明一种经济关系中各方面的分配关系。本节以下所说的分配,都特指当事人之间的分配,商品生产者之间的分配已经作为前提给定了。

8.4-1 分配对象的二重性

当我们从分配的角度考察问题的时候,作为分配对象的生产结果,首先被当作实现了的一定价值。

将分配对象视为一定量的价值,首先意味着将其视为人的劳动的果实——是人们根据自身的需要才将自己的劳动作用于物质使之变成为合乎自己需要的产品。庞巴维克可称是将利息收入视为资本物品自身产物的早期代表人物,但连他也肯定物质资料只是因为人的劳动作用其上,才具有间接的生产力。他举的一个例子是,人用石头杀了人,罪过是人,石头只是传递了人的作用(见庞巴维克,1964:122—127)。凯恩斯本人既不是李嘉图主义者,也不是马克思主义者,对资本家和资本主义制度丝毫不怀有“道义上的愤怒”,但也承认一国的总产出,是由一国一年的劳动创造的。因此,把分配对象即产品视为价值或劳动的果实,本身是个实证性的结论,并非出于“道德的偏见”,更不是一种怎么说都行的主观判断。至今仍有人对此表示怀疑,认为如果不是说产品全部是劳动的产物,而是说产品全部是资本或生产资料的产物，从而不是劳动价值论，而是资本价值论，也可一样进行经济学分析(Blaug，1985：235)，其实正是否定了经济学的实证意义。

社会产品的另一个属性是使用价值即有用物。从使用价值的角度看，各种生产要素在使用价值的生产过程中，结成一定的关系，共同作出贡献。

但是，这种关系的一个明显特点是，各种要素这时只作为生产过程的主观因素(劳动)和客观因素(土地、物质资料)发生作用，它们结成的关系只是物质或技术的关系，这种关系只说明产品是怎样生产出来的，却丝毫不说明它们应该归谁所有。如果说劳动者由于本身既是劳动力的所有者，又是在生产过程中活动着的主体，从而有着获得他们创造的那部分使用价值(如果能够测度出他们创造出多少的话)的天然权利的话，那么土地和生产资料在生产中的作用本身，是与其产品归哪个人所有是毫不相干的。在生产中起作用的是物质本身，而不是物质的所有者。当人们说土地的“赐予”应归土地所有者所有，或生产资料的贡献应归生产资料所有者所有时，显而易见，便仅仅是由于所有权在起作用，是所有权这种排他的社会关系的结果。而土地和生产资料的所有权与劳动力所有权的一个根本区别就在于，它们不具有任何“自然”的因子，从来不是天经地义地与某人相结合的，而只是一种特定的社会关系；劳动力所有权事实上也只有在同其他所有权相对立时，才具有意义，因此也是一种社会关系。

因此，在分配问题上，起作用的只是社会关系，即基于所有权的分配权。用现代社会“折现值”的观点看问题，分配权不仅是所有制关系的反面，而且在量上，所有权就是分配权的倒数，本身就是由分配权的大小来衡量的。作为一种社会关系，分配本质上取决于人与人之间关系的历史和现实的状况，取决于经济权利之间的较量和斗争。这一点只要我们离开蒙着等价交换外衣的资本主义商品经济，去观察奴隶制社会和封建社会，其实是很清楚的。

由于分配的权利和关系本身是外在于物质生产过程的，因此它与各种生产要素在使用价值生产中的贡献大小(如何测度这种贡献的大小是后面要讨论的另一个问题)，可以相关，也可以不相关。它可以相关，是因为任何分配总要以某种主观或客观的标准为依据，或者说作为讨价还价时争议的标准；而要素生产力便可能构成分配份额的一种可以诉诸的依据，一种外在的限界，外在的标准；它可以不相关，是因为它本质上就是不相干的，二者只有外在的联系。

这样,我们便得到了关于分配问题的三个基本结论:(1)分配是对劳动成果的分配,分配的对象是劳动产品。(2)分配是一种社会活动,取决于社会关系;各生产当事人的分配份额,取决于他们之间依据各自的权利而进行的利益斗争。(3)各生产要素在使用价值生产中的贡献大小,可能(也可能不)构成分配份额的外在限界。

使经济学家们特别是理论家们特别关注的问题是,如何阐释分配所遵循的原则或规律。这种可以被称为规律的东西,不仅本身应确实支配着分配过程,而且应与经济过程的最一般、最基本的规律相一致,以使分配理论与其他理论获得有机的统一。各种分配理论都表现出了这样一种对理论统一性的追求。

8.4-2 剩余价值论

马克思主义力求将分配的规律置于等价交换规律基础上。马克思将劳动力定义为一种特殊商品,其价值取决于再生产这一劳动力所需花费的社会必要劳动,也就是生产工人必要生活资料所需的劳动。至于这里什么是必要的,马克思认为取决于历史和道德的因素所决定的工人的必要消费水平。这样,当劳动力商品在市场上成交之后,工人所得的分配收入从绝对量上就是已经确定了的,但这个量在生产成果即净产值中所占的相对份额却还没有确定。这种相对份额,将取决于在生产过程中工人与资本家的“同样是商品交换规律所承认的”权利之间的“二律背反”的对抗(马克思,1975:《资本论》,第1卷,第262页)。这种对抗所针对的是劳动时间的长度、强度和工作条件。对抗决定着超过生产工人必要生活资料价值所需的劳动量(必要劳动)以上的劳动时间长度(剩余劳动)。剩余劳动量的大小,一方面决定了资本家在总产品中获取的分配数量,同时也就决定了工人和资本家在总产品中分配的相对份额。这一理论由于将注意力引向生产领域,因而充分揭示了生产方式对分配方式的决定作用,揭示了在商品交换平等权力背后的商品生产过程中的权力对抗,揭示了问题的实质不在于如何分配,而在于如何生产。因此,在马克思主义中,分配理论与生产理论是统一的。剩余价值理论既是生产理论,又是分配理论。这一理论充分显示了马克思主义的独到的科学洞察力,其他任何理论都不曾揭示生产过程内部的利益斗争和这种斗争对分配的决定作用。

然而,这一理论的突出的局限性在于作为其论证前提的劳动力价值的决定。根据这一理论,劳动力的必要生活资料,从而劳动者所获得的分配数额,并不是一成不变的;但这种变化却取决于一些外在于现实经济活动的因素,即"历史的和道德的因素"(马克思,1975:《资本论》,第1卷,第194页)。这就脱离了马克思主义一贯坚持的从现实经济关系内部的因素,特别是用生产力和生产关系的相互作用来说明各种经济变量的思维路线。劳动力在资本主义条件下的确表现为一种特殊商品;但它的价值本身,也应该取决于技术进步的程度和经济利益矛盾的现实状况。而且,马克思的劳动力价值概念在与相对剩余价值概念和资本有机构成提高、资本主义积累造成的贫困化概念等相联系时,在理论上导致了工人阶级生活水平不能提高的结论,从而无法在理论结构内解释现代工人阶级生活水平提高的事实。

8.4-3 边际生产力分配论

新古典主义力求使分配理论符合市场均衡体系的统一性。为此,它将各种生产要素本身都视为商品,而要素收入即分配份额都表现为这些商品的价格。作为价格,它们也都取决于市场供求这两方面的均衡力量,即取决于要素的边际产出与要素供给者的边际负效用之间的某种均等关系。对这一理论,人们从各方面提出的怀疑和批判已经很多,这里不必一一重复。不过,不妨对其作一番正面的理解,看看它在其特殊形式下揭示了哪些实际的问题。这一理论实际上表明了产值在不同生产要素所有者之间的分配,在各种权力抗衡达到某种均衡点时,是以要素在使用价值生产中作用的大小为外在依据的。各种要素共同参与生产,它们在总产品生产中的作用大小是无法直接度量的,但可以在变化过程中间接地、近似地测度。其他要素不变,增加一单位的某种要素,能使产量增加多少?这种边际生产率及其比例,一定程度上构成了各种要素在相互依存中的特殊作用的一种指数(只能当指数来理解)。这种指数,构成了分配时可能起作用的一种标准。分配本身是你我争一块馅饼的事,但当争得不可开交时,人们便要诉诸某种量的依据,以便"公平"。要素边际生产率构成了一种可能的依据。

新古典主义分配论的根本缺陷是把这种可能性当成了资本主义经济分

配的必然规律，因此它无法解释经济现实中的许多现象。例如，它从来无法解释正常利润；这个正常利润在新古典理论中永远是一个被假定存在的存在。又如，它无法解释现行工资下的非自愿失业。新古典主义没有认识到的一个基本事实是，即使把资本理解为具体形态的物质生产资料，劳动力商品与生产资料商品之间也存在这样一个本质的差别：物质资料闲置不用，自然也是一种生产力的损失，但它还仍然存在；而劳动资源，即时间，是一去不复返的，得不到就业，相当于工人所具有的禀赋从来就没有存在过，同时使工人面临饥饿以至死亡的威胁。因此，在权利抗衡中，工人和资本家之间至少由其所拥有的物质手段的属性所决定，也存在着力量的不对称，更不用说资本主义生产方式下工人隶属于资本这个事实在利益分配中所必然起到的作用。把资本主义劳动市场价格的均衡，解释为工资收入和工人的“闲暇”之间的替代的结果，更是一种空中楼阁式的假设，它最多只能在充分就业条件下的边际上才有现实的意义。马克思主义和后凯恩斯主义都证明了充分就业与资本主义经济不相容的道理，而在失业条件下工人“闲暇”所带来的真实的痛苦，却从来无法进入新古典主义的理论分析。

8.4-4 后凯恩斯主义

后凯恩斯主义力图将分配理论统一于经济的“不确定性”。从现代经济的某些事实出发，他们认为收入的分配，是一个外在于市场运动的独立的经济环节，它由两个过程构成，一个是工资谈判或称工资争议；另一个是利润加价，即在产品定价采取的是利润加价方式时，企业主对利润率的确定。资本家在这两个过程中同时争得自己的利益：在工资谈判中尽量压低工资，在定价时确定自己认为可行的、有利的利润率；工人则仅在工资谈判中力争较高的工资。因此，他们认为利润率的确定占据主导的地位，在收入分配中起决定的作用，是率先决定的，工资是利润的剩余①；而那个利润率则是根据由资本家不确定的“动物精神”所决定的利润预期（资本边际效率）确定的，从

① 在哪种分配份额是剩余的问题上，各种经济理论的差别是：马克思主义认为是资本收入，后凯恩斯主义认为是工资，而新古典主义则认为二者是同时决定的，互为余补。

而分配本身便具有了不确定的性质(并因此而影响到整个经济——分配在经济运动中具有决定的作用)。当资本家预期未来繁荣、销售前景良好时,他们会提高利润加价,这一方面是被认为可行的,另一方面使产品价格提高,给他们带来较高的利润以满足投资扩大生产的需要。利润率较高而引起的物价上涨,使得工资谈判中确定的名义工资贬值,工人的实际工资降低。①这构成利润来源扩大的原因,但同时也会引起工人的反抗,于是工资再议,要求考虑到通货膨胀的因素,这就构成了资本家无法任意提高利润分配份额的通货膨胀障碍。工人阶级和资产阶级就这样在收入分配上相互斗争。

这一理论的确反映了当代资本主义的某些现实。在理论上,后凯恩斯主义者对分配取决于阶级力量对比、取决于市场交换均衡之外的争议和权利斗争这种关系进行了充分的揭示,无疑是他们的一大功绩。而且,在分配关系上,由于它主要地取决于权利的对抗、力量的对比,一切政治、经济、社会、心理、道德的因素都会起作用,因此的确比经济运动的其他方面表现出更大的随机性。后凯恩斯主义者认识到了这一点,也是正确的。但是,将分配比例的确定看成为不受任何客观限界制约的事情,显然是不符合事实的,不能够说明许多基本的经济现象,也不能在理论上提供某种带有规律性的理论。无论如何,像斯拉法所表明的那样,认为工资或利润份额(二者取一)这样最重要的经济变量,完全是在经济方程体系之外决定的,是不能令人信服的。

看来,各种经济理论都为全面理解资本主义的分配关系提供了某种有价值的理论因素,但也都存在着各自的片面性、局限性。因此,问题还是在于我们如何将它们有机地加以综合,以便更全面、科学地把握分配关系。

8.5 工资收入的上下限及“对抗系数”

马克思的剩余价值理论的一些基本内容可以作为收入分配综合理论的

① 另一种解决办法是信贷优先权,即由于资本家掌握信贷优先权,在预期利润高时,可以通过借贷扩大投资,而由于信用膨胀,引起物价上涨,工人实际工资下降,实际利润提高。

基础和出发点。这样,首先需要考察劳动力价值的决定问题。

8.5-1 劳动力价值下限——基本生活资料的价值

在资本主义经济中,资本的权力总是居于统治的、主导的地位,工人的就业、消费服从于资本运动和扩大的需要,这是一个绝大多数经济学家所承认的事实,尽管他们对这个事实的评价不同。而由于压低工资可以提高利润,因此,从资本家总体的角度看,他们便总是具有尽量压低工资的动机。劳动隶属于资本,使这种动机能够产生效果。但是,这种动机遇到的一个极限,便是工人的基本生活资料。工人必须能够活下去并再生产劳动力,这不仅是社会道德起码的要求,也是资本本身的需要。因此,在一定技术条件下,生产工人的基本生活资料的劳动量,决定了劳动力价值的下限。从使用价值来看,它是一个经济的常量,也就是说,它可以因历史的或道德的因素而变化,但不与经济的内部因素之间存在直接的函数关系,因此在经济分析中,应视为一个常量。

这个命题,实际上意味着笔者认为马克思当年所说的"劳动力价值"概念,只构成"劳动力价值下限"的概念。应该看到,这不仅是符合逻辑的,也是符合历史的。马克思当年观察到的资本主义,是因种种原因工资被压低在必要生活资料的水平的时期;他把它当成了资本主义的常态,而没有意识到那只是一个历史的特殊情况。为了以示区别,本书不称其为必要生活资料而是称基本生活资料;在现代资本主义社会,它表现为官方宣布的最低收入水平。

根据劳动生产率与价值成反比关系的原理,从价值角度看,劳动力价值下限也是可变的,它与生产生活资料的劳动生产率成反比,实际上是与整个社会生产技术水平的提高成反比(参见马克思《资本论》中有关相对剩余价值的论述)。定义符号 g 为社会生产力提高速率,则可定义劳动力价值下限,V_0 为 g 的一个降函数:

$$V_0 = V_0(g),\ V_0'(g) < 0 \tag{8.6}$$

它表明,社会生产力的提高,会使劳动力价值的下限降低。若资本家能把劳动力价值总是保持在下限上,则生产力的提高会使资本收入提高而工人的生活水平不变。这正是马克思的相对剩余价值理论告诉我们的。

8.5-2 劳动力价值上限——劳动边际收益

劳动力的价值事实上不会总是处在下限上。但是,若因种种主客观原因,工人阶级可能在利益斗争中争得工资的提高,它也有严格的经济限界,不能逾越。这个上限是如何确定的呢?新古典主义的边际生产率概念可为本书提供一个确定这一上限的方便的理论工具,尽管它在本书的理论中所起的作用与在新古典主义边际生产力分配论中并不相同。

这要从资本这一头说起。在现实中,资本的实际利润率,其实是经常超过资本的边际收益的。资本边际收益的计算方法是:在其他要素不变条件下,新增(或减少)一单位资本,所能导致的产量的增加,乘以产品价格。这是可以观察到的(必须注意这里已把资本理解为生产资料实物)。新古典理论中出现的那个资本收益,被称为利息率,并且实际上也等于利息率,因为这是资本信贷市场的均衡条件;凯恩斯的资本边际生产率等于利息率的理论,表明的也是这一事实。而资本的实际总收入则是利息率加上被算在成本中的那个说不清的正常利润。[①]这个正常利润是会变动的(后面就会讨论它的变动原因)。只有当它降到极限即 0 的时候,整个利润才等于资本的边际收益。资本利润率能否再下降呢?不是不能的,在经济危机爆发时,资本家只能咽下苦果,但这不是因为分配关系方面的原因,而是因为经济危机对生产力的破坏。而在正常条件下,在与工人的工资谈判中,资本收益是不能低于这一点的——工资再涨就要没有利润了!利润还可以没有,但利息(=资本边际收益)还是要付的;付不起利息,就意味着破产倒闭,这也不符合工人的当前利益。可见,真正构成资本成本的,不是正常利润,恰恰相反,是与边际收益相等的利息。这也就说明资本的边际收益,在概念上并不是资本的一般收入,在量上不是资本收入的全部,而只构成资本收入的下限。在资本主义观念中,它表现为资本的自然产出;并且,若资本收入低于资本边际效率,则被认为是不公正的,因而是不能接受的。

---

① 在新古典理论中,未加限制词的利润,一般是指短期中的超额利润,或某些部门的垄断利润。

若假定生产函数中，在生产资料和劳动之间存在一定的替代关系（这是一个合理的假定），以生产资料和劳动为两种生产要素的生产函数是平滑的凹函数，则可以证明，当资本的收入等于资本边际收益时，劳动的收入等于劳动的边际收益①；在资本家和工人两大阶级的收入分配中，这就意味着资本收入达到下限时，工资达到它的上限（工资的下限即为利润的上限）。②这就是说，劳动的边际收益，构成工资或劳动力价值的上限。

根据资本主义市场竞争下工资率均等和利润率均等的原理，也根据在劳动市场上工人阶级作为整体与资本家对立的原理，这里要利用“社会总生产函数”的概念进行分析。由于仅仅需要考察劳动收入的上限，因此可以把总产出仅表示为劳动的函数，即

$$y=f(L) \tag{8.7}$$

劳动的边际收益为：

$$\overline{V}=P\cdot\frac{\mathrm{d}f}{\mathrm{d}L} \tag{8.8}$$

其中，$\overline{V}$ 表示劳动力价值上限；P 为总产出的平均价格，在研究具体某一部门的生产时，它也可理解为某一种商品的价格。不过，这里的价格也可作价值理解。因为在等式一边若是价格 P，另一边 V，也应是价格；若同时将等式两边的分母消去，便得到价值关系。在上式中，P 实际上代表的是一单位商品中的必要劳动量（在研究某一特殊生产部门如部门 A 的问题时，P 可写为 L_a）。

当技术进步、生产力水平提高时，劳动的边际生产率会提高；但是，由于这里研究的是价值关系，劳动生产率的提高同时会使单位产品的价值下降，这相当于在对 $\mathrm{d}f/\mathrm{d}L$ 乘以一个 $(1+g)$ 时，要对 L_a 也除以一个 $(1+g)$，因

① 在经济学说史上，存在一个由边际生产力分配论所引起的“穷尽问题”(exhaustion problem)，指的是若按照要素边际生产率分配，是否能够恰好将产出全部分配殆尽。威克斯蒂德、巴罗纳等人曾在某些假定下给予了肯定的回答，后来威克塞尔指出应将穷尽分配作为均衡条件理解后，这个问题一般认为被解决了。

② 后凯恩斯主义利用斯拉法体系，证明了工资为零时，利润达到最大；利润为零时，工资达到最大。但事实上哪一个也不会为零。本书的理论确定一个上下限，似乎更精确、更科学。

此V保持不变。换一个方式理解，由于技术进步，导致劳动边际生产率和资本边际生产率同时提高，因此收入分配的比例不变。在马克思常用的一维空间中表示劳动日划分的直线上，这表现为必要劳动（的上限）和剩余劳动的划分点不动（但必要劳动的下限向左移动）。

8.5-3 工资争议区间和“对抗系数”

现在有了劳动力价值的下限和上限，这就构成了一个开区间$(V_0, \overline{V})$，长度为$P \cdot \mathrm{d}f/\mathrm{d}L - V_0(g)$。它可称为“工资争议区间”。在一般情况下，劳动力的价值V，就落在这一区间中的某一点上。在马克思常用的一维空间中，这可表示为：

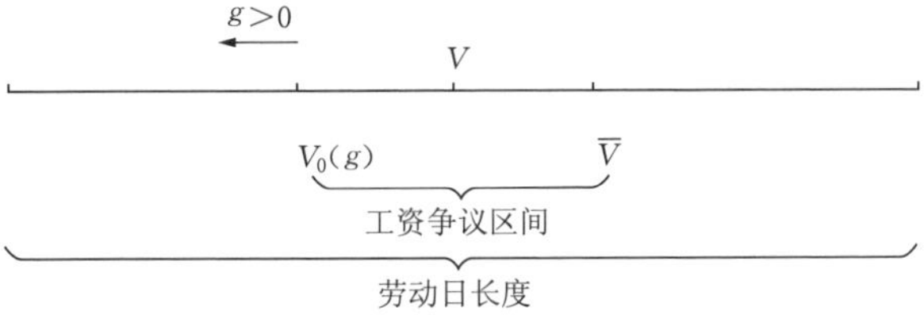

那么，究竟落在哪一点上呢？这就取决于工人与资本家之间的利益斗争和斗争中双方的力量对比。其中既包括后凯恩斯主义所指出的工资谈判中的力量对比，资本家通过利润加价办法或信贷膨胀办法获得实际利润的能力，以及工人制造通货膨胀障碍的能力，也包括在一定条件下，资本有机构成提高对工人需求的减少程度、产业后备军的规模（马克思的资本积累理论）、资本主义社会生产对工人消费的依赖程度（凯恩斯的乘数原理）等社会条件，因为这些都会加强或削弱工人或资本家的斗争力量，从而造成力量对比的变化。在生产过程中利益矛盾双方在工作日长度、劳动强度、工作条件等问题上的斗争，也会导致收入比例的变化（由于它们首先涉及总产出的变化，因此要当作生产问题考察，属于生产过程中的利益矛盾，是下一章的研究范围）。

这里将两个阶级利益斗争中力量对比的状况定义为一个变量t，$0 \leqslant t \leqslant 1$，称为“对抗系数”。它是上一段列举的所有关系到利益斗争的各种因素的函数（不过各因素的作用方向不同）。因此，尽管称它为系数，但它实际上是经济体系的一个内生变量。这里规定:t 越大,表明工人的力量越大,从而争得的工资份额将会越大;t 越小,则资本家的力量越大,会把工资压得越低。而劳动力价值究竟落在上述争议区间的哪一点上,便由 t 的取值决定。

这样,便可得到劳动力价值一般公式:

$$V = V_0(g) + t[P \cdot \mathrm{d}f/\mathrm{d}L - V_0(g)] \tag{8.9}$$

将这个公式所说明的原理总结如下:

1. 关于 V。它代表的是劳动力价值的实际取值。它可能等于下限(这时 $t = 0$),即马克思当初看到的必要生活资料的价值;也可能等于上限($t = 1$),即新古典主义的劳动边际收益;但通常不是这样,而是取一中间值。请注意 V 就是劳动力这个特殊商品的价值,但它显然不等同于马克思的劳动力价值概念。马克思将什么是必要生活资料和劳动力价值理解为由历史的和道德因素决定的;而笔者将其理解为是由经济状况本身内生地决定的,既包括由技术进步、生产力发展水平(g)决定,也包括由当时的社会经济关系、利益矛盾状况决定,因此它是一个经济变量。但是,由于 t 并不代表市场供求关系,因此不能把它当作市场变量,从而不能把 V 理解为偏离价值的价格。我们必须记住的是,劳动力商品是一种特殊商品,它的特点不能由一般商品交换的规律去理解,那样我们就变成了新古典主义。

2. 关于 g。我们可以看到,代表技术进步、生产力水平提高的 g,在公式中出现两次。第一次是在 $V_0(g)$ 中出现,表明技术进步会使劳动力价值的下限降低,从而增加了资本家获取更大相对剩余价值的可能。但另一方面,技术进步也导致了在剩余价值不变条件下,提高工人生活水平的可能性,这表现为它第二次出现时使争议区间扩大。这就是说,g 在两方面发生作用,一方面使 V 下降,但另一方面有使工人的生活水平提高的趋势。给定对抗系数 t,V 的取值就取决于 g 的变化情况,结果可能是一方面 V 降低,产生相对剩余价值,但并不与 V_0 同步下降,从而使工人生活水平有所提高。一般说来,工人生活水平的提高(这并不一定有 V 的提高)主要来自 g 的变化。

3. 关于 t。在技术不变条件下,劳动力价值也不是固定不变的,它取决于工人阶级和资产阶级之间的力量对比。给定 g,马克思的必要劳动和剩余劳动的界限,最终是由 t 划定的,因为是它确定了 V 在争议区间 $[V_0, \overline{V}]$ 中的取值,而从 V 到 $\overline{V}$ 之间的一部分价值,即 $\overline{V}-V$,便构成了新古典理论中的正常利润;全部剩余价值减去这个正常利润,实际上才是新古典主义中的资本边际收益即利息率。在一维空间中,这表现为:

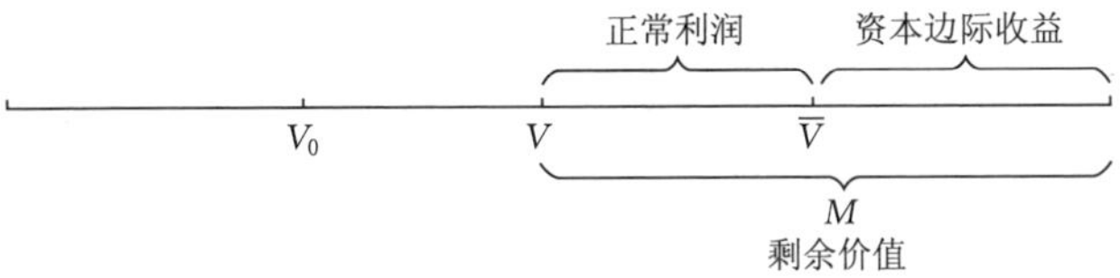

4. 在公式中,$V_0(g)$、$P \cdot \mathrm{d}f/\mathrm{d}L$ 表示的是社会生产的物质、技术条件,即社会生产力水平;而 t 则表示的是资本主义经济的生产关系和分配关系。这样,就从社会经济活动的两个方面说明了 V 的决定方式。

最后,给定了工人的收入 V(还要假定生产过程中的利益斗争结果也为一定),也就能够确定出资本家的收入 R(马克思的 m)。仍然像前面那样假定一单位劳动生产出一件产品(技术进步表现为"一单位劳动"的自然时间长度缩短),则 V 和 R 也同时可被当作分配份额 ($v=v/v+m$ 或 $R=m/v+m$)。于是可有:

$$R=1-V=1-[V_0(g)+t(P \cdot \mathrm{d}f/\mathrm{d}L-V_0(g))] \tag{8.10}$$

这样,第 2 节中的那个 R 也就得到了说明。

8.6 "制度变量"的现实意义

上面定义了一个表示利益斗争中力量对比关系的变量,即对抗系数 t。它表示的是社会经济关系的状态。而社会经济关系,在新古典主义和凯恩斯主义的术语里,被称为经济的制度背景条件。为了使术语一般化,称 t 为一种"制度变量"。尽管在笔者的理论中它是一个内生变量,但在其他理论背景下,把它当作外生变量来处理也是可行的。

这种制度变量,在笔者看来,对于经济学的发展,特别是对于社会主义经济理论的发展来说,具有重要的理论价值。在某些条件下,决定经济运动的往往不是可以直接在市场价值关系中测定的变量,而是一些利益关系、利益矛盾的状态，一些谈判桌上的争吵或默契。如何将它们在理论上表现出来，引入经济分析，显然具有重要的意义。计量经济学创始人之一丁伯根1969年在诺贝尔经济学奖获奖演说中曾指出：必须在计量经济学模型中，引入许多社会变量和政治变量。这里在理论上所使用的“制度变量”，正具有他所说的社会变量和政治变量的意义。（在计量经济学的意义上，如果一方面知道现行工资水平，另一方面知道最低收入水平和劳动边际生产力，便可以将本章中提出的那个“对抗系数”作为计量模型的系数估算出来。）

在社会主义条件下，许多经济活动往往取决于计划会议上的讨价还价、上下级争议、计划指标的硬度、预算约束的硬度等等不能由价值尺度、货币尺度或实物量等来测度的因素，它们起着比市场变量更大的经济作用。因此，必须在理论上找出某种抽象的方法将它们表现出来，引入理论分析，才能获得对经济活动更精确的认识。从这个意义上说，尽管以上分析的是资本主义的经济关系，但所使用的方法，对于研究社会主义经济问题具有直接的现实意义。

9

生产和社会生产

9.1 生产问题概论

9.1-1 物质生产——经济效率问题

本书曾经指出，社会经济活动，首先是物质的生产活动。

就社会物质生产而言，经济学研究相互联系着以下三个方面的问题：

1. 资源（包括物质资源、劳动资源和技术资源）的利用效率，即如何在生产中有效利用各种资源的问题。生产者必须根据各种生产资源的技术关系，合理地组织生产活动（包括建立最符合生产条件性质的经济关系），才能充分而有效地利用现有资源，生产出最大量的物质产品。有关个别企业行为的理论（微观理论）和有关国民经济总量行为的理论（宏观理论），都涉及这方面问题的研究。

2. 资源的配置效率。这指的是现有资源和社会生产活动，如何根据当前的社会需要（最终产品需要），在不同种使用价值的生产之间进行配置的问题，也就是各部门生产规模的比例关系问题。新古典主义中的一般均衡理论和马克思主义经济理论中的社会再生产图式都是处理这个问题的。

3. 资源的动态效率。这指的是现有资源和生产活动，如何在当前最终产品的生产和为扩大明天的生产能力而进行的生产资料生产之间的关系问题，即消费和积累的关系问题。它也可以视为资源和生产活动如何在当前需要与未来需要之间合理配置的问题。新古典主义的增长理论（动态理论）、凯恩斯主义的动态理论和马克思主义的积累理论等，都是研究这一问题的。

作上述区分自然仅具有抽象的意义。这三方面的问题往往是结合在一起的。当本书抽象地考察其中一个方面时，总是以其他两个方面的既定状态为前提的。

值得强调的是，当本书谈论一个经济的总效率时，指的是这三方面效率的有机总合；单指任何一方面，或仅仅看到了某一方面的问题，比如仅仅看到利用效率，只注意能生产多少产品，而忽视这些产品作为使用价值的配置效率，认识不到在一定的需求偏好结构下它们事实上能提供多少使用价值或效用（这与产品的数量是完全不同的概念），都会使理论误入歧途。

本章第 2 节，主要从个别企业生产活动的角度，考察第一方面的问题，即资源利用效率问题。第 3 节主要从社会生产的角度出发，研究有关配置效率的理论。第 4 节将就宏观理论问题简单考察社会生产效率的两个方面，即利用效率与配置效率两个方面的相互关系。动态效率问题，在下一章的增长与循环理论中集中考察。

9.1-2　生产中的社会经济关系

生产活动同时又是一种社会活动，包含着人与人之间的经济关系。社会经济关系指的主要是生产资料所有制关系，以及以此为基础的产品—收入分配关系和生产中人们所处的地位和作用。经济关系集中地体现为生产活动的特殊目的和人与人之间的利益矛盾。

一定的社会经济关系，构成物质生产的特殊社会形式，同时也构成制约物质生产活动的社会条件，影响并决定着生产的效率。对于这一点，马克思主义经济学予以了特别的强调，而新古典主义则予以了特别的忽视。

从社会经济关系的角度看，下面第 2 节分析的个别企业的生产，具有生产一般的意义——本书分析个别企业的生产活动所得出的有关社会经济关系的结论，同样适用于整个社会生产。事实上，我们可以看到，个别生产中的利益矛盾关系，是以整个经济中的利益矛盾关系为背景的。

9.2 经济生产函数

生产理论首先研究的是个别企业或个别产品的生产问题，或者说，是微观经济的生产。只是在这种微观经济的意义上，生产构成整个经济活动的一个相对独立的环节，交换、分配和消费需求等是作为外部前提存在的。这集中表现在，在研究个别企业的生产行为时，假定生产要素价格和产品价格是一定的(严格地说，这当中也包含着完全竞争的假定)；在研究一个部门的生产时，假定其他市场上的价格为既定。

资本主义企业以利润最大化(无论是预期的利润，还是实际的利润)为目的组织生产。一个企业或者力求以等量的成本生产出最大的产量，或者力求以最小的投入或成本生产出一定量的产品。这种利润最大化的二重表达方式，称为生产行为的“对偶性”(duality)。对于这个事实，各种经济学之间没有分歧。尽管近些年来，一些人根据经验观察和实证研究，指出资本主义企业现在往往并不以最大利润为目标，而是以适度利润、稳定发展、最大规模等为目标，但至少在近似的意义上最大利润目标仍不失为对资本主义企业行为的一个正确的理论概括。①

但是，不同经济理论之间的差异，却表现在如何实现这一目标的问题上。这突出地表现在对生产函数的理解和对资本主义企业如何进行生产技术选择的理解上。

9.2-1 技术生产函数

新古典理论的一个重要功绩是从物质生产的角度将表现生产要素投入

---

① 关于最大利润目标的争论，显然有益于我们对企业行为问题作更深入、全面的思考。比如，社会主义企业的行为究竟以什么为目标？相应地它为什么这样安排生产而不是那样安排生产？利润最大化目标为什么不能正确地说明社会主义企业的行为？

和产出之间技术关系的生产函数理论进行了充分、细致的研究，探讨了这种关系的各种可能及其后果，使这一理论在抽象层次上发展到了十分完善、精密的程度。

生产函数(又可表示为“生产集”或“转换函数”[transformation function])，是描述各种生产要素投入量与产品之间的技术关系或各种要素之间在生产中的技术替代关系的一种理论形式。柯布—道格拉斯生产函数、列昂惕夫生产函数等，都是生产函数的一些各有特点的具体形式；它们构成利润最大化的技术条件。在短期生产行为分析中，生产函数表明可变要素与产量之间的关系，在要素边际报酬递减规律下，解释企业的供给函数。在长期生产行为分析中，生产函数主要用于研究规模报酬问题，也就是各种要素可以同时按同一比例变化时，或原有生产可以“复制”(duplication)时，成本变动的情况。企业的行为，便是以利润为目标函数、以生产函数为限制条件，确定最佳产量。这也称为均衡产量的决策过程和贯彻这一决策的过程。

新古典主义的生产函数理论突出地表明了经济行为即人们追求经济利益的过程对于物质、技术条件的依赖关系，从而为理解各种经济现象，提供了重要的理论依据。例如，这一理论详细地考察了生产技术条件对于市场形式、市场结构的决定作用。同样假定“自由进入”(free entry)，生产的规模报酬性质不同，便会导致不同的市场结构。若规模报酬恒常，市场就可能具有完全竞争的性质，因为价格必然等于平均成本，(超额)利润为0；但在这种情况下，一个部门中各企业的规模和企业数目是不确定的。若规模报酬递增，规模越大越有利，必然导致某种形式的垄断或寡头垄断。而规模报酬递减，结果必然是无数小规模企业的完全竞争，并必然使该部门扩大下去直到遇到某种资源的限制，使其他人不能再自由进入为止。这些结果乍一看上去有些是与常识相悖的，但经过严格的理论分析，却构成说明资本主义市场经济下许多现实问题的有利依据(Varian, 1984:86—88)。人的行为必然受到物质、技术条件的制约；经济的社会结构必然由物质技术的结构所决定，这是生产函数理论有力地表明了的一个重要真理。

新古典主义生产函数理论的根本缺陷，是它把企业内部的生产过程以及整个社会的生产过程，仅仅看成为一种物质变换和技术选择的过程；把人们在企业活动中的相互关系，仅仅看作为生产的物质要素即劳动、生产资料和企业家能力之间的技术关系；同时，企业最大化利润的行为，在企业内部只是一个技术问题，只有相对于企业外部而言，即相对于市场价格而言，才是社会经济问题，才涉及人们的利益关系。

在一定意义上当然可以说，新古典主义的这种结论是理论抽象的结果：当人们在理论上将劳动者作为工人即作为劳动要素所有者与企业主、资本所有者的关系从生产活动中抽象出来，变成生产要素市场上的交换关系的时候，企业内部的生产函数中便仅剩下了技术关系。但是，要素市场上的交换或分配关系，显然不能完全概括并反映劳动者与雇主之间在生产中的相互关系和利益矛盾。在这方面，马克思主义的生产理论，便显示出其独到的洞察力。①

9.2-2 生产中的利益冲突

在马克思主义的生产理论中，生产过程作为物质变换过程，人们在生产中的技术关系，仅仅是问题的一个方面，是生产过程二重性之一；而生产所采取的形式，技术的选择，包括管理方法的选择，不仅取决于生产的物质、技术条件本身，也取决于生产当事人之间的社会关系，取决于他们之间的利益矛盾。马克思的“生产方式”概念，在狭义上就是指生产过程本身所具有的二重性质。马克思最早分析了资本家在生产中的职能不仅是一般意义上的管理，而且也是作为资本的人格化对劳动进行监督和榨取，并且分析了在劳动日长度、劳动强度、工作条件等问题上的利益冲突。现代马克思主义者则进一步在下述问题上强调了资本主义关系的意义：技术的选择本身取决于工人与资本家之间的利益矛盾；事实上，那些能够少用工人，削弱工人的反抗能力，并使得对工人的监督、控制更为容易的技术、机器、自动化流水线，正是根据老板们的意愿创造出来的；并不是老板们采用了新技术，而是什么样的新技术能够转化为现实生产力，本身是由阶级利益矛盾的状态，由老板

① 现代制度学派的交易成本理论注意到了企业内部关系与市场关系的差别，但仅仅将其视为两种可以相互替代的实现企业主利益的手段；企业主究竟采取哪一种，则仅仅取决于成本的差异。他们的分析是，企业形成的原因是为了节省交易成本(transaction cost)，因为在企业活动中的管理费用较低；而企业规模的大小，取决于管理费用与交易成本边际相等的水平。

的利益需要决定的(Marglin, 1974)。阶级利益矛盾,工人在生产过程中对资本家利益的积极的或消极的反抗,对于资本家来说,是要破费的,他必须支付某种除技术上必要的成本之外的额外费用,来迫使或诱使工人提供尽可能多的劳动,并按照老板的意图来完成其工作。要达到这个目的,有两种手段可供他选择,一种是增加监视,包括增设工头和增设监视仪器,以增加工人怠工或破坏纪律时被发现的可能性;另一种是提高在业工人的工资,这可以提高失业对工人造成的损失程度,或增加工人的"效忠"精神。这两种手段能否奏效,哪一个更奏效,何时更多地采取哪一种手段,则要取决于内部和外部的各种因素。这主要是:(1)工人的利益本身与老板利益的对立程度,工人对失业的态度。(2)社会上失业率的大小。当失业率低时,工人被解雇后重新就业的可能性较大,他就会不大在乎失业,这时老板就要更为严加防范。(3)社会失业保险的大小。失业保险越高,工人就越不怕被解雇,老板也就要更多地采取加强监视的对策。新马克思主义者就用这样的理论,论证了在业工人的工资高于所谓"均衡水平"的可能性;充分就业与资本主义制度不相容,失业存在构成对工人利益的威胁,同时构成资本家统治工人的基本条件(Bowles, 1985; Shapiro, 1984)。这些都应视为对经典马克思主义生产理论的新扩充。

9.2-3 经济生产函数

以上的分析告诉我们,新古典理论中的生产函数,只描述了各种生产要素之间的技术关系;它只是生产问题的一个方面,而没有反映生产要素背后的人与人之间的关系:进入生产过程的不是劳动,而是劳动力,是工人;不是生产资料,不是物品,而是由资本家占有并支配着的资本。

基于这种原因,可以称这样的生产函数为"技术生产函数"。经济学不可能脱离技术生产函数研究生产。但正如马克思主义告诉我们的,生产本身绝不仅仅是技术关系问题,而是还包含着人与人之间的利益矛盾,并且,这种利益矛盾关系本身会直接影响到投入与产出之间的数量关系。因此,如何在技术生产函数的基础上进一步将利益矛盾的影响引入生产过程的定量分析,便构成经济学所要研究的一个重要问题。

这里假定劳动日长度已由法律限定,不能变动;工作条件也有相应的法律规定,必须满足一定标准,因此工人与资本家在生产过程中的利益矛盾便仅发生在劳动强度上。在这个问题上的利益矛盾,事实上也是最有代表性的。

强度较大的劳动,算作较大量的劳动。根据这个原理,首先必须将资本家用工资所购买的一定量的劳动力的工作时间,与这些劳动力所付出的实际劳动量(也以时间计算)区分开来。劳动力一天工作八小时是不变的,但它实际付出多少劳动量却是可变的。设 T 为劳动力数量,它也代表着一定量的劳动时间(比如每个工人劳动一天为一单位劳动量,T 即代表 T 天的劳动)。设 L_t 为这些劳动力实际付出的劳动量,自然也以时间单位计算。定义

$$q \equiv L_t / T$$

为平均劳动强度。q 可以大于 1,也可以小于 1。

资本家在雇佣合同中用工资购买的,显然是 T,即一定量的劳动力(乘以法定工作时间后便换算为一定量的工作时间),若 $L_t > T$, $q > 1$,资本家所得到的劳动量较多,但所付的工资并不需要随之改变;$L_t < T$, $q < 1$,资本家当然亏了;他若发现了哪个工人少付了劳动,可以解雇或扣发工资,但若没有发现,就不能少付。总之,工资是与 T 相联系的,而不是 L_t。

而出现在"技术生产函数"中的,显然是 L_t,即实际劳动量,而不是 T(T 也可以称为"名义劳动量")。T 只有通过劳动强度,才能换算成实际劳动量 L_t,即 $L_t = qT$。这里首先可以看到把工资与生产函数和边际生产率直接相联系是怎样误入歧途的。工资绝不是仅与生产技术相联系的事物,在工资与生产技术之间,存在着经济利益关系这个重要的社会中介。而 q 正是这个社会中介,因为劳动强度是由一系列社会经济关系的因素决定的。

这里可以直接利用鲍勒斯模型中的一些概念来说明 q(Bowles, 1985)。鲍勒斯将劳动强度与种种社会因素之间的关系,概括为劳动的"榨取函数"(extraction function),并指出决定劳动强度的因素有:(1)工资水平(w);(2)政府的失业救济金水平(Wc);(3)社会失业率(j),从而工人被解雇后重新就业的可能性;(4)雇主所设的工头或监视器的多少(s);(5)工人对雇主的反

抗程度，表现为对工作的厌恶程度，这由榨取函数 $q(\cdot)$ 本身表示。这样，榨取函数可写为：

$$q = q(w, Wc, j, s) \tag{9.1}$$

可以注意到，函数本身和其中的每一个自变量，都代表着一定的社会经济关系或利益矛盾关系，都是社会因素而不是技术因素。①

这样，根据 $L_t = qT$ 的关系，一般的技术生产函数

$$Y = f(L, K) \tag{9.2}$$

可以改写为：

$$Y = f[q(w, Wc, j, s)T, K] \tag{9.3}$$

这里称此为“经济生产函数”。它既表明了生产过程作为物质技术变换过程的性质，又表明了社会经济关系、利益矛盾在生产过程中的作用。

这个经济生产函数的一些具体内容，它在不同问题上的应用，以及它所能得出的若干具体结论，不能在此处详细探讨，但可以指出它对于我们的直接的现实意义。

1. 按劳动者人数或社会可利用的总劳动时间计算的劳动生产率不高，往往并不是由于技术水平的原因，而是还会有社会的原因；必须在利益矛盾中，在社会经济关系或经济制度本身中去寻找劳动生产率低下的原因。上面公式中的 T，实际上指的是（个别企业的或社会总体的）可供利用的劳动时间，而这个劳动时间究竟能提供多少劳动量，在现有的技术条件[$f(\cdot)$]和物质资源（K）条件下，这个劳动时间能生产出多少物质产品、社会财富，则

① 关于劳动强度及其决定因素，还存在着其他一些较新的理论。一种是“效率工资模型”（effeciency wage）。在这个模型中，劳动强度称为工人的努力程度；但这种理论解释工人不努力的原因是人的一般懒惰性。（Yellen，1984：200—205）这被称为一种“霍布森式解释”。另一种是“X效率理论”（X-efficiency），也涉及如何提高工人努力程度和劳动生产率的问题。而这一理论解释劳动缺乏效率，努力程度不高的原因是经理不具有足够的内部、外部压力来更合理地利用劳动，激励劳动者更加努力（Leibenstein，1981）。这两种理论，也都从不同的方面说明了一定的问题，但马克思主义的特点就在于用社会经济关系进行解释。

取决于当时的社会经济关系，包括所有制关系、分配关系以及以此为基础的经济利益矛盾的状况[$q(\cdot)$]。在技术条件为一定的情况下，要提高劳动生产率，就必须在调整社会经济关系、调整经济利益矛盾、改变制度条件以适应技术、物质条件的性质上做文章。在任何社会条件下都是这样。资本主义社会中劳资关系的调整，经济制度的改良，包括企业制度、财产关系、产业政策、宏观调节政策的调整，都是以提高现有劳动资源的利用率和劳动生产率为目的的。社会主义经济体制改革的意义也正在于此。

2. 任何生产计划，若仅仅依据技术生产函数，而不考虑不同社会经济关系条件下，一单位劳动力所能付出的劳动量的多少，会出现怎样的生产要素组合，能够使用何种技术，这种计划就只能称作物量计划或技术生产计划，而还算不上是经济计划，它必然包含着错误的成分，导致生产活动的某种混乱。经济过程绝不仅仅是一个物质技术关系；人和人的劳动不像物那样是个“死数”①，它是一个经济变量，是由人与人之间的社会经济关系决定的。这是马克思主义告诉我们的最重要的命题之一。以上仅仅局限于对资本主义生产过程的分析。社会主义经济中的利益矛盾关系与资本主义的性质不同，但上述理论的基本思想和分析问题的基本方法，对社会主义问题同样是适用的。

9.3 社会生产

从个别企业的生产进入到社会生产，经济学遇到的首先是生产的物质内容问题，或者说是各物质生产部门之间的相互关系问题。就连主要侧重于经济关系问题分析的马克思，在这里也将注意力首先转向了社会生产各部类使用价值生产的物质关系。

9.3-1 马克思的社会再生产图式的局限性

在许多现代经济学家的眼中，马克思的社会再生产图式，是马克思主义

① 甚至生产资料、物品本身也不是个“死数”，它的利用程度或浪费程度，也是由社会经济关系决定的，特别是由生产资料的所有制关系决定的。但本书此处仅仅局限于对劳动这一生产要素的分析。

经济理论中最有价值、甚至是唯一值得研究的理论部分。而在马克思主义经济学家当中,许多人认为这是唯一的社会生产理论,认为它能够说明社会生产中包含的一切问题。

它的价值是不容否认的。(1)它在经济学史上第一次明确地对社会产品在各部门之间流通的基本规律,进行了理论说明;比起魁奈的“经济表”,不仅在内容上更加深刻,更加明确,更符合资本主义经济现实,在形式上也更加严谨,更加规范。(2)它明确地区分了简单再生产和扩大再生产,并对它们之间的关系进行了说明。(3)它说明了价值运动(马克思称为“价值实现”)与使用价值运动之间的基本依存关系。

但是,这里恰恰要指出,马克思的再生产图式在研究社会物质生产问题上,具有很大的局限性;它说明了一些基本的问题,但并不能说明一切问题。在现存的各种关于社会物质生产的理论中,马克思的再生产图式相比之下已不再是最优越、最有力的理论了。

首先要注意到的一个问题是:马克思再生产图式说明了各部门之间的产品流通过程[简单再生产的平衡条件 $I(v+m)=IIc$,便是两部类交换的基本关系];但是在这个过程中,交换是按照价值或不变的价格进行的;若平衡条件不能满足,任何一个部类超过需要的那部分产品,按照马克思的话说,便不能实现。而根据前面关于交换价值的分析,使用价值生产不合需要的比例,最终会使产品所能交换到的(即实现的)价值较低,而一般地不会到完全不能实现的程度。①因此事实上,并不是一部分商品不能实现,而是只能在较低的交换价值上实现;马克思指出的平衡条件,无论在商品经济还是在非商品经济条件下,一般地都是能够实现的,但可能是在交换价值与价值不相符合的情况下实现的。(当然,这里并不排除在经济危机这样的特殊时期,存在着产品绝对不能实现的情况。)

因此,马克思的再生产图式能够说明价值运动与使用价值运动之间的某

① 在社会主义经济“固定计划价格”的条件下,倒是会出现某些商品绝对地不能实现的情况。而这种“固定计划价格”,在某种程度上正是没有科学地理解马克思的再生产图式的性质,教条主义地将价值理论和再生产图式这样的基础理论直接应用于实践的产物。不过,即使在这种条件下,经常出现的削价处理、减价处理积压物资等现象,还是能够说明上面指出的问题。

些基本关系，但并不能说明它们之间的全部复杂关系。

其次，由于在图式中假定两个部类，只有一种消费品，因此，除去生产资料补偿（和积累）之外，一切消费需求都由第二部类生产的一种产品来满足。这样，图式中就不存在不同的物质消费需要之间的关系，从而两大部类之间的比例关系，从物质生产的角度看就只由生产的技术性质（资本有机构成）所决定，而与社会生产各部门比例关系问题中的一个重要方面，即社会需要的比例结构无关。马克思也曾将消费品分成基本物品和奢侈品，从而将再生产图式扩充为三个部类，两种消费品。但是资本家的剩余价值划分为怎样的比例用于不同的消费品，在图式中是不能得到说明的，而这是说明各部门之间的比例是否合理、生产的结构是否符合需要的结构、产品能否按价值实现的关键。马克思在图式分析中甚至没有提出这样的问题，而只是假定一个支出分配比例。无论我们如何将消费品具体化为各种不同的种类，在马克思再生产图式的理论结构中，也还是不能说明这个问题。

在将生产资料生产具体化为多个生产部门的生产方面，问题容易些，因为可以根据生产技术即各种生产函数进行具体的划分，提出各部门的各种生产资料或中间产品的需求。因此，后来的马克思主义经济学家在这方面的努力是有成效的，也为社会主义生产计划的制定作出了一定的贡献。列昂惕夫投入—产出模型实际上正是在马克思再生产图式基础上（通过国民经济综合平衡表）发展起来的说明各部门生产技术依存关系的一个较为严谨的理论形式。但是无论是后来的综合平衡表，还是列昂惕夫模型，都不能在理论上解决社会生产中的一个重要的问题：生产的结构比例如何与需要的结构比例相适应。用列昂惕夫模型中的语言说，问题首先就在于：那个“最终需求表”是如何提出的？（列昂惕夫，1980：25）它的总量和比例关系是根据什么制定的？①

就扩大再生产来说，也存在同样的问题。两个部类的再生产图式本身是

① 这里要指出综合平衡表与列昂惕夫模型之间的一个重要区别。列昂惕夫模型的功用，首先在于根据历史资料来说明历史上的生产结构，计量各种生产系数；对于未来，只在假定的最终需求表下起预测生产结构的作用。而综合平衡表的制定，虽然也要依据历史资料，但它的主要功用是要直接提供指导（指令）当前生产的计划，假定的或任意规定出的。猜想出的最终需求表就有了“指令”的意义。

适合于扩大再生产研究的。但既然是扩大再生产，就有一个积累率如何确定的问题，生产的比例和各部类之间的交换，要依积累率而定。而在再生产图式的结构中，积累率如何确定这个问题，也是不能得到说明的，只能像奢侈品消费那样假定出一个比例，在此假定的前提下进行分析。①

这里并不是苛求马克思的再生产图式，让它解决它所不能解决的问题，只是想指出它的局限性，指出它所不能说明的关系。问题在于：(1)社会物质生产和再生产的核心问题，正如马克思自己指出的那样，是生产与需求相互适应的问题，社会生产比例的合理性依赖于它与需求比例相适应的程度；而再生产图式本身的目的也正是要从使用价值生产的角度，说明生产比例关系问题，它所不能说明的那些问题，正是属于这一范围之内的，并非是额外的要求。(2)在马克思主义理论的其他地方，也并没有说明这些问题的更好的理论(虽然马克思有过一些关于按比例分配劳动的一般论述，现代马克思主义理论中也提出了一些论点)。因此，它的确属于马克思主义社会生产理论本身的局限性。

这种局限性再次说明了前面提出的两个观点：(1)马克思主义的特点和优越性在于它对社会经济关系的分析，而不在于对物质生产活动的分析；一涉及这方面的问题，它便显出了弱点。(2)更具体地说，马克思主义理论缺少一个完整的使用价值理论，因此当问题的性质属于使用价值范畴时，它便显得无能为力。

而这种局限性却至今仍未被许多马克思主义经济学家所认识到。社会主义的计划经济和它的社会生产计划，之所以总不能解决好生产与需要相适应的问题，不能解决好生产比例的调整问题，计划过程中总是只注意生产方面、成本方面的分析，而从根本上忽视对社会需要规模与比例的研究，从主观上、理论上说，是与没有认识到马克思再生产理论的局限性，教条主义地将马克思再生产图式的原理直接应用于实践密切相关的。

① 在马克思的图式分析中，仅仅假定了第一部类的积累率(50%)，第二部类的积累率依第一部类而定。这本来是为了分析实现条件的方便而作的理论假定。但在后来几乎所有的扩大再生产比例分析中(包括列宁关于第一部类优先增长规律的分析中)，都沿用了这一方法，并试图在此假定下说明许多它所不能说明的问题，造成了理论上的一些混乱。这些混乱至今未得到澄清。

9.3-2 一般均衡理论

在研究社会物质生产的问题上，新古典主义的一般均衡理论，则显出了不可否认的优越性。这里最关键的原因正是在于新古典主义理论包含着较完整的使用价值理论，并能够在社会生产的分析中，将社会需要与社会生产两个方面有机地结合起来。在形式上，这表现为整个经济最基本地由两组方程加以描述，一组是生产函数或生产方程，它给出了社会生产的物质技术条件；另一组方程即各个人的效用函数，它说明各种最终产品消费之间的相互关系，并用来解释社会需要及其内部结构是如何确定的（参见前面第 2 章第 1 节）。相比之下，一般均衡理论与再生产图式的区别，最基本地就在于前者包含了对使用价值的分析，即包含了效用函数，而后者只有生产函数（尽管在马克思主义理论中的生产函数不是技术生产函数，而是经济生产函数）。这种差别本身就已经表明了一般均衡理论在处理社会物质生产问题上的优越性。

在一般均衡理论中，社会需要和社会生产两个方面是通过市场机制，通过双方从两个方面对价格的作用而相互联系、相互适应的。市场价格在这里作为使用价值供给与需求的指标，起着中介的作用。效用或抽象使用价值，由其本身的抽象性和个人性所决定（见前面第 7 章第 3 节），事实上是无法直接测量到的，只能通过市场需求行为间接地观测，也就是通过人们的需求量对价格变动的反应来加以测度。而市场机制的作用之一，便是显示需求偏好。根据瓦尔拉斯定律（Walras' law），在一个价格体系下，若对一种产品存在“超额需求”（excess demand），必然存在对另一种产品的“超额供给”（excess suply），这时首先发生价格的变动，然后发生生产部门比例的调整，资源在不同生产上的配置发生变化，最终通过不同物品的使用价值之间关系的变化而达到均衡。

能否不通过市场机制，不依靠市场机制作为“需求偏好显示机制”的功能而直接（通过计划等）将社会需求与社会生产联系起来，使之相互适应？在理论上说，这不是不可能的。市场机制本身并不一定就是唯一的或最好的经济机制。但要做到这一点，前提是能够直接测度到人们的（每个人的，或粗略地说，各类人的）效用函数，也就是不同的物品、使用价值对各个人来说的相互替代、相互补充的数量关系。比如，我们可以根据历史资料来确定社会需要，但这样做的有效性取决于需求偏好或需要结构的稳定情况。在经济较为落后，人们的基本需要尚未满足，经济发展也较为缓慢，从而消费结构变化较小，仍处在按习惯消费的经济发展阶段上，历史资料对于预测未来社会需要结构的意义较大，否则就意义较小（这就是为什么在社会主义经济发展初期生产计划能较好地与需要相适应的原因）。另一种办法是直接对消费者进行调查，为每个人或每一类人确定效用函数。在将来，在信息手段高度发展的条件下，这或许能够成为需要显示的重要机制，但就目前的情况看，在任何一个经济中，这样做的成本显然很大，理论、方法也不具备，因此实际上还是不可能的。这事实上应构成论证商品经济、市场机制在现阶段存在的必要性的重要论据之一。恩格斯曾经指出：人类如果能够直接计算各种生产中的劳动耗费，商品经济就是多余的了。这只是问题的一个方面，即从价值角度考察的一方面。从使用价值的角度考察，如果人们（计划当局）能够直接计算、测度各种使用价值对于无数个人的相互替代、相互依存的复杂关系，商品经济、市场机制也就成为多余的了。商品是价值和使用价值两因素的统一；商品经济存在的必然性，也要从这两个方面加以说明。在现阶段，人类既不能直接计算劳动消耗，也不能直接计算需求偏好，因此最能使生产与需要相互适应，实现社会生产中资源配置效率的就只能是市场机制。

这里值得一提的是兰格早年提出的市场社会主义理论模型（Lange，1938）。这个模型完全是以一般均衡理论为基础的。它的特点和优越性，最根本地说就是看到了现实社会计划经济不能解决了解社会需要，从而产生难以适应需要、产生资源配置无效率的缺陷，而力图在社会主义计划经济中引入类似于市场机制那样的需求显示机制（即“喊价过程”和“误差调试”）。这个模型自然只是一种理论构想，但它的思路和解决问题的方向无疑是正确的。现实的社会主义经济，可以不按这个模型的方式加以构造，但要想解决社会生产中资源配置效率的问题，就必须以某种方式解决这个模型所力求解决的那个根本性的问题。无论如何，仅有综合平衡表或列昂惕夫矩阵，绝对不能制定出科学的社会物质生产计划。①

这样，我们也就看到了一般均衡理论在研究社会物质生产、资源配置问题方面的普遍的理论意义：它所强调和着重分析的社会生产与社会需要相互适应的问题，永远是经济学所要研究解决的一个基本问题。在研究社会生产是否有效率、比例是否合理的时候却不研究社会需要，脱离了社会需要谈论资源配置，根据现有资源“能生产出什么”来制定社会生产计划，而不考虑另一方面即社会需要什么的问题，理论便成为没有触及根本问题的理论，计划便会成为将经济引入歧途的计划，经济效率的问题也就得不到科学的解决。

9.4　社会生产与宏观分析

9.4-1　社会生产的两方面问题

以上分析的各种关于社会生产的理论，尽管都是从总体上研究社会生产，但是都不属于现代意义上的宏观分析。

现代宏观分析的一个重要特点是：将物质产品的生产作为一个总量看待，将各种商品市场统一处理为一个市场，即产品市场，与货币市场、信贷（证券）市场和劳动市场相对立。用这种标准衡量，任何研究不同产品生产部门之间的关系或不同商品市场之间关系的理论，都不属于宏观分析的范畴。马克思的再生产图式和新古典主义的一般均衡理论都是这样，虽然在

① 可以注意到，本书前后已对现行的社会主义计划理论从三个方面进行了批评：第一方面，它不是以经济生产函数为基础的经济计划，而只是物质生产计划，在这方面，它不具有马克思主义的精神和优点，而具有新古典主义的缺点。第二方面，作为物质生产计划，它却不研究社会需要，没有以社会需要的比例为依据，在这方面，它不具有新古典主义理论的优点，而是具备了马克思主义的局限性。第三方面，前面曾指出过，计划作为一种事前的决策，很大程度上依赖于经济的信息条件和预期，而社会主义计划理论却不具备凯恩斯主义在预期因素研究方面的优点。总之，现在仍然流行的社会主义计划理论，占尽了各种经济理论的缺点而不是优点。

一般均衡理论中，既包括了不同的产品市场，同时还包括了货币、信贷、劳动市场等等。

因此，把马克思的再生产图式等同于一种宏观分析，包含着概念的混淆。将马克思再生产图式中的两个部类进行加总，自然可以构成一个总量模型，用来进行宏观分析，但这并不等于说马克思的社会再生产理论就是一种宏观分析，就如同将一般均衡理论中的各生产部门的产值加总后可以形成总量，并不意味着一般均衡理论是一种宏观分析一样。

但是，宏观分析理论也属于社会生产理论，它的特点是不研究各生产部门的物质形态上的相互关系，而是以一定的部门间的关系为前提，抽象地研究经济总水平变化的原因和规律。

可见，社会生产本身包含两个方面的问题：(1)各生产部门之间的相互关系，它们之间的比例关系和它们之间相互联系的社会方式或经济机制(是通过市场还是通过计划等等)；(2)生产总量分析或宏观分析，它以各部门之间的关系为前提，研究以一定比例和一定机制相联系的各部门生产的总体(抽象地可理解为各部门按同一比例)扩大或缩小的原因和规律。在后一方面的问题中，也包含着产品市场与信贷市场、货币市场，即物质产品的使用价值形式与价值形式之间的相互作用关系。

马克思主义和新古典主义，主要对社会生产各部门之间的相互关系的分析作出了贡献。它们主要从社会生产的比例、结构方面，去理解、分析社会生产中出现的问题。例如20世纪40年代以前的新古典主义宏观理论，主要以瓦尔拉斯定律或萨伊定律为基础，用各部门的结构性失调来解释经济危机和循环现象。马克思主义经济理论早期也主要侧重于从价值实现的角度，用第一部类的发展脱离了第二部类、固定资本的更新周期构成经济危机周期的物质基础等理论，对经济的波动进行解释。从生产总量、总供给与总需求的相互关系上来分析社会物质生产的宏观问题，是凯恩斯主义最先开辟的领域。这种宏观分析方法后来对其他两个体系的社会生产理论，也产生了积极的影响，从而产生了现代的新古典主义宏观经济学和马克思主义宏观模型等(见下一章)。

但是值得注意的一点是，凯恩斯的宏观总量分析，是以一定的部门间关系为前提的。凯恩斯的总需求决定理论、乘数效应等等，都是以资本主义市场机制能够自行解决生产部门间比例关系、使之与不同的总需求相适应为理论前提的。凯恩斯主义否定的是市场机制能够自行解决社会生产的资源利用效率(失业和资本闲置)和动态效率(投资规模与生产能力不相适应)的问题,但并没有否认市场机制能够自行解决资源配置效率问题。这一点对于能否正确、适当地运用总量分析方法,具有重要的意义。现在的某些社会主义宏观经济理论,在对社会主义生产的部门间关系及其运行机制还不清楚的前提下就运用凯恩斯的总量分析方法,甚至直接应用它的某些原理或结论(如乘数理论、加速原理、总需求决定等),来套社会主义经济,结果那些总量概念,必然是空洞、无实际经济内容的,得出的结论也必然包含着概念混淆和错误的成分,并不能说明实际的经济问题。

9.4-2 宏观分析与扩大再生产

具体的社会生产一般总是扩大再生产。但是经济学家首先从扩大再生产中抽象出简单再生产,以便抽象地分析社会生产中的(静态)资源配置问题。马克思是这样,新古典主义理论家也是这样。扩大再生产问题中本身也包含着生产资源在今天的需要(消费)与明天的需要(今天的积累或投资)之间的配置;在这个意义上,它也包含着资源配置问题。正因如此,一般均衡理论可以用把明天的消费也处理为今天的一个商品的办法统一地加以分析。

对于简单再生产来说,所谓宏观分析是没有意义的,因为这时总量被假定为不变,而对于一个不变的量进行分析,是没有什么意义的。因此,现代意义上的宏观总量分析,总是一种以扩大再生产为对象的理论。凯恩斯宏观经济理论的核心问题是投资与储蓄的关系,便证明了这一点。宏观分析可以是动态的(各总量都有一个"时间下标"),也可以是静态的或比较静态的,但即使是所谓静态的,也只能在扩大再生产(或缩小再生产)的背景下加以理解。①

① 对简单再生产可以作静态分析,也可以作动态分析(以表明下一时期的总量与本期相同),因此所谓静态和动态,简单再生产和扩大再生产,是两对完全不同的概念。

下一章就将在扩大再生产的背景下，研究有关经济增长和经济循环的各种理论。这方面的理论，主要考察的是资源的宏观利用效率和动态效率问题，但也不可避免地要涉及配置效率——动态理论相对说来是最具体的，包含着经济问题的各方面的规定。

10

增长与循环

10.1 导论:经济增长与循环

当代资本主义经济突出的问题是经济危机、周期性循环、失业、通货膨胀等等。它们自然吸引了大多数西方经济学家的注意力,成为各种经济理论体系所争相研究的最热门的论题,占据了经济学学术著作的大量篇幅。西方经济学家对此提出了各种各样的理论,并成为经济政策研究的基础。

经济中的周期性循环,本身是社会扩大再生产中的现象,主要表现为经济增长率的波动。因此,尽管对总需求不足、失业均衡等问题可以用静态或比较静态的方法进行分析,但也必须在动态的背景下予以理解。事实上,当代各种新的宏观经济理论,已经基本上动态化了,宏观模型中的各种变量,都带有"时间下标"。相反,倒是在某些动态理论中,由于假定"稳恒态增长"(steady state growth),有时反倒可以将时间下标省略掉。因此可以说,宏观经济理论本身已经具有了动态理论的性质。

但这里仍需明确的是宏观经济理论与经济增长理论的差别。动态理论从总体上说包含两个方面的问题:(1)什么决定经济的增长;(2)什么引起经济增长过程中的循环和波动。第一方面研究的是经济增长的幅度或者增长率的平均水平是由哪些因素决定;换言之,它研究经济循环波动所围绕的那个平均水平或一般趋势(trend)。而后一方面的问题,则要说明经济为什么会围绕这个一般趋势而波动(flunctuation)。在现代经济学中,所谓"经济增长理论",一般是指研究"趋势"的理论,而宏观经济理论则一般就是研究经济波动的理论。在图 10.1 中,经济增长理论用于解释直线 A,宏观经济理论则专门用于解释曲线 B。

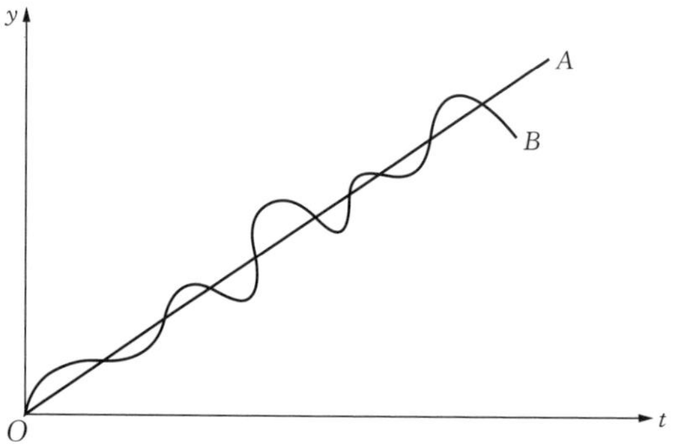

图 10.1

不过,在人们将两方面的问题抽象开来进行分析的过程中,有时也忽视了它们之间的内在联系。本章将重点考察经济的波动问题,但同时也将涉及有关经济增长趋势的一些理论,从两方面的相互联系中全面地理解经济波动现象本身。

本章将首先分别考察有关增长与波动的各种基本理论,然后在综合的比较中阐述笔者对这个问题的看法。

10.2 均衡增长模型和新古典宏观经济学

10.2-1 新古典均衡增长模型

20 世纪 30 年代以后发展起来的现代增长理论,首先是从"哈罗德—多玛模型”开始的(见哈罗德,1981;多玛,1983)。这一模型是经济学家将凯恩斯理论长期化、动态化的努力的第一个产物。但是,新古典主义者认为这一理论将储蓄率和投入—产出比率视为外生变量,是仍然用短期分析方法来处理长期的问题。因此,对这一模型提出了改进,但结果却是产生了一系列的新古典主义增长模型。

1956年可谓是现代新古典增长理论的诞生年。①索洛和斯旺,几乎同时提出了基本上相同的增长模型(Solow, 1956; Swan, 1956);J.罗宾逊在同年出版的《资本积累论》中,作为与非均衡增长相对照的理想状态,提出了“黄金时代”增长的概念(golden age growth, Robinson, 1956)。它不仅包含着后来新古典模型中一贯使用的“稳恒态均衡增长”概念,而且提出了成为后来新古典均衡增长理论的重要的分析工具的“有效率增长”(Pareto efficiency growth)概念。在索洛和斯旺的模型中,储蓄率仍然是外生给定的,而不是由体系内储蓄者的最大化行为决定的,因此被后人称为“非最大化均衡增长模型”。以后,人们又提出了“两代重叠”模型(overlapping generation growth model)等对此作进一步改进,使储蓄率本身也成为内生变量(Samuelson, 1958; Cass & Yaari, 1966; Phelps, 1961)。后来又在这类模型中加进了政府行为、债券市场(Diamond, 1965),加进了货币(Tobin, 1965; Sidrauski, 1979),加进了各代人之间在消费和积累上的相互关系,并表现为具有“无限生命”的个人的行为(infinitly-lived agent)(Barro, 1974),以便分析更广泛的问题。

各种新古典均衡增长理论共同具有的基本内容是:

1. 储蓄率或者积累率,是由消费者根据一生消费效用最大化的原则决定的;资本的积累来自收入,并且是人们年轻时期的劳动收入;今天的积累,是为了明天(退休后)的消费;积累率因而取决于个人今天消费的效用与明天消费的效用的比较和平衡。

2. 生产函数具有要素边际替代率递减的性质,从而人均资本量越大,资

① 1956年也可以说是后凯恩斯主义增长理论的诞生年,因为除了J.罗宾逊的《资本积累论》外,后凯恩斯主义增长理论的代表作之一,卡尔多的《又一种分配理论》一文也发表在这一年。

本利息率越低；这意味着储蓄的未来收入率较低，从而导致储蓄率或资本积累率下降；反之亦然。通过这一机制，均衡增长理论证明，从任意一个初始资本存量出发，资本市场的均衡将自动导致经济的稳恒态均衡增长，其增长率等于人口增长率；引入技术变化条件后，增长率则由人口增长率和技术进步速率共同决定。

这一模型及其结论很大程度上依赖于关于生产函数的假定，但在本章要分析的问题中，将更加注意它关于积累率决定的理论——均衡增长取决于由消费者效用最大化这一内在平衡机制所决定的均衡积累率，从而这种均衡增长是具有内在经济依据的。

这一均衡增长理论是在20世纪50—60年代宏观经济政策“显灵”，从而主流派经济学家得意地宣称只要政府能够维持充分就业的总需求水平，剩下来的问题便仅仅是如何使经济更快地增长这样的历史背景下发展起来的。进入70年代，失业和通货膨胀并发，原有的宏观调节政策失灵，人们对这种充分就业、稳恒态经济增长的远离现实的理论便“逐步失去了兴趣”(Backhouse, 1985：332)，但由于原有的宏观经济理论也无法说明70年代后的新的经济现象，于是，80年代又产生了新的新古典主义理论，即现代新古典主义宏观经济学(neoclassical macroeconomics)。

10.2-2 新古典主义宏观经济学

这一理论是结合了货币主义理论中的一些新古典主义因素，由理性预期学派发展起来的。其主要代表人物萨金特和巴罗已经分别撰写了一本《宏观经济学》教科书，系统地阐述了这一理论。

这一理论建立在以下两个基本概念的基础上。

1. 自然失业率(natural rate of unemployment)。它的理论基础首先是新古典主义历来坚持的关于劳动供给取决于劳动者个人效用最大化行为，取决于劳动收入所能换取的消费和对“闲暇”的直接消费之间的平衡关系。这种平衡关系通过劳动工资收入的替代效应和收入效应决定着劳动量的供给。但是，给定劳动供给量，却不一定有充分就业，这不是因为总需求不足，而是因为存在着从决定就业到找到工作之间的时间间隔，即所谓的“职业分离”(job separation)(Barro, 1984：204—209)，也就是通常所谓的“摩擦性失业”。给定劳动市场的结构，或给定失业后重新找到工作的时间间隔，一定时间内停滞在寻找职业阶段的劳动人口的多少是一定的，而正是这个失业数量决定着自然失业率。给定这个自然失业率，就业总量是可变的，由工资率和劳动者的效用函数所决定。

2. “理性预期”(rational expectations)。这个概念的基本功用在于证明(在政府支出不变的情况下)任何调节税收和货币供给量的政策对于实际经济活动不起作用：由于人们能够预见今天减税意味着明天增税，税收政策是无效的；由于人们能够正确预期到货币政策所能引起的物价总水平变动，并提前采取相应的措施加以防范(如在工资合同中事先规定工资按较高的通货膨胀率进行调整，只按预期的通货膨胀率提高价格而不变动产量等)，因此货币是“中性的”(nuetral)，增加货币供给，只能导致通货膨胀，而相对价格不变，因而不能改变失业率；自然失业率总会存在，不存在失业与通货膨胀的反向替代关系，菲利普斯曲线是垂直的。这样，这种宏观理论就彻底脱离了货币信贷关系的作用，回到了新古典主义的“真实”传统。①

在这两个基本理论基础上，新古典主义宏观经济学认为，经济的波动完全取决于一些外部的“真实震动”(real shocks)，主要被归结为两种：(1)技术变动。或者是技术进步，或者是诸如石油涨价之类所引起的成本变动，这引起生产函数的变化。(2)政府支出(如战争)在国民总产出中所占用的部分的变动。给定社会生产能力，政府占用的部分增加，导致劳动实际收入的减少。而若给定自然失业率，这两种变动，都会引起劳动供给量从而总就业量的某种变动，从而引起国民总产出水平的变动。但在这种经济中，并不会发生非均衡或除摩擦性失业之外的非自愿失业(Barro & King, 1984)；这种理论也被称为“真实循环模型”(real business cycles model)。

这种理论突出表明了新古典宏观、动态理论的另外两个方面的特征：(1)不仅投资，而且劳动供给量也是由消费效用的最大化选择决定的；(2)信

① 希克斯曾将新古典主义理论称为“实物主义”的，意指它将经济活动仅仅从物质生产的实物量角度加以理解；而称其他理论为“资金主义”的，将资本运动看成商品以外的别的什么东西，即从价值运动形态，包括货币、信贷关系的角度考察经济问题(希克斯，1986：158)。

息是完全的,预期是正确的。

10.3 后凯恩斯主义增长模型

凯恩斯主义理论最初是用比较静态的分析方法研究失业和生产能力利用不足的现象并寻找医治的办法,但它用来解释失业和经济波动的最重要原因是投资不足或投资的波动,因此本身具有动态增长的背景。凯恩斯以后的凯恩斯主义经济学家注意到了这一点,并力求建立起相应的动态理论,使凯恩斯主义更加一般化。早期的代表作即是哈罗德—多玛模型。然而,这个模型尽管能够解释失业和经济的不稳定,但在这个模型中,是储蓄决定增长率①,而不是投资决定增长率并决定储蓄,因而被后凯恩斯主义者认为没有体现凯恩斯主义的精神实质。

后凯恩斯主义的增长理论可以以卡尔多的增长模型为代表(Kaldor, 1957)。在这个模型中,国民经济总收入分配构成和支出构成的关系,由下式表达:

$$P + W = C + I \tag{10.1}$$

其中,P 为利润收入,W 为工资收入,C 为消费,I 为投资。在最简单的形式上,假定工资全部用于消费,储蓄全部来自利润,储蓄率以 S 表示,则可有下式:

$$C = (1 - S)P + W \tag{10.2}$$

将 10.2 式代入 10.1 式②,并在两边同时除以资本存量 K,可得:

$$P/K = 1/S \cdot I/K \tag{10.3}$$

或者

$$SP/K = 1/K \tag{10.4}$$

① 哈罗德—多玛模型的基本公式是 $g = s/k$,其中 g 代表增长率,s 代表储蓄率,k 代表产出—资本比率,它是由技术决定的,因此在经济过程中,g 由 s 决定。

② $P + W = C + I = (1 - S)P + W + I = (P + W) + (I - SP)$,从而 $I = SP$ 或 $P = I/S$。

此式首先说明在给定储蓄倾向(S)的情况下，利润率即积累的来源是由投资(I)和增长率(I/K)决定的(这里假定在长期中生产函数是固定系数的线性函数，因此资本增长率即代表经济增长率)。后凯恩斯主义的关键论点是：在上式中，I 是外生变量，由投资者对预期资本收益率 r_e 决定，从而 I 可表示为 $I(r_e)$；以 g 表示增长率，$g=I(r_e)/K$，g 也可表示为 r_e 的函数，即 $g(r_e)=g[I(r_e)]$。可称此为投资者的预期增长率。

另一方面，在公式(10.4)的左边，SP 为实际储蓄。定义 $r=P/K$ 为实际利润率。SP 为实际储蓄额，亦为实际积累额；$g=SP/K$，即为实际积累率或实际增长率。这样，公式(10.4)可写为：

$$g=g(r_e) \tag{10.5}$$

这个公式表明，实际增长率是由投资者预期的增长率决定的[公式(10.5)是为了更明确地表明模型中有关增长率的含义而推导出来的，不属于卡尔多模型本身，但其他人也曾作过类似的分析，Marglin(1984：82—85、110—112)]。这一关系可用下图表达：

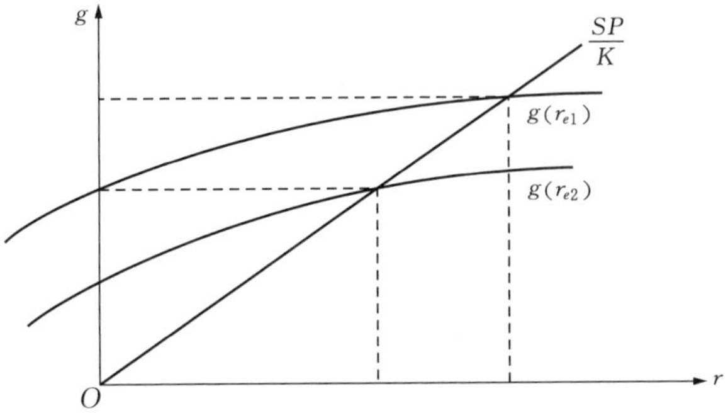

图 10.2

上述理论的一个中心环节是投资决定利润率，因为只有在此基础上才有预期增长率决定实际增长率这个独具特色的论点。这种理论有两个来源，一个是凯恩斯的“寡妇的魔坛”，一个是卡莱斯基关于商业周期的论述，具体的实现过程在第 3 章里已有所分析。除去这层有关收入分配的含义之外，上述理论突出地阐明了以下两方面的问题：

1. 经济的总水平和增长率,不是像新古典理论中那样,一般地由经济中所有的人决定,而是主要由资本家、投资者决定的。即使放松上面简单模型中关于工资全部用于消费的假定,只要工人的储蓄率低于资本家的储蓄率(这是一个现实的假定),经济的增长主要由资本家决定这个命题便仍能成立(Pasinetti, 1962)。

2. 投资者对未来的预期,在经济增长过程中起决定的作用。从图 10.2 中可以看出,较高的预期利润率 r_{e1},导致较高的增长率;较低的预期利润率 r_{e2},导致较低的增长率。这就是凯恩斯所说的:投资决定储蓄,投资者的"动物精神"决定经济活动的水平。

不过有一点要指出的,在凯恩斯主义理论中,劳动人口是被假定为一定的(人口增长率为一定),因此存在着一个充分就业的增长率。当投资者的预期增长率高于这个充分就业增长率时,将发生通货膨胀,实际增长率将受到限制。

10.4 马克思主义资本积累理论和经济危机理论

马克思当初提出的资本主义经济的动态理论,在理论结构上的一个重要特征是,他认为正常的经济活动水平的波动和周期性经济危机是两个不同的问题,尽管二者之间有着内在的联系。这一特征不仅往往被其他学派的经济学家所忽视,在马克思主义理论家的论著中往往也不是很清楚的。本节先分别分析马克思主义关于这两方面问题的理论,然后再来看一下它的特殊理论意义。

10.4-1 资本主义积累理论

马克思主义资本积累理论的特殊内容主要是:

1. 马克思主义认为资本的积累,并不是像新古典主义认为的那样,取决于个人当前消费与未来消费的效用比较与平衡,而是取决于投资者作为资本家即"资本的人格化"追求资本价值的不断增值的内在动机;投资就是为了更大的利润,而不是为了资本家本人的消费,不是积累服从消费,而是消费服从积累;资本家的消费,构成对积累的限制。从资本主义生产的角度看,就是"为了生产而生产",积累的目的就是积累本身。

2. 与凯恩斯主义不同,马克思认为积累或投资不是取决于对未来收益的预期,而是取决于当前的积累能力,即取决于当前作为积累源泉的利润的大小——资本家总是尽可能地积累;"储蓄"不投入生产,不能与活劳动相结合,就是死的价值。因此,在马克思主义看来,积累率的高低,取决于剩余价值率和利润率的高低。

3. 利润率的高低,本身取决于:(1)技术进步的程度和性质,从而资本有机构成的高低;(2)剩余价值率的高低。因此,在马克思主义看来,资本主义积累率从而经济活动的水平,一方面取决于生产的物质、技术条件的变化,另一方面取决于工人与资本家在决定剩余价值率上的利益矛盾,包括在分配环节上的矛盾和生产过程中的矛盾(这里可以看到马克思主义与其他经济理论的差别和相通之处)。

现代新马克思主义者突出地强调了经济利益矛盾在决定资本主义积累率和增长率中的决定性作用。他们指出:利益矛盾决定着国民收入在工资和利润之间的划分;这种划分决定了积累的来源的大小,从而积累率、增长率的高低变化(Marglin, 1974: Chapter 3)。

马克思还指出,资本主义积累和扩大再生产过程,由于其内在利益矛盾的作用,导致资本主义制度的发展演变,如竞争向垄断发展,劳资关系发生变化,利益斗争形式和内容的变化等等。现代新马克思主义者的一些理论进一步说明了这一点(Barro & Sweezy, 1966; Bowles, 1986; Schor, 1985;参见本书第4章)。

4. 与任何其他经济理论不同,马克思主义认为失业、产业后备军的存在,是资本主义积累的正常条件。资本主义劳动人口本身是经济中的一个内生变量,而就业量的高低本身更是取决于资本积累的速度和技术性质;只有失业率高低的差别,而没有失业与充分就业的差别;对于资本的积累来说,可利用的劳动总是存在的;劳动在就业之外也隶属于资本。

10.4-2 经济危机理论

上面阐述的资本主义积累理论,说明的是资本主义经济增长和发展无限制的常态(经济发展本身是无止境的),而经济危机本身,在马克思主义理论中则被理解为发展过程中的一些非常时期,虽然马克思主义也强调指出了,周期性的经济危机或经济循环本身,是资本主义经济运动的正常的、固有的现象。

马克思主义的经济危机理论主要强调的是:

1. 经济危机的爆发是资本主义扩大再生产最终受到社会有支付能力的消费需求的限制的结果,是生产资料的生产受到消费资料生产规模的限制的结果。这一点直接与资本主义生产和积累的目的相关。由于资本主义积累的目的不是消费,而是为了生产而生产,因此生产的扩大,完全可以脱离消费的扩大,仅仅依靠生产资料生产的扩大就能够实现。因此,只要技术的进步能够产生对新的、更多的生产资料的需求,资本主义生产就能够继续扩大下去,与此同时消费并不以同等速度扩大(凯恩斯理论中投资本身是总需求的一个部分或主要部分,反映的是同一现象)。但是,生产资料生产或投资物品生产的扩大,最终还是要受到消费品需求的限制;生产资料最终是生产消费品的手段,没有对消费品的需求,生产能力便无处可用。于是,就爆发了经济危机。经济危机是社会强制地销毁一部分过剩生产能力的特殊社会方式。这一事实直接根源于资本家一方面要压低工人工资收入以取得更高的利润率,另一方面又要不断扩大生产以取得更大利润量的根本性经济矛盾。凯恩斯看到了消费需求不足是对生产的限制,因此指出个人节俭与收入扩大的二律背反,寄希望于人们(实际是资本家)增加消费,显然不如马克思主义更加深刻地看到了问题的本质。凯恩斯主义财政政策的本质其实就是用扩大政府消费来扩大社会消费需求,吸收社会过剩生产能力,因此是能够奏效的;但在理论上,新马克思主义者巴兰和斯威齐等人提出的现代资本主义的问题在于如何利用和吸收尽量榨取出来的“经济剩余”(economic surplus)的理论,显然要比凯恩斯主义理论更准确地反映了问题的实质。正是由于经济危机是由于生产资料生产受到消费需求的限制,马克思指出固定资产(生产资料)的更新,构成周期性危机的物质基础。这是因为,给定消费需求,新的对生产资料的需求便构成复苏的起点;而一旦固定资产更新完毕,消费需求又没有相应地扩大,已形成的生产资料的生产能力便成为社会过剩的生产能力。

2. 信用关系这种特殊的货币关系是经济危机的一个必要的社会条件。上面主要是从使用价值生产如何受到社会经济关系的制约的角度来解释经济危机。从价值运动的角度看，经济危机是货币作为支付手段以及资本主义信贷关系的特定产物。经济危机是各个生产部门连锁相关地同时发生生产过剩的普遍现象，而不是个别部门的比例失调，因此仅用使用价值关系、一般的商品交换来解释是不够的(如新古典主义所做的那样)。凯恩斯主义用普遍的心理崩溃来解释危机，而马克思主义则将其归因于社会信贷支付连锁关系的崩溃。这在理论上是简单明了的：在存在信贷条件下，一旦最终产品的销售发生障碍，它的生产者的产品不能实现，因而无力偿还借贷，便会使贷方本身也丧失还债能力；当社会各生产者之间普遍地以这种信贷链条相联系时，其中一个链条断裂，便会发生“多米诺骨牌效应”，导致整个经济的崩溃。而且，也只有用这种信用关系，才能够说明由一个部门销售困难而引起整个经济崩溃的经济危机现象。因此，它构成了经济危机的一个必要社会条件。现代资本主义政府的另一基本宏观调节政策是扩大货币供给，其作用实质上正在于扩大信贷手段，加强信用关系，维持支付能力，以免链条崩溃。

从以上两点也可以看出，马克思主义的经济危机理论，不像凯恩斯主义那样由一些宏观变量加以解释，而是更重视用社会生产各部门之间的关系加以说明；但它又不像传统的新古典主义那样把经济波动归因于各种生产部门之间的暂时的脱离均衡的比例失调，而是着眼于资本主义社会经济关系的特点，着眼于这种经济关系与社会物质生产的矛盾。

10.4-3 长波周期与短期循环

我们看到，马克思主义的经济动态理论由两个部分构成，一个是资本主义积累理论，一个是经济危机理论。这一理论结构的特点，首先使我们可以在理论上区分两种不同的经济变动情况。

第一种是由社会经济的一些最基本的因素变动造成的，即由技术进步和社会经济关系或基本利益矛盾的发展造成的。资本主义积累理论所说明的正是由这种基本经济因素所造成的经济变动情况。

第二种是在上述两方面基本经济因素不变或基本不变的条件下，由一定的经济关系和利益矛盾(表现为利润率与利润量的矛盾,生产与消费的矛盾,信贷关系等)的日常运动所决定的经常性变动。

这两种变动都可能导致经济危机和经济循环。在前一种情况下,若技术进步缓慢,或劳资矛盾激化导致利润下降,可以引起经济的停滞以致危机;而生产与消费的日常矛盾,同样也可导致经济危机。

从时间上看,由于技术进步,特别是重大技术发明具有较长远的影响,社会经济关系具有较长期的稳定性,因此积累理论所揭示的经济基本因素所引起的经济变动,表现为较长时期内的波动,而在既定条件下,由生产与消费的矛盾和资本信贷链条破裂所引起的波动,构成资本主义经常性的短期循环。

现代宏观经济学,主要分析的就是资本主义经济经常性的短期循环(short cycles),而一些经济学家提出的长波理论,则分析的是由基本经济因素变化所引起的影响深远的"长波循环"(long waves)。熊彼特的"创新"理论以及以此为基础的长波理论(Schumpeter, 1939),以及其他一些长波理论,如"基钦周期"、"康德拉捷夫周期"理论等,都是用技术变动这一基本经济因素来解释资本主义经济长期变化的一些周期性特点。而一些新马克思主义者提出的长波理论,则主要论证了社会基本经济关系的发展变化所引起的利益关系的调整、经济制度的变化、阶级斗争力量对比关系的变化,如何使资本主义经济显现出间隔期较长的循环特征,说明其他任何经济周期理论所不能解释的现象。比如现代宏观理论发展几十年来,至今尚未确切地说明实际工资的变化与经济周期的关系,因为在萧条时期,有时实际工资下降,有时提高或不变,而马克思主义长波理论,用经济关系、利益矛盾中力量对比关系的变化加以说明,论证了在一般的循环或萧条中,实际工资下降构成了经济得以自动复苏的一个重要原因。这种循环从时间上看属于短期循环,从性质上说是在一定经济关系条件下可以自动恢复的"可再生产"的循环(productive cycles);而那些实际工资不能下降、相反还会上升的萧条时期,正说明资本主义利益矛盾关系的发展变化,已经到了使经济不能自动进入复苏的阶段(non-productive),只有通过对经济制度的某些方面进行改革(包括税收制度、劳动合同制度、社会福利、政府干预等),才能使经济得到复苏(Gordon, Weisskopf & Bowles, 1983; Schor, 1985)。所有以上这些长波理论，都有较充分的历史资料分析作根据，因此颇令人信服。

正是由于马克思主义动态理论具有特殊的理论结构，即由资本主义积累理论和经济危机理论两个相互关联但又相互区别的理论构成，因此它特别地适合于对经济长波和短波周期及其相互关系的分析，从而这方面的理论构成了当前新马克思主义理论的一个重要的组成部分。

10.5 动态理论的综合研究

从以上的分析中我们可以看到，对于同一个资本主义经济的动态运动，不同的经济学家具有十分不同的看法，并提出了极为不同的理论加以描述和说明，这表明这方面的问题是多么的复杂。正因如此，我们更需要以科学的态度，正确地对待不同的理论，说明它们各自的理论意义和它们之间的关系，从而更全面地理解和把握经济动态的问题。

10.5-1 均衡增长理论的启示

新古典主义的均衡增长理论，可以说是最不现实，最无助于说明资本主义经济实际问题的了。尽管它声称自己研究的是经济增长的趋势，而不是它的波动，但是，它把增长、积累问题理解为仅由工资收入者今天的消费与明天的消费之间的关系所内在地决定的问题，至少无法全面地说明资本主义经济的许多动态问题。马克思主义和凯恩斯主义的共同优点，就在于它们更加现实地反映了资本主义的特点，指出了资本主义经济的运动，特别是积累和扩大再生产的运动，最终是由资本家、企业主谋取利润的动机决定的，其他因素即使起作用，也仅处于次要的地位(这并不否定新古典主义动态理论在分析现代资本主义经济中公共财政、社会保险或养老金制度等问题中的实际意义)；事实上，目前新古典主义增长理论也主要是在这些方面发挥作用(Backhouse，1985:332)。

但是，新古典主义的均衡增长理论，并非完全没有理论的意义和实际的意义。它除了从物质关系方面分析了社会物质技术条件、社会消费需求与经济增长的客观联系之外，在其特殊的理论形式下，它事实上向我们揭示了这样一个重要的真理：如果生产资料的积累和扩大再生产，目的是为了并仅仅是为了消费(未来的消费，包括个人消费和社会消费)，并且是由消费需求的规模和结构所决定的，当前积累和消费的比例，是由今天的消费效用与明天的消费效用的内在平衡关系决定的；再加上如果对未来的物质、技术生产条件变化的预期是正确的，那么，经济便能够做到均衡增长，或者说，不会发生生产能力过剩的危机。这当中的道理其实很简单：只要生产以获取最大可能的消费为目的，生产的扩大与消费需求的扩大之间具有直接的联系，新增加的生产资料便都是有用的，新增生产能力便不会因没有用处而发生过剩。另一方面，只要人们对当前的生产条件和未来生产技术、物质条件的变化有正确的了解，投资决策者对未来的社会消费需求有足够的认识和正确的预期，那么扩大再生产的规模也就不会与需求的规模发生偏差，自然也就不会出现危机。

因此，在这个意义上，新古典主义均衡增长理论的意义就在于，它为我们提供了一个理想的参照系；它不能告诉我们现实中的经济究竟是怎么运行的，但却能告诉我们要想有稳恒态均衡增长，需要满足哪些条件，从而便于人们将现实情况与之相对照，发现现实中的问题。这实际上也反映了新古典主义理论的一个一般特征：它虽然被称为“实证的”(possitive)理论，但实际上在许多方面都是一种“理想的”(idealistic)理论。

10.5-2 危机和循环作为具有特殊社会原因的经济现象

新古典主义增长理论之所以不能说明资本主义经济的现实，就在于资本主义的积累和社会扩大再生产，恰恰不是以消费为目的的，不是由消费效用的平衡决定，而是以积累与消费的脱离为基本特征的。马克思主义和凯恩斯主义都以其特殊的方式揭示了这一点。

在现实中，资本家或投资者有没有消费需求的问题，从而有没有储蓄与消费的内在联系问题？严格地说，不是没有的。但是，就消费本身而言，是有限度的。用边际效用论来说明，富人的消费扩大到一定程度之后便只能提供很小量的边际效用。因此，当资本增值到一定程度、从而资本收入大到一定程度，不仅消费在收入支出中的比重变得很小，而且对消费考虑的重要性，在其对社会生产的意义上，也会递减到一种无足轻重的程度。而资本主义的积累和扩大再生产，不仅是由资本的运动支配的，而且是由大资本的运动支配的，特别是在现代资本已高度集中的情况下，就更是这样。因此，用资本家、投资者的内在消费平衡机制来解释资本主义经济的运动规律，是缺乏现实意义的①；事实也证明，它根本得不出经济失衡、经济危机的结论。

马克思主义的重要功绩，就在于它揭示了资本主义生产不仅是物质的生产，而且是资本的生产；在这种特殊的社会经济关系下，积累或投资主要地不是以消费为目的，而是以资本增值本身为目的；积累和扩大再生产不是取决于消费，而是取决于资本谋取利润的内在动机和资本之间竞争的外在压力。正是由于生产的目的与最终消费相脱离，价值运动与使用价值运动相脱离，从根本上决定了资本主义经济必然地经常处于循环和危机当中。它告诉我们，危机和循环，正是根源于资本主义生产的特殊社会性质。

事实上，新古典主义从一般物质生产和物质需要的角度出发进行分析，其结果是均衡增长、充分就业的趋势；而马克思主义从资本主义生产的特殊社会性质出发，论证了危机和循环的必然性，恰恰证明了经济危机是一种特殊的社会现象，它只能由社会经济关系来说明，而不能用物质生产与物质消费的一般规定性来说明。②

10.5-3 经济的客观不确定性与主观不确定性

经济不能均衡增长，首先是因为“以消费为目的”这一条件在资本主义经济中不能被满足。均衡增长的另一个条件，即完全的信息和正确的预期，一般来说也不能得到满足。

---

① 这一分析并不否定现代资本主义经济条件下，由于股份资本经济使资本的所有权与经营权相分离、食利者阶层的出现以及资本持有的分散化，再加上各国征收高额累进所得税等因素，使得在积累和消费之间的关系，比较19世纪末、20世纪初有所加强。事实上，像高额累进所得税一类的措施，除了“公平分配”的含义外，在实际中起到的正是使消费与资本积累更紧密地联系起来的作用。

② 新古典主义的非均衡增长理论，实际上也是引入了某些特殊的制度因素，才得出了非均衡增长的结论。但由于这是引入了一个新的背景条件，也是既定的，因此，尽管是非均衡增长，但也是一种稳恒态的非均衡，不能用这种理论来说明经济的循环和波动。

信息不完全，预期不正确，事前决策与事后实现之间的矛盾，它们所引起的麻烦，很早就被经济学家们注意到了。马歇尔在他的《经济学原理》第一版的前言中就曾指出："时间这个要素几乎是每一个经济学问题中的主要困难的核心"。其他一些经济学家，特别是瑞典学派的经济学家，也都很早就对此作了许多论述。但这个因素在经济中所起的作用，直到凯恩斯才充分地被经济学家们所认识到。凯恩斯主义关于预期利润率决定投资和总需求的理论，事实上是将信息不完全这个因素置于经济学的中心的地位，起到决定一切的作用。凯恩斯主义事实上是将经济的循环波动，"历史时间的不确定性"，从根本上归因为人的主观预期、投资者对未来的信心的不确定性；而在这一理论中有关分配关系的分析，事实上仅仅构成这种主观不确定性得以发生作用、决定经济运动的客观社会条件。

马克思主义也注意到了资本主义经济中的盲目性及其作用，但更倾向于用社会经济关系本身来对其进行说明。就盲目性本身来说，马克思认为这是由私有制的生产方式、社会不能统一组织生产、资本竞争中保持商业秘密的必要性等等客观社会因素决定的；也就是说，经济行为的盲目性是由经济本身的无政府状态决定的。关于这种盲目性在经济循环中所起的作用，马克思主义指出它是通过资本主义信用关系而起作用的；若不存在这种关系，各个生产者的盲目性所导致的后果就会被局限在自己的生产部门内，而不会引起整个经济的波动甚至崩溃①。再联系到马克思主义关于经济危机和循环的其他论述，我们可以说，凯恩斯主义所强调的是经济中的主观不确定性，而马克思主义则强调了它的客观不确定性。换言之，马克思主义更注意经济的不确定性的客观基础和客观必然性。在此，马克思主义无疑显示出了其独到的深刻洞察力。

但是，需要指出的是，信息不完全本身具有相对独立的意义，必须被视

① 在预期与危机时"总崩溃"的关系问题上，凯恩斯主义更多地强调了心理因素本身。凯恩斯说："认识到我们自己的个人判断没有什么价值以后，我们就会转而依靠世界上可能更了解情况的其他人的判断。也就是说'我们会努力服从多数人或一般人的行为。在每个人都努力模仿其他人的社会中，人们的社会心理导致我们可以严格地称为常规判断的东西。……由于基础异常脆弱，这种判断很容易发生突然的和剧烈的变化"(Keynes，1937)。

为一个独立的因素。在指出这一因素的客观原因和发生作用的客观社会条件的同时,不能否定人的主观认识能力对于经济活动的制约。社会主义经济的实践已经表明,公有制、计划经济等本身并不能保证经济的稳定增长;社会主义经济的许多不稳定现象,部分地正要归因于计划者本身缺少经济学知识,对现实经济条件、人们的需求结构和人们的行为方式缺乏了解,对未来经济的变化不能作出正确的预期,等等。马克思主义者在正确地指出了社会生产盲目性与私有制竞争之间的关系的同时,往往不适当地忽视了知识信息因素在经济中所起到的独特重要作用。那种以为只要实现了公有制,就可以完成从"必然王国"到"自由王国"的飞跃,集中的指令性的计划经济就必然会比市场经济更加优越等等错误的认识,是与马克思主义理论的这一缺陷直接相关的(事实上,马克思自己就在多处说过,只要实行了公有制,就可以实现稳定的经济增长,不会再发生经济波动和经济紊乱)。因此,凯恩斯主义理论中对于主观因素作用的强调,是有其独立的科学价值的。

10.6 小结:各种动态理论与社会主义经济问题

从以上对各种动态理论的分析中,可以得出以下几点结论:

1. 动态理论是最具体的理论,经济学中的一切问题最终都会在动态理论中表现出来。从理论比较的角度看,本书所研究的三种不同的经济理论体系的差异和相互关系,在动态理论中得到了充分的、全面的表现。

2. 各种动态经济理论,都是从某种特殊的角度对经济的运动过程进行了分析,提供了某种有价值的思想材料。将它们有机地综合在一起,有助于我们更加全面、深刻地认识经济运动。

3. 马克思主义的动态理论,由于抓住了经济运动的一些特殊的、本质的方面,并且既分析了技术进步、经济制度对动态过程的基本的决定作用,又分析了特殊的经济矛盾在经济波动中发生作用的机制,因而提供了一个较全面地理解和分析经济动态过程的理论结构。这一理论结构在许多方面,既包括理论内容方面,也包括分析形式方面,都有待于进一步扩充、发展和完善,但它提供了一个对各种动态理论进行有机综合的基础。

4. 以上分析的各种动态理论，虽然都是以资本主义经济为特殊对象的，但由于这些理论中都包含着一般真理的因素，因此也对社会主义经济问题有着直接的现实意义。例如，新古典主义的均衡增长理论向我们揭示了要使经济稳定增长所需要满足的基本条件，即积累以消费为目的和信息的完全性。当经济的动态过程发生问题的时候，比如说社会主义经济出现了长期投资膨胀或“投资饥饿症”的时候，我们就要提出疑问：经济中的投资决策是由谁作出的？各种投资行为背后的动机究竟是什么？投资计划是否正确反映了客观经济条件和人民当前和长期的消费需要？马克思主义告诉我们，经济运动过程中出现的问题，必须在社会经济关系、经济制度中寻找最基本的原因，比如说从投资决策机制、投资收益的分配、投资决策者由其所处的经济地位而决定的行为目标等等中去寻找投资膨胀的原因。而凯恩斯主义则告诉我们，经济行为的盲目性、投资决策者的“动物精神”，如何能够导致经济的紊乱；在一个集中计划管理的经济中，个别决策者的主观盲目性会产生怎样的恶果；从而告诫我们在目前条件下不能高估自己的主观能动性，高估自己对客观规律的认识能力，而必须努力使自己的主观认识符合客观实际。

结束语

显然，本书只是对各种经济学理论体系的比较与综合作一初步的探索，仅仅提出了“马克思主义新综合”的基本构想，在一些与此相关的重要的基本理论问题上表明自己的观点，指出分析和解决这些问题的基本思路；对于某些重要的理论问题，只能抓其要点，删繁就简地作些概述（特别是第 9、第 10 两章中的一些问题）；有许多重要的具体理论问题（如货币问题）和方法论问题，则完全略去了。毫无疑问，所有这些问题，论及的或尚未论及的，都有待于今后进一步的研究和探讨。事实上，正如有些老学者向笔者指出的，本书的论题够我干一辈子。

在结束本书的时候，笔者记起了自己在大学三年级时的一篇作业。我们的“经济学说史”课目的期末考试，是开卷作一篇命题作业。老师出的题目之一是“画一幅经济思想发展脉络图”，即用图表的形式，概括地表明思想史上各经济学家之间的关系。这样的图表已经有不少了，但还是让人感觉都并未全面地概括出经济学说史上各种理论思想和各个理论家之间的复杂的关系。作为一种尝试，笔者直接应用螺旋式发展的思想，画了一条螺旋形曲线，将经济思想史上所有主要的、重要的代表人物及其提出的理论命题，全部标在这条曲线上，表示一个人、一种观点与所有前人的继承性的联系；又用直线将某些理论家的某些思想连接起来，以表示它们之间的直接的继承关系。下面的图形，包含了当时的基本想法。当然，这里出现的已不是当初的原图，而是根据现在的认识大大修改过的。为了尽可能简单明了地表明思路，这里仅以价值—价格理论为例，以使图形大大简化；并且，这里不是严格地按照理论作一立体的、沿着时间方向螺旋式向前延伸的曲线，而是为了简单明了的缘故，画成平面上的向外展开的螺旋线。总之，它更具有示意图的性质。

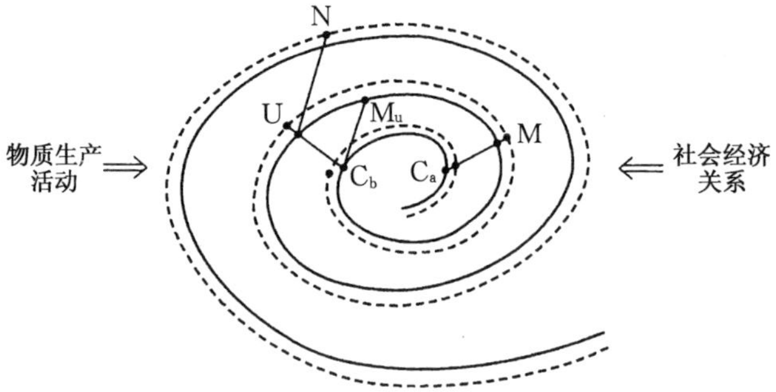

图中的实线，表示的是经济范畴的较为抽象的内容（价值和使用价值），虚线表示的是相关的较为具体的、属于现象形态的方面（交换价值或价格）。C 为古典学派（C_a 指古典学派的劳动价值论，C_b 指古典学派的效用理论）；U 为边际效用学派；M 为马克思主义劳动价值论，M_u 指马克思主义关于商品的使用价值社会性的论述；N 为现代新古典主义的均衡价格理论。外面一圈圆周与里面一圈圆周的连线，表示理论的直接继承关系。

此图想突出表明的是：(1)任何一种理论、任何一种思想的发展，都与前人的各种理论，哪怕是极为不同、相互对立的理论，有着直接或间接的继承关系。(2)一种理论，往往只是着重对经济问题的某一方面进行了分析，这表现为一种理论体系在一个螺旋式圆周上往往只占据一段或一点，而不是全部；有的理论较为全面（但不一定精确，也许因其粗浅而包含许多混淆），因而占据较多的点。(3)一种理论，只要它对经济问题的某一方面进行了一定程度的深入分析，提供了新的观点和方法，它就具有科学的价值，它就在经济科学发展曲线上占有一席地位（它出现在曲线上），对整个的思想发展作出了贡献。当然，任何一种理论都不过是无尽头的认识发展过程的一个阶段——那条螺旋形曲线本身是不会终结的。(4)理论的发展，不仅可以表现为在某一或某些理论问题上的新观点、新方法的提出，还可以表现为正确地揭示各种已有的理论之间的相互关系并对它们加以综合。

写作本书之前，笔者偶然看到了美籍华裔历史学家黄仁宇教授论述中国明史的著作《万历十五年》(中华书局,1982 年版)。该书在谈到历史发展的一般进程和某些特殊阶段的关系的时候,也画出了一个如下的螺旋形曲线图,以表明历史上的那些特殊阶段如何脱离了作为常态的一般发展进程,又如何与这一般的常态相联系、相衔接(黄仁宇,1982:273)。

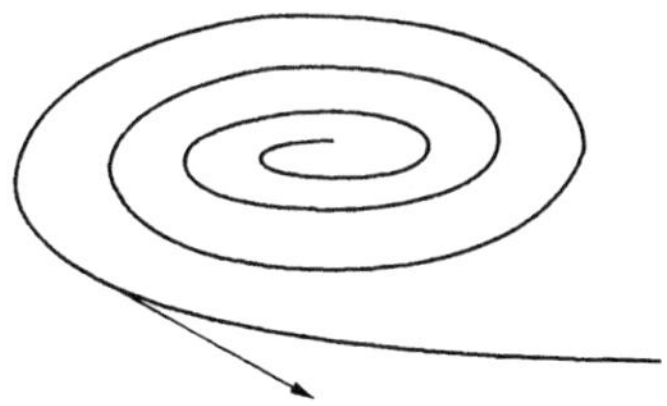

在特定的意义上,这样一种关于现实历史的图形可以被借用来表达本书前面提到的“片面的科学性”的概念,从而可以使我们对前面给出的经济科学发展曲线作出进一步的补充,即把那些提供了某些科学因素、但又存在片面性的理论,画成一些与螺旋线相连接、但又脱离了螺旋线延伸开去的直线,以表示“片面的科学性”在理论发展中的地位和作用。

事实上,经济思想的发展,那条螺旋形的曲线,正是由一条条方向不同、向各方面伸展开去的直线近似地构成的。我们的任务就在于:(1)努力为曲线本身的伸延作出新的贡献;(2)努力使思想尽量不脱离、少脱离正确的轨道;(3)科学地说明已有的种种直线所处的地位及其相互关系,画出它们之间的连线,使它们得到有机的综合。

这样一种图形,可以说是对本书所要阐明的经济思想发展观的直观的表达和概括。笔者就以这一图形,作为本书的结束。

参考文献

Arrow, K. J., & H. Raynaud, 1986, *Social Choice and Multicriterion Decision-Making*, The MIT Press.

Arrow, K.J., 1951, *Social Choice and Individual Values*, Yale University Press.

Backhouse, R., 1985, *A History of Modern Economic Analysis*, Oxford University Press.

Baran, P., & P. Sweezy, 1966, *Monopoly Capital*, Monthly Review Press.

Barro, R., & Grossman, H., 1971, "A Disequilibrium Model of Income and Employment", *American Economic Review*, March.

Barro, R., & R. G. King, 1984, "Time-Separable Prefernces and Intertemporal-Substitution Models of Business Cycles", *The Quarterly Journal of Economics*, Nov.

Barro, R., 1974, "Are Goverment Bonds Net Wealth?", *Journal of Political Economics*, Nov./Dec..

Barro, R., 1984, *Macroeconomics*, Wiley Press.

Bell, D., & Kristol, I., 1981, *The Crisis in Economic Theory*, Basic Books Publishers.

Blaug, M., 1985, *Economic Theory in Retrospect*, Cambridge University Press.

Boadway, R., & N. Bruce, 1984, *Welfare Economics*, Oxford.

Bose, A., 1975, *Marxian and Post-Marxian Political Economy*, Penguin Books.

Bowles, S., 1985, "The Production Process in a Competitive Economy: Walrasian, New-Hobbesian and Marxian Models", *American Economic Review*, March, vol.75:16—36.

Bowles, S., et al., 1986, "Power and Profits", *Review of Radical Political Economics*, Spring and Summer.

Cass, D. & Yaari, M., 1966, "A Re-Examination of the Pure Consumption Loans

Model", *Journal of Political Economy*, vol.74.

Davidson, P., 1981, "Post Keynesian Economics", in *The Crisis in Economic Theory*, Basic Books.

Debreu, G., 1959, *Theory of Value*, New Haven.

Diamond, P., 1965, "National Debt in a Neo-Classical Growth Model", *American Economic Review*, December.

Dobb, M., 1955, "On some Tendencies in Modern Economic Theory", in *Economic Theory and Socialism*, Oxford.

Dobb, M., 1937, *Political Economy and Capitalism*, International Publishers.

Dobb, M., 1970, "The Sraffa System and Critique of the Neo-Cassical Theory of Distribution", *De Economist*: 347—362; Reprint in Hunt and Schwartz, ed., A Critique of Economic Theory.

Domar, E., 1946, "Capital Expansion, Rate of Growth and Employment", *Econometrica*, vol.14:137—147.

Drucker, P.F., 1981, "Toward the Next Economics", in Bell & Kristol, ed., *The Crisis in Economic Theory*, Basic Books Publishers.

Eichner, A.S., 1983, *Why Economics is not yet a Science*, M.E.Sharpe.

Friedman, M., 1968, "The Role of Monetary Policy", *American Economic Review*, March.

Gale, D., 1973, "Pure Exchange Equilibrium of Dynamic Economic Models", *Journal of Economic Theory*, February.

Goodwin, R., 1967, "A Growth Cycle", in C.H. Feinstein (ed.), *Socialism, Capitalism, and Economic Growth*, Cambridge University Press.

Goodwin, R., 1983, "A Note on Wages, Profits, and Flunctuating Growth Rates", *Cambridge Journal of Economics*, September-December, vol.7:305—310.

Gordon, D., T. Weisskopf, & S. Bowles, 1983, "Long Swings and the Non-reproductive Cycle", *American Economic Review*, May, vol.73:152—157.

Grunberg, E., 1978, "Complexity, and Open System in Economic Discoures", *Jounal of Economic Issues*, Sep..

Hahn, F., 1981, "General Equilibrium Theory", in Bell, D., & Kristol, I. ed., *The Crisis in Economic Theory*, Basic Books Publishers.

Hahn, F., 1973, *On the Notion of Equilibrium in Economics*, Cambridge University Press.

Hansen, A., 1941, *Fiscal Policy and Business Cycle*, W.W.Norton.

Harrod, R.F., 1939, "An Essay in Dynamic Theory", *Economic Journal*, vol.49:

14—33.

Hicks, J., 1934, (Hicks & Allen) "A Reconsideration of the Theory of Value", *Economica*.

Hicks, J., 1956, *A Revision of Demand Theory*, Oxford.

Hicks, J., 1937, "Mr. Keynes and the Classics: a Suggested Interpretation", *Econometrica*, 5:147—159.

Intrilligator, M., 1971, *Mathematical Optimization and Economic Theory*, Prentice-Hall.

Kaldor, N., 1956, "Alternative Theories of Distribution", *Review of Economic Study*, vol.23.

Kaldor, N., 1957, "A Model of Economic Growth", *Economic Journal*, vol. 69: 591—624.

Kalecki, M., 1933, "Outline of a Theory of the Business Cycle", *Selected Essays on the Dynamics of the Capitalist Economy*, Cambridge University Press.

Kalecki, M., 1943, "Political Aspects of Full Employment", *Political Quarterly*, October-December: 322—330.

Keynes, J.M., 1930, *A Treatise on Money*, Macmillan.

Keynes, J.M., 1940, *How to Pay for the War*, Macmillan.

Keynes, J. M., 1936, *The General Theory of Employment, Interest and Money*, Palgrave Macmillan.

Keynes, J.M., 1937, "The General Theory of Employment", *Quarterly Journal of Economics*, vol.51:209—230.

Knight, F.H., 1921, *Risk, Uncertainty and Profit*, Houghton Mifflin.

Kuhn, T.S., 1962, *The Structure of Scientific Revolutions*, University of Chicago Press.

Lange, O., 1935, "Marxian Economics and Modern Economic Theory", *Review of Economic Study*, June.

Lange, O., 1938, *Socialist Economic Theory*, MacGraw-Hill Book Company.

Leibenstein, H., 1981, "Microeconomics and X-Efficiency Theory", in Bell, D., & Kristol, I. ed., *The Crisis in Economic Theory*, Basic Books Publishers.

Leijonhufvud, A., 1968, *On Keynesian Economics and the Economics of Keynes*, Oxford.

Leontif, W.W., 1982, "Academic Economics (A Letter to the Editor)", *Science*, vol.217, July, in *Why Economics is not yet a Science*, ed. by A. S. Eichner, 1983, M.E.Sharpe.

Leontif, W.W., 1955, "Input-Output Analysis and the General Equilibrium".

Lucas, R. E., 1976, "Econometric Policy Evaluation: A Critique", *Carnegie-Rochester Conference on Public Policy*, vol.1.

Lucas, R.E., Jr. 1972, "Econometric Testing of the Natural Rate Hypothesis", in *The Econometrics of Price Determination Conference*, ed. by O. Ecktein, Board of Governors of the Federal Reserve System.

Lucas, R.E., Jr. 1980, "Methods and Problems in Business Cycle Theory", *Journal of Money, Credit, and Banking*, Nov, Part 2.

Lucas, R.E., Jr. 1977, Undersdanding Business Cycles, Carnegie-Rochester Conference on Public Policy.

Malinvaud, E., 1972, *Lectures on Microeconomic Theory*, North Holland.

Mankiw, N.G., 1985, "Small Menu Costs and Large Businese Cycles", *Quarterly Journal of Economics*, May.

Marglin, S., 1984, *Growth, Distribution, and Prices*, Cambridge University Press.

Marglin, S., 1974, "What Do Bosses Do?", *Review of Radical Political Economics*, vol.6:33—60.

Meek, R.L., 1956, *Studies in The Labor Theory of Value*, Monthly Review Press.

Meek, R.L., 1973, "The Labor Theory of Value and the Marginal Revolution", in the *Marginal Revolution in Economics*, Duke University Press.

Modigliani, F., 1986, "Life Cycle, Individual Thrift, and the Wealth of Nations", *American Economic Review*, June.

Morishima, 1973, *Marx's Economics—A Daul Theory of Value and Growth*, Cambridge University Press.

Morishima, 1977, *Walras' Economics: A Pure Theory of Capital and Money*, Cambridge University Press.

Muellbauer, J. & Portes, R., 1978, "Macroeconomic Models With Quantity Rationing", *Economic Journal*, Dec..

Mundell, R., 1963, "Inflation and Real Interest", *Journal of Political Economics*.

Muth, J.F., 1961, "Rational Expectations and the Theory of Price Movements", *Econometrica* 29, July: 315—335.

Pareto, V., 1908, *Manual of Political Economy*, English edn, 1971, Augustus M. Kelly, Publishers.

Pasinetti, L., 1962, "Rate of Profit and Income Distribution in Relation to the Rate of Economic Growth", *Review of Economic Studies*, vol.33:303—306.

Pasinetti, L., 1986, "Theory of Value—A Source of Alternative Paradigms in Economic Analysis", in *Foundations of Economics*, ed. by M. Baranzini & R. Soazzieri, Oxford University Press.

Patinkin, D., 1965, *Money, Interest and Prices*, Harper and Row.

Patinkin, D., 1969, "The Chicago Tradition, the Quantity Theory and Friedman", *Journal of Money, Credit and Banking*, Feb..

Phelps, E., 1961, "The Golden Rule of Accumulation: A Fable for Growthmen", *American Economic Review*, September.

Radner, R., 1968, "Competitive Equilibrium under Uncertainty", *Econometrica*, vol.36:31—58.

Robbins, L., 1932(1946), *An Essay on the Nature and Significance of Economic Science*, Macmillan.

Robinson, J., 1947, *An Essay on Marxian, Economics*, Macmillan.

Robinson, J., 1960, *Collected Economic Papers*, vol.1, 2; Blackwell.

Robinson, J., 1971, *Economic Heresies—Some Old-Fashioned Questions in Economic Theory*, Macmillan Publishers Limited.

Robinson, J., 1962, *Essays in the Theory of Economic Growth*, St. Martin's Press.

Robinson, J., 1980, *Introduction to Classical and Neoclassical Theories of General Equilibrium*, London.

Robinson, J., 1956, *The Accumulation of Capital*, Palgrave.

Robinson, J., 1953, "The Production Function and the Theory of Capital", *Review of Economic Studies*, vol.21:81—106.

Robinson, J., 1972, "The Second Crisis in Economic Theory", *American Economic Review*, No.5.

Roemer, J., 1981, *Analytical Foundations of Marxian Economic Theory*, Cambridge University Press.

Roll, E., 1973, *A History of Economic Thought*, Faber & Faber.

Rowthorn, B., 1977, "Conflict, Inflation, and Money", *Cambridge Journal of Economics*, vol.1:215—239.

Rowthorn. B., 1974, "New-Classica lism, Neo-Ricardianism and Marxism", *New Left Review*, July-August: 14—47.

Samuelson, P., 1958, "An Exact Consumption Loans Model With or Without the Social Contrivance of Money", *Journal of Political Economy*, Dec..

Samuelson, P., 1976, *Economics*, McGraw-Hill.

Samuelson, P., 1962, "Economists and the History of Ideas", *American Economic Association*, vol.52:1—18.

Samuelson, P., 1947, *Foundations of Economic Analysis*, Cambridge University

Press.

Samuelson, P., 1974, "Marx as a Mathematical Economist", in G. Horwich and P. Samuelson(eds), *Trade Stability and Macroeconomics*, Academic Press.

Sargent, T. & Neil Wallace, 1975, "Rational Expectations, the Optimal Monetary Instrument and the Optimal Money Supply Rule", *Journal of Political Economy*, vol.83, April: 241—254.

Sargent, T., 1976, "The Observational Equivalence of Natural and Unnatural Rate Theories of Macroeconomics", *Journal of Politica Economics*, 84:631—640.

Schor, J., 1985, "Changes in the Cyclical Variability of Wage", *Economic Journal*, June, vol.95:452—467.

Schumpeter, J.A., 1939, *Business Cycles*, McGraw-Hill Book Company, inc..

Schumpeter, J.A., 1954, *History of Economic Analysis*, Oxford University Press.

Shapiro, C., & J. Stiglitz, 1984, "Equilibrium Unemployment as a Worker Discipline Device", *American Economic Review*, June, vol.74:433—444.

Sidrauski, M., 1979, "Rational Choice and Pattern of Growth in a Monetary Optimizing Model", *Economica*, Nov..

Simons, H., 1934, "A Positive Program for Laissez Faire", The University of Chicago Press.

Solow, R.M., 1956, "A Contribution to the Theory of Economic Growth", *Quartly Journal of Economics*, vol.70:65—94.

Sraffa, P., 1960, *Production of Commodities By Means of Commodities: Prelude to a Critique of Economic Theory*, Cambridge University Press.

Swan, T., 1956, "Economic Growth and Capital Accumulation", *Economic Record*, vol.32:334—361.

Tobin, J., 1969, "A General Equilibrium Approach to Monetary Theory", *Journal of Money Credit and Banking*: 15—29.

Tobin, J., 1965, "Money and Economic Growth", *Econometrica*, Oct..

Tsuru, S., 1954, "Keynes versus Marx: The Methodology of Aggregates", in *Post-Keynesian Economics*, ed. by K.Kuribara, Rutges University Press.

Varian, H.R., 1984, *Microeconomic Analysis*, W.W.Norton Company.

Walras. L., 1874, *Elements of Pure Economics*, Translated By W. Jaffe, 1954, Routledge.

Weber, M., 1904, *The Protestant Ethic and the Spirit of Capitalism*, English edn., 1930, London.

Wicksteed, P.H., 1884, "The Marxian Theory of Value", reprinted in *The Commonsense of Political Economy*, 1933, Ⅱ.

Williamson, O. E., 1976, "Firms and Markets", in *Modern Economic Thought*, S. Weintraub ed., University of Pennsylvania Press.
Yellen, J., 1984, "Efficiency Wage Model of Unemployment", *American Economic Review*, May: 200—205.
布留明:《政治经济学中的主观学派》,人民出版社 1983 年版。
陈岱荪主编:《政治经济学史》,吉林人民出版社 1981 年版。
多玛:《经济增长理论》,商务印书馆 1983 年版。
哈罗德:《动态经济学》,商务印书馆 1981 年版。
克里斯托尔和贝尔:《经济理论的危机》,上海译文出版社 1985 年版。
兰格:《政治经济学》(第 1 卷),中国社会科学出版社 1987 年版。
李嘉图:《政治经济学及赋税原理》,商务印书馆 1981 年版。
列昂惕夫:《投入产出经济学》,商务印书馆 1980 年版。
列宁:《列宁全集》,人民出版社 1986 年版。
罗宾逊和伊特韦尔:《现代经济学导论》,商务印书馆 1982 年版。
马克·布劳格:《有没有边际革命?》,载于布莱克等编,《经济学的边际革命》,商务印书馆 1987 年版。
马克思(1859):《政治经济学批判》,人民出版社 1959 年版。
马克思:《经济学手稿(1857—1858)》,载《马克思恩格斯全集》,第 46 卷,人民出版社 1980 年版。
马克思:《马克思恩格斯选集》,人民出版社 1972 年版。
马克思:《剩余价值理论》第 1,2,3 册,《马克思恩格斯全集》第 26 卷Ⅰ,Ⅱ,Ⅲ,人民出版社 1972,出版日期是按俄文版标明的。
马克思:《资本论》(第 1 卷,1867;第 2 卷,1883;第 3 卷,1894),人民出版社 1975 年版。
马歇尔:《经济学原理》,商务印书馆 1962 年版。
门格尔:《国民经济学原理》,上海人民出版社 1958 年版。
米尔达尔:《货币均衡论》,商务印书馆 1982 年版。
米列伊科夫斯基等:《现代资产阶级政治经济学批判》,商务印书馆 1985 年版。
庞巴维克:《资本实证论》,商务印书馆 1964 年版。
舒马赫:《从马克思到凯恩斯十大经济学家》,商务印书馆 1965 年版。
舒马赫:《经济学没有用?》,载琼·罗宾逊编《凯恩斯以后》,商务印书馆 1985 年版。
维克塞尔:《国民经济学讲义》,上海译文出版社 1983 年版。
希克斯:《价值与资本》,商务印书馆 1962 年版。
希克斯:《经济学展望》,商务印书馆 1986 年版。
中共中央编译局:《列宁选集》,人民出版社 1972 年版。

图书在版编目（CIP）数据

现代三大经济理论体系的比较与综合/樊纲著. —
上海：格致出版社：上海人民出版社，2016.8
（世纪中国论坛典藏文库）
ISBN 978－7－5432－2648－7

Ⅰ. ①现… Ⅱ. ①樊… Ⅲ. ①经济学–研究 Ⅳ.
①F0

中国版本图书馆 CIP 数据核字(2016)第 172126 号

责任编辑　钱　敏
装帧设计　陈　楠

· 世纪中国论坛典藏文库 ·
现代三大经济理论体系的比较与综合
樊纲 著

世纪出版股份有限公司　格致出版社
世 纪 出 版 集 团　上海人民出版社　出版
（200001　上海福建中路 193 号　www.ewen.co）
上海世纪出版股份有限公司发行中心发行
上海中华印刷有限公司印刷
开本 720×1000　1/16　印张 16.5　插页 4　字数 240,000
2016 年 8 月第 1 版　2016 年 8 月第 1 次印刷
ISBN 978－7－5432－2648－7/F·947
定价 58.00 元